James
Blurt
CD

EL MISTERIO
DEL MATRIMONIO

RABÍ ITZJAK GINSBURGH

EL MISTERIO
DEL MATRIMONIO

Amor y felicidad según la Cábala

EDICIONES OBELISCO
Colección Alef

Si este libro le ha interesado y desea que le mantengamos informado
de nuestras publicaciones escríbanos indicándonos qué temas
son de su interés (Astrología, Autoayuda, Cábala y Judaísmo, Naturismo,
Espiritualidad, Tradición...) y gustosamente le complaceremos.

Puede consultar nuestro catálogo en http://www.edicionesobelisco.com

Colección Alef
EL MISTERIO DEL MATRIMONIO
Rabí Itzjak Ginsburgh

1ª edición: Junio de 2004

Título original: *The mystery of Marriage*

Traducción: *Alef-Jojmá*
Supervisión general: *Daniel ben Itzjak*
Maquetación: *Marta Rovira*
Diseño cubierta: *Stephanie & Ruti Design*

© 2004 by Alef Jojmá
© 2004 Ediciones Obelisco, S.L.,
(Reservados los derechos para la presente edición)

Pere IV, 78 (Edif. Pedro IV) 3.ª planta 5.ª puerta
08005 Barcelona - España
Tel. 93 309 85 25 - Fax 93 309 85 23
Castillo, 540 - 1414 Buenos Aires (Argentina)
Tel. y Fax 541 14 771 43 82
E-mail: obelisco@edicionesobelisco.com

ISBN: 84-9777-005-6
Depósito legal: B-19.704-2004

Printed in Spain

Impreso en España en los talleres de Romanyà/Valls S.A.
Verdaguer, l. 08786 Capellades (Barcelona)

Este libro está dedicado
a la memoria de

RAPHAEL y RACHEL HORN

Que sus almas descansen unidas
en la Vida Eterna

ת.נ.צ.ב.ה.

I

AMOR VERDADERO

El Talmud[1] relata que en el antiguo Israel se acostumbraba a preguntar al recién casado: «¿*Hallaste* o *hallas*?»

La pregunta se refiere a una aparente contradicción entre dos frases del rey Salomón, el más sabio de los hombres. En el libro de Proverbios[2] se dice:

«Quien halló mujer halló el bien»

Pero en el libro de Eclesiastés[3] afirma:

«Y hallo yo más amarga que la muerte a la mujer»

Aunque estos dos versículos parecen presentar imágenes contradictorias de la mujer, si las examinamos atentamente podemos detectar algunas diferencias gramaticales sutiles que explican la aparente discrepancia.[4]

Ante todo, el verbo en el primer versículo está en tiempo pasado: «quien *halló* mujer», mientras que el verbo en el segundo está en presente: «y *hallo*... a la mujer».

De acuerdo con nuestra tradición, las almas de una pareja verdaderamente concertada derivan de una esencia espiritual común.[5] Por esta razón, las dos están destinadas, incluso desde antes de nacer, a unirse en matrimonio.[6] El uso del tiempo pasado al afirmar el bien a encontrarse en el matrimonio, sugiere que tanto en el proceso de búsqueda de esposa como en la relación con la mujer con quien se ha contraído matrimonio, uno debe intentar descubrir y concentrarse en esta identificación mutua, profunda y compartida.

Si ignora esta indicación y se concentra en la gratificación pasajera de sus deseos y predilecciones inmediatos, como lo implica el tiempo presente usado en el segundo versículo, la relación será inevitablemente amarga.

En el primer versículo, el verbo («quien halló») es inmediatamente seguido por su objeto («mujer») implicando que lo que el marido ha buscado y hallado es efectivamente su esposa. Su mente y corazón se centran en ella y su preocupación consciente es suplir sus necesidades y las necesidades de su familia antes que las propias.[7] Esa es la base de una vida matrimonial feliz.

En el segundo versículo, por el contrario (que en el original dice literalmente: «y hallo yo más amarga que la muerte a la mujer»), el sujeto («yo») está interpuesto *entre* el verbo («hallo») y su objeto («mujer»),[8] implicando que el hombre está realmente más ocupado en encontrarse a sí mismo, es decir en su propia gratificación.

De aquí que el desinterés en sí mismo, la anulación del propio yo es la clave para encontrar y relacionarse con la esposa a nivel de la raíz espiritual común. El esposo egocéntrico será incapaz de lograr una relación genuina y recíproca con su esposa, que el tiempo endulce en lugar de amargar.[9]

Aunque en ese caso el marido probablemente sienta que su mujer se ha vuelto «más amarga que la muerte», en realidad esto le ha sucedido a su propio «yo» interpuesto (que proyecta en ella). Esto es lo que indica la frase «más amarga que la muerte» que sigue directamente a la palabra «yo» incluso antes de mencionar a «la mujer».

Miremos nuevamente a estos versículos. El primer versículo completo dice:

«Quien halló mujer halló el bien
y despertará la [buena] voluntad[10] de Dios»

Y el segundo versículo completo es:

«Y hallo yo más amarga que la muerte a la mujer, cuyo
corazón es trampas y redes y sus manos grilletes. El que
es bueno ante Dios huirá de ella, mas el pecador quedará por ella preso».

En otras palabras, así como el rey Salomón califica de «buena» la relación positiva entre marido y esposa, también dice que es «bueno»
huir de una relación negativa. El marido que se buscaba a sí mismo
comienza su retorno al estado del «bien» reorientando su conciencia
de tal manera que se presenta «ante Dios» en lugar de preocuparse
únicamente de sí mismo. Al hacerlo «huye de ella», es decir de la
imagen de su propio ego que ha proyectado en su esposa. Sólo
entonces podrá salir en busca de su verdadera consorte espiritual.[11]

No es sorprendente que el verbo que funciona como eje de
estos versículos («hallar»), figura prominentemente en la creación de Eva, la mujer arquetípica:

«Y dijo Dios: "No es bueno que el hombre esté solo, crearé alguien que lo ayude". Dios creó entonces de la tierra
todas las bestias del campo y las aves del cielo, y Él se las
trajo al hombre para que las nombrara, y así como el hombre las nombró ese fue su nombre. Y Adán dio un nombre a todos los animales y aves del cielo y a las bestias del
campo, pero para sí mismo, Adán no encontró ayuda»[12]

Y, evidentemente, no era suficiente para Dios crear simplemente a Eva y presentarla a Adán. Una verdadera esposa debe
ser buscada y *hallada*.[13]

Después de su creación Adán da a su esposa el nombre genérico «mujer», que en hebreo es simplemente la forma femenina de la palabra «hombre»:[14]

«Esta es ahora, hueso de mis huesos, carne de mi carne, esta será llamada "mujer" porque de hombre fue tomada».

Habiendo hallado a su verdadera consorte espiritual, Adán le da un nombre que proviene del suyo propio, reconociendo el origen común de sus almas.

Observando nuevamente los dos versículos en el original, vemos que en el versículo «Y hallo yo más amarga que la muerte a la mujer», la palabra «mujer» aparece precedida por el artículo «la». Esto implica que uno se refiere a su propia esposa como miembro de un grupo genérico más que como a un individuo que comparte su raíz espiritual. Esta carencia fundamental de unidad le impide encontrar el bien en su relación con su mujer.

Por el contrario, en el versículo «Quien halló mujer halló el bien», «mujer» aparece sin el artículo. Esto implica que quien halla su verdadera consorte espiritual la nombra y la reconoce según su origen común, como sucedió en la historia de la Creación. Por lo tanto «Quien halló mujer halló el bien».

En realidad, también aquel que considera a su esposa parte de sí mismo, puede hacerlo como consecuencia de su ego exagerado. En ese caso uno ve a su esposa meramente como un apéndice de sí mismo y no siente necesidad de relacionarse con ella como con un individuo distinto. A esto alude el versículo «Y hallo yo más amarga que la muerte a la mujer», en el que el marido egocéntrico se ve sólo a sí mismo en su esposa.

La forma correcta de considerar a la esposa como parte de uno mismo es sintiendo la raíz espiritual común, que, como hemos dicho, es posible solamente cultivando un auténtico autodesinterés. Como ya explicaremos, la individualidad verdadera se origina en la raíz espiritual propia. Paradójicamente sólo cuando ambos consortes se relacionan uno con otro conscientes de esta fuente común, sólo entonces son capaces de verse mutuamente como individuos verdaderamente únicos.[15]

Nuestros sabios nos enseñan que «es la condición del hombre buscar a la mujer»[16], porque en realidad está buscando una parte perdida, su «costilla». Espiritualmente su parte perdida es el nivel inconsciente de su propia alma.[17]

Cuando uno aprende a relacionarse («hallar») con su esposa al nivel de su raíz espiritual común, no sólo «halla» un buen matrimonio, sino asimismo el bien inherente al nivel inconsciente de su propia alma.[18] La buena esposa es entonces aquella que hace a su marido consciente de la profundidad del deseo de bondad de éste. Éste es el significado profundo de «Quien halló mujer halló el bien».

En resumen, al referirse al lenguaje contrastante de estos dos versículos, quienes plantean la pregunta arriba mencionada al novio, aluden al resultado de la unión, para bien o para mal, dependiendo de su actitud. Las bendiciones del matrimonio dependen del abandono del egocentrismo y de una orientación positiva hacia la verdad interna y la realidad.[19]

LOS DOS ÁRBOLES DEL JARDÍN DEL EDÉN

En el pasaje inmediatamente anterior a la creación de la mujer se alude a la relación entre abandonar el egocentrismo y contraer un buen matrimonio:

> «Y Dios hizo crecer de la tierra todo árbol agradable a la vista y bueno para comer y el árbol de la vida en medio del jardín y el árbol del conocimiento del bien y del mal...Y Dios ordenó a Adán y le dijo: "Puedes comer de todos los

árboles del jardín, pero no comas del árbol del conocimiento del bien y del mal, porque el día que de él comieres, ciertamente morirás". Y dijo Dios: "No es bueno que el hombre esté solo, crearé alguien que lo ayude"».[20]

El mal encuentra arraigo en el hombre cuando éste se centra en sí mismo y en sus propios deseos en lugar de centrarse en Dios y en Sus deseos (o en un nivel más profundo, cuando se considera independiente o separado de Dios). Cuando se encamina en esa dirección, evalúa toda experiencia sólo en términos de su propio sentido del bien subjetivo.

En la Cábala y el Jasidismo se explica que el bien mancillado por el egoísmo es representado por el árbol del conocimiento del bien y del mal, mientras que el bien no adulterado es representado por el árbol de la vida. Al ordenarle a Adán que no comiese del fruto del árbol del bien y del mal, Dios le estaba advirtiendo que no mezclara el bien y el mal eligiendo el camino del egoísmo y el egocentrismo.[21]

Haber comido el fruto prohibido convirtió al hombre en un ser abiertamente consciente de sí mismo y egocéntrico. Su sensación del bien ya no es pura y divina, sino una mezcla de bien y mal, y considera que algo es bueno sólo si lo gratifica. Si esta actitud no es rectificada, el mal eventualmente devorará al bien, como en los sueños del Faraón,[22] y la apreciación del bien e incluso la creencia de que algo puede realmente ser bueno, se evaporará. Esto, a su vez, engendrará una sensación de amargura hacia la vida, cuando uno culpa a los demás de las propias decepciones y sufrimientos. Habiendo puesto la causa de su sufrimiento fuera de su esfera de influencia, la persona se considera una víctima indefensa de las circunstancias y de la malevolencia.

Ambos estados de conciencia simbolizados por los dos árboles se expresan ante todo en el tipo de relación que el hombre tiene con la mujer. Al prohibir a Adán que comiera el fruto del árbol del conocimiento del bien y del mal, Dios le estaba enseñando a relacionarse con la esposa que estaba por ser creada: «no mezcles lujuria egocéntrica y deseo de gratificación con la experiencia del bien verdadero e inalterado».

En toda la narración al comienzo del libro del Génesis, la creación de la mujer es el único acto creativo descrito como enmienda de una situación inferior.[23] Más aún, la situación previa no es descrita simplemente como «mala», sino como «no buena», implicando que el estado anterior aparentaba ser bueno, pero en realidad no lo era. Para lograr un estado verdaderamente bueno Dios tuvo que crear a la mujer.

En este contexto, «no bueno» es la incorporación a la psique humana del bien relativo, aparente.[24] Este bien aparente es el estado de soledad existencial del hombre, es decir, su condición de egocéntrico y preocupado sólo por sí mismo.[25]

Un marido con esta orientación se está alimentando del árbol del conocimiento del bien y del mal. A menos que se encamine hacia la vida verdadera y el bien, entonces «el día que de él comieres, ciertamente morirás», es decir, que dirá eventualmente: «Y hallo yo más amarga que la muerte a la mujer».

CULTIVANDO EL AUTO DESINTERÉS

Para perfeccionar el auto desinterés, éste debe ser cultivado en las tres áreas de la interacción humana: con Dios, con los otros hombres (y la relación matrimonial es la forma más personal e intensa de este tipo de interacción) y con uno mismo.

Con respecto a Dios el altruismo significa la humilde sumisión a Su voluntad, con respecto a la esposa significa hallar en ella la consorte espiritual predestinada (*bashert*) y relacionarse con ella en ese nivel, y con respecto a uno mismo significa refinamiento del carácter.

Nuestra conciencia normativa, según la Cábala y el Jasidismo, es sólo una pequeña parte de la conciencia del alma, que comprende niveles adicionales y modos de conciencia de los que no somos generalmente conscientes. Se dice que estos niveles adicionales «nos rodean», ya que no está normalmente en nuestro poder centrarnos en ellos. Por el contrario, suele decirse que nuestra conciencia corriente está «dentro» de nosotros, significando que somos capaces de acceder a ella y en gran medida controlarla. Los niveles que nos rodean son calificados de más «elevados» o «distantes», ya que generalmente no están a nuestro alcance, mientras que de los niveles interiores se dice que son más «bajos» o «cercanos» a nuestro alcance.

En general, estos tres aspectos del esfuerzo espiritual necesario para cultivar el verdadero altruismo, emplean las tres divisiones mayores de la conciencia: «conciencia circundante distante», «conciencia circundante cercana» y «conciencia interna».[26]

ESFERA DE RECTIFICACIÓN	NIVEL DE CONCIENCIA
Devoción a la voluntad de Dios	Circundante lejana
Reconocer nuestra alma gemela	Circundante cercana
Refinamiento de nuestro carácter	Interior

Nos enseñan, en particular, que el alma comprende cinco niveles de conciencia,[27] dos «circundantes» y tres «internos». Estos, en orden descendiente, son:

	NOMBRE HEBREO		TRADUCCIÓN
Distante	**Iejidá**	יחידה	Unidad
Cercano	**Jaiá**	חיה	Viviente
Interno	**Neshamá**	נשׁמה	Aliento [de vida]
	Ruaj	רוח	Espíritu
	Nefesh	נפשׁ	Fuerza vital innata

La fuente de la que emana el compromiso de cumplir la voluntad de Dios, es la absoluta devoción a Él, intrínseca al más elevado de los cinco niveles del alma, la *iejidá*. La *iejidá* es la esencia irreductible de la conciencia, solamente consciente de la realidad absoluta y totalmente comprehensiva de Dios.

En la práctica, raramente somos conscientes de este nivel espiritual, y generalmente actuamos en el contexto de deseos y motivos a corto plazo. Pero todos nuestros deseos se reducen finalmente a la voluntad de existir (o de mejorar o expandir nuestra existencia). Esta voluntad, a su vez, está permeada por el placer de existir y basada en él, experimentando la fe en que la existencia es real. Puesto que la única realidad es Dios, la *iejidá* Lo reconoce como su única fuente de placer y como el objetivo de su voluntad. Este reconocimiento subyace en todo pensamiento consciente, por lo que se dice que la *iejidá* se encuentra siempre presente en los flancos, rodeando y motivando nuestra cognición conciente e influyendo desde la distancia en nuestro proceso de toma de decisiones.

La habilidad de reconocer a nuestra verdadera alma gemela deriva de *jaiá*, el segundo de los cinco niveles del alma. *Jaiá* es el nivel en el que se manifiesta la sabiduría (*jojmá*) innata del alma. Normalmente también este nivel se encuentra fuera del ámbito de la conciencia y sólo ocasionalmente se revela como destellos de percepción de inspiración divina. Sin embargo, al manifestarse en la mente consciente más a menudo que la *iejidá*, este nivel es descrito como rodeando a nuestros pensamientos conscientes desde más cerca.[28]

Aunque todo destello de percepción es una experiencia de la *jaiá* de cada uno, la quintaesencia de la percepción es la conciencia del origen común de nuestra alma y de todas las demás almas, como está escrito: «¿Es que no tenemos todos un Padre?»[29] El caso más personal de esto, es la conciencia de la raíz espiritual que uno comparte con su consorte.[30]

El proceso constante de corrección y refinamiento del carácter, implica relacionarse con los demás con auténtica benevolencia[31] y altruismo, haciendo lo posible a la vez por anular todos los motivos egoístas o egocéntricos. Este esfuerzo concentrado de la mente y el corazón implica los tres niveles internos y conscientes del alma, *neshamá, ruaj,* y *nefesh*.

La *neshamá,* en particular, es el nivel de la mente (la inteligencia activa del alma), el *ruaj* es el nivel del corazón (los atributos emocionales), y el *nefesh* es el nivel de acción en general y los rasgos de comportamiento innatos en particular.

Mediante un esfuerzo espiritual concentrado, uno puede refinar su habilidad de percibir la realidad con profundidad y de verdad, sensibilizar su corazón para reaccionar de forma apropiada al fenómeno de la vida y adquirir una «segunda naturaleza» rectificada en el momento de actuar y comportarse.

En resumen:

ESFERA DE RECTIFICACIÓN	NIVEL DE CONCIENCIA	NIVEL DEL ALMA	
Devoción a la voluntad de Dios	Conciencia circundante distante	*iejidá*	Fe, placer, voluntad, devoción absoluta
Reconocimiento del alma gemela	Conciencia circundante cercana	*jaiá*	Sabiduría, percepción
Refinamiento de nuestro carácter	Conciencia interna	*neshamá* *ruaj* *nefesh*	Percep.realidad sensib. emoc. acción,conducta

Ahora bien, es un principio general que «cuanto más elevada es una entidad, más bajo desciende».[32] Nos enseñan en la Cábala y el *Jasidismo* que el más alto nivel del alma, la *iejidá*, origen del compromiso consciente de cumplir la voluntad de Dios, se manifiesta mayormente en el nivel más bajo, *nefesh*, a través de buenas acciones individuales en constante aumento.[33]

El segundo nivel superior del alma, *jaiá*, la percepción que reconoce la unidad esencial de todas las almas, se manifiesta en el segundo nivel inferior, *ruaj*, a medida que uno rectifica sus emociones y aprende a relacionarse con los demás con misericordia.

Esto deja a la *neshamá* como eje del alma. Y efectivamente, el foco primario del esfuerzo espiritual en relación con el alma es su *neshamá*,[34] su intelecto maduro y su poder de percepción respecto a una realidad aparentemente separada. Mediante la meditación concentrada, uno puede entrenar su mente para que ésta pueda percibir correctamente la realidad, tanto en lo que respecta a percibir la presencia de Dios en el mundo (la providencia Divina) como en la comprensión de otros individuos y sus interrelaciones.

La percepción refinada de la realidad (*neshamá*), provocará a su vez la rectificación de las emociones del corazón (*ruaj*, inspirado por *jaiá*), que a su vez lo motiva a uno a incrementar continuamente sus buenas acciones (*nefesh*, reflejando *iejidá*).[35]

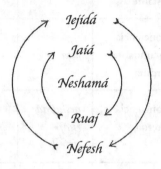

RECORDANDO LA RAÍZ-ALMA COMÚN

Aunque, como se desprende del análisis anterior, encontrar el alma gemela y relacionarse con ella como tal no es nada simple,[36] sin embargo hay tiempos propicios para identificarla (es decir, «recordarla» en su raíz-alma común).

El primero de estos tiempos es *Rosh Hashaná*, el primer día del año judío. Adán y Eva fueron creados en *Rosh Hashaná*, y nuestros sabios nos enseñan que en el momento de ser creados tenían veinte años.[37] El día en el que fueron creados, Dios los trajo al Jardín del Edén, que Él había preparado como inmenso palio nupcial. *Rosh Hashaná* es tanto el cumpleaños del hombre como el aniversario de sus nupcias.[38]

Nos referimos a *Rosh Hashaná* en nuestras plegarias como *Iom Hazikarón*, que se traduce generalmente como «Día de Recordación», pero que en traducción literal sería Día de la Memoria. *Rosh Hashaná* es el día del juicio. Dios no sólo nos recuerda juzgándonos por lo que somos en este mundo, sino que también nos recuerda cómo fuimos antes de que nuestras almas descendiesen a nuestros cuerpos, cuando eran «una parte real del Altísimo».[39] Esto despierta Su compasión por nosotros, ya que nuestras almas han descendido de semejante altura a tales profundidades.

Siendo que el mundo está siendo constantemente creado y sostenido desde la conciencia de Dios, en *Rosh Hashaná* también se es capaz de recordar esa raíz común que comparte con su cónyuge.

Además de *Rosh Hashaná* –el cumpleaños colectivo de la humanidad–, la raíz espiritual de cada uno (*mazal*) es particularmente accesible en su propio cumpleaños.[40] De modo que el día del cumpleaños es otro momento propicio para identificar (es decir recordar) al consorte espiritual.

Un tercer momento es el aniversario del matrimonio. Bajo el palio nupcial, el alma-raíz de la pareja brilla con todo su poder y atrae bendiciones y conciencia (es decir la memoria) Divinamente inspirada de su unidad esencial. El aniversario de la boda es entonces un momento propicio para que la pareja recuerde su raíz espiritual común.[41]

Finalmente, «no había días más gozosos en Israel que el quince de *Av* y *Iom Kipur*, porque en esos días las hijas de Jerusalén... salían y danzaban en los viñedos, diciendo "¡Hombre joven! Levanta la mirada y observa lo que habrás de elegir..."».[42] Esos dos días son especialmente propicios para hacer acuerdos matrimoniales.[43]

Por todo ello, estos días son los que más nos ayudan a recordar tanto el origen del alma individual como la raíz espiritual que uno comparte con su consorte.

Con el fin de recordar, uno debe meditar acerca del origen de su alma como «parte real del Altísimo», comprendiendo de esta forma los enormes recursos y el potencial que posee, que en su mayoría aún no ha usado. Uno, entonces, logra un máximo de conciencia acerca de su tarea en la tierra y la fuerza espiritual para «elegir la vida»[44] en la firme progresión hacia sus objetivos.

En la vida cotidiana esta memoria se refleja en las esperanzas y los planes compartidos para el futuro, así como para su familia ampliada e inmediata (y para todos aquellos sobre quienes tienen una influencia positiva).

Esto implica, asimismo, que para elegir el consorte espiritual, el criterio más importante (aquel que mejor indica, aunque sea indirectamente, que poseen una raíz espiritual común) es: ¿bregamos ambos de la misma manera para alcanzar los mismos ideales? Quienes buscan consorte deben buscar simplemente una sensación general de afinidad mutua y atracción, junto con ideales y objetivos de vida compartidos.[45] Cuando discuten acerca del futuro común y se proyectan construyendo, o cuando hablan de sus ideales y objetivos comunes en la vida, cada uno se siente excitado acerca de lo que el otro dice.

«Unidad» en su pasado, presente y futuro es lo que define a una pareja verdaderamente predestinada (*bashert*). Comparten una raíz espiritual común (pasado), objetivos comunes (futuro) y siempre (presente) recuerdan su origen común mientras se encaminan hacia su meta común.[46]

Amor a primera vista

De lo antedicho, resulta claro que uno no debería esperar que en todos los casos surja súbitamente una sensación intensa de predestinación, al encontrarse por vez primera con la esposa predestinada. Como regla general, la experiencia de amor de la pareja crece y se desarrolla a medida que ambos nutren ese amor en el transcurso de su vida conjunta. Sin embargo, cada regla tiene sus excepciones, y podemos encontrar ejemplos en la Torá de esa intensa experiencia conocida como amor a primera vista.[47] Dios Mismo «se enamoró» de Su visión original del pueblo judío practicando con devoción Su voluntad en la tierra. Según nuestros sabios,[48] este amor a primera vista fue el motivo por el que Dios creó el mundo.[49]

Es importante recordar, sin embargo, que este fenómeno es la excepción que prueba la regla.[50]

Hay trece reglas generales mediante las cuales es posible extraer inferencias lógicas de la Torá.[51] Una de ellas es la siguiente:

> «Cuando un caso particular incluido en un caso general es destacado, esto es para enseñarnos algo nuevo (una excepción); no es destacado sólo para enseñarnos algo acerca de sí mismo, sino para enseñarnos algo acerca del caso general».

En otras palabras, cada excepción refiere acerca de la regla algo que no hubiésemos sabido sin ella.[52]

En nuestro caso, la excepcional experiencia de amor a primera vista constituye una ilustración de la intensidad y el romanticismo que también alcanza eventualmente el amor progresivo. Lo contrario también es cierto: si la experiencia de amor a primera vista es real, eventualmente accederá a la estabilidad y el arraigo del amor progresivo.

Instancias de amor a primera vista son instructivas también para la mayoría de las parejas que no experimentan tal intensidad al comienzo de su relación. Más que sentir que su amor es deficiente o poco romántico, deberían considerar los ejemplos de amor a primera vista como portentos ilustrativos de la intensidad a la que su propio amor puede, y es de esperar que logre, llegar.

Esas parejas que experimentan amor a primera vista deben sentirse afortunadas de que su relación haya sido bendecida con tal intensidad desde el principio. Al mismo tiempo, sin embargo, deben ser conscientes de que cuanto más impetuoso es el comienzo de la relación, más difícilmente podrá ser estabilizada después.[53] Con el esfuerzo necesario, la aparición inicial de amor verdadero a primera vista se adaptará a la regla general y podrá arraigarse en las esencias profundas de la pareja. De esta manera el amor de la pareja se desarrollará y crecerá orgánicamente, como en el caso común de amor progresivo.[54]

Por supuesto que no todo lo que aparenta ser amor a primera vista lo es realmente. Si esa experiencia excepcional no tiene nada de la «regla», es decir que no contiene las semillas del amor estable y maduro, probablemente no sea más que una infatuación que se disipará tan rápidamente como apareció.

EXPERIMENTANDO AMOR A PRIMERA VISTA

Como mencionamos anteriormente, reconocer nuestra alma gemela es una función de sentir la raíz espiritual común y esta es la percepción más fundamental que existe.

Normalmente, el amor[55] nace en el corazón sólo después de que el destello de percepción[56] inicial, seminal, mediante una meditación[57] deliberada, ha madurado en el útero de la mente y se ha convertido en una idea totalmente desarrollada que ha sido asimilada en la concepción de mundo de la persona. Así como el embarazo físico requiere tiempo, también lo requiere este proceso, porque la mentalidad que prevalecía antes de la introducción de la nueva percepción debe aferrarse a ella. Puesto que la mente y sus estructuras de pensamiento no están completamente refinadas y rectificadas, la introducción de un nuevo elemento de verdad requiere que la estructura mental anterior sea enteramente reevaluada y reconstruida de acuerdo a estas nuevas circunstancias, y este proceso exige tiempo.

Excepcionalmente uno puede experimentar amor a «primera vista»; el amor puede aparecer en forma simultánea con la percepción inicial sin el período de tiempo que generalmente requiere para madurar y dar fruto. Esto puede suceder de una de estas dos maneras:

Si el amor se caracteriza por la no-conciencia de uno mismo y la no-concentración en uno mismo (*bitul*) que acompañan el destello de percepción, casi no se experimenta como una «emoción» en el sentido convencional de la palabra.[58] De esta manera puede relucir con el brillo de la primera percepción. La esencia de una experiencia de amor de esta índole se puede definir como contenida en el ojo de la mente, como si el corazón se hubiese «elevado» a los ojos.

Alternativamente, la semilla del amor puede desarrollarse en el útero de la mente antes de nacer en el corazón, pero sin requerir el período de tiempo habitual o, incluso, sin tiempo alguno. Aquí la emoción de amor es experimentada como un atributo del corazón, pero la mente es tan refinada que la emoción fluye por ella libre y naturalmente. El ego no produce fricción alguna que retenga el nacimiento de las emociones de la mente.[59]

Hemos comparado el nacimiento del amor desde la percepción seminal depositada y nutrida en el útero de la mente con la concepción de un niño, y después comparamos el amor a primera vista con la concepción y parto sin el período de preñez. Esta ausencia de la gestación será la norma en el futuro.[60]

En la era mesiánica, tanto las relaciones entre marido y mujer, como la de Dios con el pueblo serán como un perma-

nente estado de enamoramiento a primera vista.[61] Paradójicamente este estado continuo de pasión romántica estará completamente integrado con el amor asentado y estable que caracteriza las relaciones maduras.

La anticipación del Mundo Venidero en este mundo es el
Shabat.[62] El Shabat está esencialmente por encima de la conciencia temporal de los seis días de la creación. Durante los seis
días de la semana, que corresponden a las seis emociones del
corazón, la realidad esta apercibida y focalizada en sí misma. En
Shabat la conciencia de la realidad creada vuelve a su origen en
el plan Divino y las emociones ascienden al nivel de la visión
de la mente.[63] Dios vuelve a experimentar amor a primera vista
como lo hizo antes de la creación. Y siendo que el mundo está
siendo creado continuamente de la conciencia de Dios, en
Shabat también nosotros somos capaces de experimentar amor
a primera vista. Podemos recobrar nuestra inspiración respecto
a la vida en general y volver a enamorarnos de nuestras parejas.
La esencia de la experiencia del Shabat es entonces el primer
nivel de amor a primera vista.[64] El segundo nivel de amor a primera vista es la bendición que el Shabat confiere a la semana
entrante.

De aquí que cuando el amor a primera vista no se experimenta en el contexto de la santidad del Shabat y su bendición
de la semana entrante, se trata de un tipo de parto prematuro[65]
cuyo resultado es un niño muerto. Este tipo de amor a primera vista es análogo a la aparición de un Mesías prematuro.
Nuestros sabios nos enseñan que para que venga el Mesías verdadero, debemos observar dos Shabat.[66] Una interpretación de
esta afirmación es que debemos observar un Shabat y proyectar
su luz a los días de la semana entrante, preparando de esta
forma toda la realidad para el Shabat siguiente. Estos dos
Shabat corresponden a las dos manifestaciones de amor a primera vista que hemos descrito.[67]

de noche-mujer
dedia -hombre

CINCO EJEMPLOS BÍBLICOS DE AMOR A PRIMERA VISTA

Hemos dicho anteriormente que cuanto más impetuosa comienza una relación, más difícil será estabilizarla más adelante. Esto es claramente ilustrado por los cinco ejemplos de amor a primera vista descritos en la Biblia. El primero, el de Adán y Eva, está implícito en el relato de su creación. Los otros cuatro: el de Rebeca por Isaac,[68] el de Jacob por Raquel,[69] el de David por Abigail[70] y el de David por Batsheva,[71] son descritos explícitamente. Estos cinco casos, en su orden histórico, son ejemplos descendientes de cómo la intensidad de un amor a primera vista puede ser encaminado a un amor maduro y arraigado. Esta habilidad de relacionarse a otra persona con lazos profundos y concentrados, es conocida como *daat* –conocimiento.

Cuando Dios creó a Eva y la presentó a Adán, éste exclamó: «¡Esta *es ahora*, hueso de mis huesos y carne de mi carne! Esta será llamada mujer porque de hombre fue tomada». Al decir espontáneamente «es ahora», Adán expresa su deleite y el despertar de sus emociones, su amor a primera vista, por esta consorte recién hallada.[72]

Antes que Rebeca viese a Isaac, ya había aceptado con devoción y sacrificio,[73] ser su prometida.[74] Al ir a encontrarse con él, vio a un hombre que se aproximaba atravesando el campo y supo instintivamente que se trataba de Isaac. Experimentó tal intensa emoción de amor al verlo por vez primera que casi se cae de su camello. Por haberse unido a él de antemano en forma total, su alma fue capaz de reconocerlo como su verdadero consorte espiritual incluso antes de haberse encontrado formalmente con él.

En la Cábala, la pareja que personifica más que ninguna otra el amor entre Dios y el pueblo de Israel, y ejemplifica asimismo el estado ideal de amor manifiesto entre marido y mujer, es Jacob y Raquel,[75] cuya relación es también el prototipo en la Torá del amor romántico.[76]

Como Isaac, Jacob sabía que iba a contraer matrimonio con la hija de su familiar.[77] Cuando llegó al pozo cerca de Jarán, los pastores le dijeron que la doncella que se aproximaba era Raquel, la hija de su tío Labán. Su amor a primera vista le permitió mover sin ayuda la roca que cubría el pozo en el que los pastores abrevaban sus rebaños, para que el rebaño de Raquel pudiera beber. Y lloró, porque sintió que no merecería ser enterrado junto a ella[78] y que habría dificultades y pasaría tiempo antes de que pudiesen contraer matrimonio.

Sin embargo su *daat* no era lo suficientemente completo para hacerlo inmune al engaño. Sólo sabía que venía a contraer matrimonio con una de las hijas de Labán, y como no sabía con cuál de ellas, su preparación psicológica estaba condicionada. Por lo tanto Labán fue capaz de engañarlo,[79] dándole primero a Lea en lugar de Raquel.[80] Pese a la intensidad de su amor por Raquel, en la noche de bodas no supo con quién estaba contrayendo matrimonio.

En ambos casos, las partes estaban psicológicamente preparadas para encontrarse con sus consortes espirituales, de modo que los eventos procedieron en forma relativamente fluida. La preparación psicológica para un evento sirve de «guardia» mental o de escudo protector, que controla y dirige las intensas emociones del corazón.

Por el contrario, el rey David no estaba psicológicamente preparado para ninguno de sus enfrentamientos con el amor a primera vista. Cuando se encontró por primera vez con Abigail, estaba en camino de vengarse de la extrema ingratitud y tacañería de su marido Naval. La vio, se enamoró y quiso casarse con ella. No estando preparado para su encuentro, su amor a primera vista estaba inicialmente desprovisto de *daat*.

Pero Abigail, «mujer de buen entendimiento»,[81] lo convenció de que no debían contraer matrimonio hasta que llegase el momento adecuado.[82] Siendo una profetisa, ella sabía que David caería con Batsheva y logró convencerlo para que esperase y para que no cayese también en su caso.[83] Con su sabiduría y encanto, ella logró calmar las emociones del rey, logrando que su actitud ante su relación fuese guiada por su *daat*.

En el caso de Batsheva, sin embargo, la mente de David no solamente fue incapaz de controlar sus emociones sino que se subordinó a ellas. Aunque estaba predestinada a ser su esposa, él actuó guiado por sus impulsos y fue incapaz de esperar[84] a tomarla cuando la ocasión fuera propicia.[85] Una vez preñada, David dispuso que su marido fuera muerto en batalla para poder casarse con ella. Este es claramente el más bajo nivel de *daat* que puede acompañar la experiencia de amor a primera vista.

II
EL PODER DE LA IMAGINACIÓN

La Imaginación no Rectificada

Tanto si el amor de la pareja se desarrolla naturalmente, como si se enamoran a primera vista, el camino al verdadero amor y al idilio puede ser tan elusivo como esencial. Esto sucede porque el amor y el idilio resultan de la rectificación del poder de la imaginación.

En la Cábala, «rectificar» significa principalmente domesticar y enjaezar los poderes, energías y talentos caóticos e indisciplinados, limitándolos, definiéndolos y dirigiéndolos.[1]

Por más racionales que nos guste creernos, la imaginación es la fuerza motora en la estructura psicológica de la mayoría de las personas. Cuando se orienta correctamente (se «rectifica»), nuestro rico y fértil poder imaginativo es una bendición, porque nos permite vislumbrar nuestros fines y metas en la vida y desarrollar los talentos que Dios nos ha dado. Una imaginación saludable hace del individuo una persona inspirada, vibrante y excitante y lo impulsa a realizar sus sueños.[2]

Pero la imaginación se desarrolla generalmente en forma no rectificada, asumiendo los valores, formas y marcos de referencia ofrecidos en abundancia por el medio ambiente aún no rectificado en el que nacemos. Y, puesto que éstos sólo sirven a sus propios intereses conflictivos, la imaginación tiende a hacerse engañosa y a debilitarse. Los deseos de esta imaginación deforme y mutilada no sólo desvían la atención del verdadero propósito de la vida sino que además la llevan a fantasear acerca de objetivos irreales. La consiguiente frustración debilita la psique en general. Una imaginación retorcida o debilitada conduce inevitablemente a la apatía, el letargo o la desesperación.

La imaginación no domesticada es, entonces, la base psicológica de la tendencia al mal,[3] cuyo objetivo final es conducir al hombre a un abismo de depresión y apatía.[4] En nuestra imaginación, todas las ilusiones de este mundo[5] encuentran su expresión[6] correspondiente.

Por el contrario, una imaginación rectificada nos permite sentir si alguien es verdaderamente compatible como consorte (o puede dar a quien se ocupa de presentar a la futura pareja la capacidad de presentir compatibilidad entre la gente).

La percepción le permite a uno reconocer su verdadero consorte espiritual, pero esto no es más que el simple reconocimiento de la raíz espiritual común. La percepción sola es demasiado efímera, demasiado indescriptible, para darnos alguna noción acerca de si la otra persona es verdaderamente compatible o no.[7] La imaginación rectificada, sin embargo, puede hacernos sentir si la constitución psicológica de la otra persona concuerda con la de uno. Por supuesto que una imaginación no rectificada engañará a la persona en este aspecto.

De ahí que rectificar la imaginación sea de una importancia cardinal. Este proceso tiene dos fases: anular los efectos de las influencias negativas e insanas y, después, reorientarla en forma positiva.[8]

Respecto a las influencias negativas, hay dos obstáculos que deben ser vencidos.

En la sociedad moderna, es prácticamente seguro que nuestra imaginación se fijará egocéntricamente en el objetivo de autorrealización, a menos que sea deliberadamente capacitada para lo contrario. El constante ataque de estímulos sensuales, que son particularmente antitéticos a la promoción de conciencia Divina, invade insidiosamente la imaginación del individuo acostumbrándolo a centrarse en su autorrealización[9] y a buscarla por vías mundanas y temporales.

El egoísmo es subyacente al ideal secular de idilio romántico, que no es más que una proyección del ego desde el nivel inconsciente al nivel consciente de la psique y la búsqueda subsecuente de autogratificación. Resulta claro que alguien con tal orientación no puede experimentar amor verdadero o romance, que están basados en la autoanulación, preocupación por los demás y generosidad.

Pero incluso quien ha sido traicionado a menudo por las seducciones de su imaginación no rectificada, puede desarrollar, además de autodefensa, una sospecha cínica de toda promesa de realización.[10] Dicha persona ha perdido la inocencia necesaria para experimentar un romance verdadero. Toda su estructura emocional, junto con la potencia de su imaginación, está embotada. Se ha vuelto indiferente e incluso ha perdido conciencia del verdadero significado del amor, y el mero concepto de romance ha perdido sentido.[11]

La cura para ambas enfermedades es doble: ante todo uno debe reconocer que tiene un problema.[12] Es posible sufrir de varios tipos de síntomas: mentales (ansiedad, depresión, apatía, etc.) y/o físicos (tensión, debilidad, fatiga, etc.), que pueden ser resultado de una vida vivida sin inspiración o mal inspirada. Por otra parte, uno puede ser inconsciente de tales aflicciones y aparentemente vivir muy bien. Debe buscarse entonces otro tipo de despertar espiritual que lo eleve a otra perspectiva desde la cual pueda verdaderamente apreciar su estado (o, si esa persona ya es capaz de verlo verdaderamente, debe mostrársele la urgencia de su situación). Cada una de esas así llamadas «experiencias religiosas» pueden ser inspiradoras a este respecto, pero lo más efectivo es estudiar Torá, ya que no solamente le indica en qué tipo de persona puede devenir, sino que asimismo le muestra cómo lograr este objetivo.[13]

Una vez que uno ha reconocido su problema, puede emprender la labor de resolverlo. Comprendiendo que el meollo del asunto es su propio egocentrismo, uno puede abandonar su actual y egocéntrica visión de mundo y abrirse a la fase siguiente, que es la reconstrucción de su forma de pensamiento de acuerdo con su verdadera alma Divina. Abandonar las desilusiones de la imaginación no rectificada permite descubrir un nivel de conciencia que aún es puro e idealista, que entonces podrá revitalizar y purificar el resto de su conciencia.

Si uno encuentra esta tarea muy difícil, o la inspiración que es capaz de invocar no es suficiente para evitar recaídas, debería buscar la ayuda de Dios.[14] Esto se lleva a cabo mediante los medios tradicionales de plegarias genuinas[15] y otras prácticas que el pueblo judío ha usado siempre para abrir sus corazones y mentes a Dios.[16] Así se asegura la gracia Divina que, por sí misma[17] puede engendrar una humildad verdadera y restaurar el sentido de inocencia y asombro a quien se ha vuelto marchito y lánguido.[18]

ASOCIACIÓN E INDUCCIÓN

Sorprendentemente, la parte racional y analítica de la mente es la clave para rectificar la imaginación. Esto sucede porque la racionalidad incluye no sólo el poder de *deducir* un hecho de otro, sino también el poder de *inducir,* abstraer un arquetipo o destilar la esencia de una idea.

Examinemos el funcionamiento de la mente en general para entender mejor lo que acabamos de decir.

Los dos polos primarios del intelecto, asentados en los lóbulos derecho e izquierdo del cerebro respectivamente, son «sabiduría» (*jojmá*) y «entendimiento» (*biná*). Cada uno de ellos posee una fuente independiente en la supraconciencia (*keter*), quien los abastece de ingresos mentales.

El ingreso de la supraconciencia en *jojmá* toma la forma de una percepción, el destello de un nuevo saber que invade la mente y parece surgir de ningún lugar.[19]

La *biná*, por otra parte, aparentemente procesa sólo la materia prima que le proporciona la *jojmá*, desarrollando las implicaciones, aplicaciones y ramificaciones de la nueva percepción, confrontándolas con las estructuras mentales existentes. Al hacerlo, sin embargo, *biná* extrae de su propia fuente en la supraconciencia. Este mensaje es el que le permite procesar adecuadamente las percepciones de la *jojmá*.

La *biná*, de hecho, recibe dos tipos de mensajes de su fuente en la supraconciencia.

La primera es la capacidad de percibir relaciones, similitudes y asociaciones entre objetos o conceptos dispares.[20] Es por virtud de este poder por lo que *biná* puede integrar una nueva percepción o idea en un marco de referencia existente. En el Talmud, esta habilidad es denominada «comparar una cosa con otra»[21] y el refinamiento de esta capacidad es considerado esencial para el estudio avanzado de la dialéctica talmúdica.

Asociación es una forma de imaginación. Uno usa su imaginación para formar una cadena asociativa entre dos conceptos aparentemente inconexos.[22] Puesto que en la imaginación, el poder de asociación no está inicialmente entrenado, a menos que se dirija correctamente (tanto en el sentido lógico como espiritual), en su intento de ayudar a la mente a clasificar los diversos estímulos recibidos, puede hacer todo tipo de conexiones erróneas e inconsistentes.[23] Basándose en estructuras falsas urdidas por la imaginación, la mente procederá a inferir conclusiones falsas (un ejemplo extremo es la psicosis de la paranoia). Si se le permite al poder de asociación no rectificado llegar a sus propias conclusiones, nos conducirá a creer en supersticiones e incluso en idolatría, que en el análisis final no son más que asociaciones incorrectas entre sus efectos y sus supuestas causas.

Es por esta razón por lo que de todos los medios exegéticos usados por la metodología talmúdica,[24] el basado en la asociación[25] sólo puede ser invocado con el respaldo de la autoridad de un sabio anterior, que a su vez la tuvo que recibir de su maestro y así hasta Moisés.[26] En el estudio talmúdico uno sólo tiene permitido confiar en la lógica propia cuando razona deductivamente,[27] ya que esto no requiere el ejercicio de la imaginación.

Por lo tanto, el remedio para la tendencia a la asociación no rectificada que lleva al extravio de la mente, es el estudio del Talmud,[28] que capacita a la mente racional para extraer asociaciones legítimas. Sin embargo, fundamentar y predicar el proceso racional debe ser pura fe, tanto en Dios como en la autoridad Divina de la Torá y su metodología. Las imágenes de la imaginación serán entonces reales.[29]

El segundo tipo de ingreso que recibe la *biná* de su fuente en la supraconciencia es el poder de inducción, que es denominado por los sabios «entender una cosa a partir de otra».[30]

En su más simple sentido, inducción es el mecanismo mediante el cual la mente extrae asociaciones, porque toda asociación entre dos ideas se basa en la percepción de un común denominador, o una esencia o un arquetipo compartido. En este sentido, la inducción es meramente un facilitador de la imaginación, el instrumento que usa para inferir.

Pero más allá de esto, una vez elaboradas correctamente todas las asociaciones entre las ideas nuevas y las viejas, la inducción permite a la mente introducirse en lugares de tan profunda comprensión que antes no era capaz de imaginar. Destilando y abstrayendo la esencia subyacente de cada idea particular o conjunto de ideas, uno descubre nuevos ámbitos de percepción. Aquí, la inducción realmente expande el repertorio conceptual y las capacidades de asociación.

La diferencia entre imaginación asociativa e imaginación inductiva es que la imaginación asociativa expande y amplía la superficie de los límites de la mente, permitiéndole contener cada vez más asociaciones verdaderas que enriquecen nuestra conciencia general de la realidad. La lectura literal de la expresión hebrea usada para significar inducción, es: «entender una cosa de dentro de otra», implicando que uno debe introducirse en las profundidades del concepto original, con el fin de inducir una nueva y mayor comprensión.[31]

Es a través del proceso inductivo como la imaginación ejerce su creatividad primaria, porque descubrir o inventar nuevos conceptos es más audaz que urdir nuevas asociaciones entre los ya existentes.[32] *la verdad es reconocible*

Pese a ser una función racional, la inducción es guiada por la intuición,[33] nuestro sentido suprarracional que nos hace ver cuál es la inducción legítima y cuál no lo es. Aquí también, sin embargo, la precisión de la intuición puede ser oscurecida o pervertida por la imaginación no rectificada en el camino hacia la mente consciente. Al rectificar la imaginación, uno permite que su intuición guíe correctamente a sus poderes inductivos.

El desarrollo de la capacidad de inducir correctamente una cosa de otra rectifica el lado inductivo de la imaginación. Esto se logra estudiando aquellas partes de la Torá que utilizan y aguzan este tipo de razonamiento.[34]

La rectificación suprema de la imaginación es el don de profecía.[35] Como ya explicamos anteriormente, el egocentrismo fue introducido en la psique del hombre cuando comió el fruto del árbol del conocimiento del bien y del mal.[36] En el futuro mesiánico, este pecado será completamente rectificado y con él, el poder imaginativo del hombre. «Derramaré Mi espíritu sobre toda carne y profetizarán vuestros hijos y vuestras hijas, vuestros ancianos soñarán sueños [claros] y vuestros jóvenes verán visiones [verdaderas]».[37]

Meditación: abstracción y proyección

Ahora bien, de todas las experiencias que contribuyen a moldear la imaginación (y los parámetros básicos de la imaginación son formados en la juventud), las relacionadas con el amor son las que tienen la influencia más fuerte.[38] Por lo tanto, para rectificar la imaginación, las formas comunes de imaginería romántica deben ser abstraídas y reconstituidas en su origen: el amor y el idilio entre Dios e Israel.[39]

Esto se logra mediante la meditación racionalmente encaminada que prescriben la Cábala y el Jasidismo. El objetivo primario y el centro de atención de estas partes de la Torá es la rectificación total de la conciencia (cuya fuerza motora primaria es la imaginación). Siendo el tema de la Torá la dinámica entre Dios (el Novio cósmico) y el alma colectiva o individual de Israel (la novia cósmica), la dimensión interna de la Torá es, en efecto, una gran exposición de amor y romance.

Estudiando esta dimensión de la Torá, uno llega a comprender y a sentir amor en su fuente de origen. El flujo y reflujo de los afectos maritales presentes o pasados se convierten en el trampolín que nos permite percibir y experimentar la dinámica de la relación de amor Divino y a su vez proyectar la imagen rectificada de la experiencia amorosa en la vida de cada uno. Entonces es posible experimentar amor verdadero en todos los caminos de la vida,[40] particularmente en el matrimonio, que se convierte en un reflejo del supremo y verdadero ideal del romance.

En resumen, la rectificación de la imaginación en general, y de la imagen propia de amor e idilio en particular, comprende tres etapas: el abandono de las falsas concepciones del amor y del idilio; la abstracción del amor y romance mundano al romance Divino; y la manifestación resultante de la unión Divina en el amor mundano.[41]

III
LAS TRES ETAPAS DEL AMOR

Aferrarse y Volverse Uno

Como hemos visto, el bien inherente a la relación con el consorte al nivel de su raíz-alma en común es considerado el verdadero propósito de la creación del hombre:

«Y dijo Dios:
  "No es bueno que el hombre esté solo,
  crearé alguien que lo ayude"»[1].

Este bien es sinónimo de la pareja que se aferra y unifica:

«Por tanto, dejará el hombre a su padre y a su madre,
  y se aferrará[2] a su esposa, y serán una sola carne»[3].

La relación secuencial entre los conceptos de bien, aferrarse y unidad es la que se expone a continuación:

Como hemos dicho, el bien en un buen matrimonio es un eco del deleite Divino que experimentó la pareja en su raíz-alma en común, antes de que sus almas se separaran para descender y entrar en cuerpos individuales.

Una vez nacido, cada individuo siente una necesidad instintiva de buscar su «lado perdido»,[4] basándose en el recuerdo subconsciente del profundo deleite que él experimentó con ella en su existencia primordial. Cuando la encuentra debe «*aferrarse*» a ella, lo que hace dejando el hogar de sus padres,[5] independizándose y construyendo un hogar para sí mismo junto con ella. Como nuestros sabios nos enseñan: «la esposa es el hogar».[6]

Devenir «una sola carne» comprende tanto la consumación de las relaciones maritales[7] (que comienza con el mutuo aferramiento de la pareja) como el nacimiento de los hijos, en quienes la carne se vuelve físicamente una.[8]

Cuando devienen en uno, el marido y la esposa experimentan nuevamente el bien y el deleite Divino que conocieron en el alma-raíz común.[9]

RELACIÓN, ESTAR JUNTOS, UNIDAD

El objetivo del matrimonio es que la pareja manifieste en su conciencia terrenal la unión existencial que encontraron en su alma-raíz celestial. Esta es la esencia del verdadero amor.

Este ideal se consigue en un proceso de tres etapas. Esto es así porque de acuerdo con la Cábala, toda la creación existe dentro de tres marcos de referencia: espacio, tiempo y alma.[10] Toda rectificación de la realidad debe por lo tanto dirigirse a cada una de esas tres «dimensiones». Respecto a marido y esposa, esto significa que la unidad que existe al nivel de su raíz espiritual común puede manifestarse en cada uno de esos tres marcos de referencia.[11]

La primera etapa en este proceso es que una pareja aprenda cómo relacionarse e interaccionar adecuadamente entre sí. En las etapas tempranas de su relación, piensan acerca de sí mismos ante todo como individuos separados, ya que sus aspiraciones, deseos e intereses no se han amalgamado en forma consciente. El amor, en esta etapa, es la capacidad del alma de proyectarse fuera de sí misma y de esta forma tocar otra alma. Como lo explicamos anteriormente, el amor no rectificado se centra en uno mismo. Uno puede creer que está amando a otro, pero en realidad se ama solamente a sí mismo.[12] El amor rectificado comprende el aprendizaje de cómo trasladar el foco del amor y la solicitud a otra persona.

Ya que se consideran entidades separadas, el marido y la esposa probablemente ocupen en esa primera etapa ámbitos separados de «espacio» mental. Establecer y mantener una relación amorosa adecuada puede considerarse como la rectificación de la manifestación «espacial» de su unidad intrínseca.[13] Con el transcurso del tiempo, la pareja aprende a expresar su amor como una profunda sensación de compañerismo en la constitución de un hogar y alcanzar sus objetivos comunes, ocupándose de modo genuino uno del otro, y haciéndose más y más sensitivo y respetuoso con los sentimientos del otro.

La segunda etapa de la conscienciación de la pareja es existencial: estar juntos continuamente. Habiéndose acercado uno al otro «espacialmente», han cerrado la distancia mental entre ellos y han devenido en una unidad marido-mujer. Su conciencia y sus límites emocionales se han expandido con el fin de incluir al otro, cada consorte considera al otro parte de sí mismo.[14]

Como resultado, la proximidad física o la carencia de la misma no afecta su sensación de estar juntos. Han trascendido el espacio y existen juntos en el tiempo.[15] Al experimentar juntos los ciclos temporales, se centran en el enfrentamiento ante las diferentes circunstancias de la vida con su conciencia común, y juntos y en forma productiva reaccionan a ellas. Mientras su amor madura hacia un nivel en el que están verdaderamente juntos, ninguno de ellos puede imaginar su vida sin el otro.

En la etapa final de conscienciación,[16] el marido y la esposa se experimentan a sí mismos como una unidad. Ahora, su raíz espiritual común se manifiesta totalmente en ambos: lo que fueron en el cielo, son ahora en la tierra. Este es el cumplimiento de la intención de Dios, que se «aferren [...] y sean uno». Con el tiempo, el amor y el verdadero idilio se profundizan tanto en los niveles conscientes de sus almas como en su «inconsciente colectivo» mutuo.[17]

A medida que la pareja se ensimisma en su verdadera realidad como parte de Dios, su sentido de individualidad desaparece. Ya no poseen sentimientos y emociones dirigidos al otro, sino que han «devenido» en el otro. En este nivel, uno no solamente rectifica y expande su estructura emocional, sino que realmente la transforma. Una vez que la persona somete su individualidad a la infinidad de la realidad de Dios, es capaz de transformarse en una versión más pura y elevada de sí mismo.[18]

En resumen:[19]

ALMA	Unidad	Eliminación de emociones individuales, transformación en una sola entidad.
TIEMPO	Estar juntos	Ampliar las emociones de modo que incluyan al otro individuo.
ESPACIO	Relación	Rectificación de las emociones, reorientando el egocentrismo inicial.

Estas tres etapas son paralelas a la secuencia del bien, el afianzamiento y el devenir en uno, explicadas antes y resumidas a continuación.

✓ En la primera etapa de la relación, el «bien» es simplemente la negación del «no bien» de vivir solo.

✓ En la segunda etapa, estar juntos, la pareja se aferra uno al otro, pero aún son dos entidades que se consideran parte de un mismo todo. Esta etapa es un paso intermedio entre la conciencia de ser dos entidades y ser una.

✓ En la tercera etapa realmente devienen uno. Pueden experimentar entonces el «bien» superior de su raíz espiritual común.[20]

En resumen:

ALMA	Unidad	Unidad, bien a nivel del alma-raíz
TIEMPO	Estar juntos	Aferrarse
ESPACIO	Relación	Bien como la negación de «no es bueno para el hombre estar solo»

Al principio, como hemos dicho, los consortes deben aprender a relacionarse entre ellos adecuadamente. Este tema será analizado en los próximos siete capítulos. En los capítulos once a trece, nos centraremos en la rectificación de la conciencia de la pareja en el contexto temporal. Y en los dos últimos capítulos[21] estudiaremos la unidad de la pareja en el nivel del alma.

IV
LA RELACIÓN

La Sicología del Espejo

La manera más segura de estimar el éxito obtenido en el proceso de auto-refinamiento es observar el comportamiento de la esposa hacia el marido.[1] Tanto consciente como inconscientemente, ella siente la pureza de sus motivos y responde en forma concordante, tanto deliberada como instintivamente.

En un sentido más amplio, esto es cierto acerca de toda relación interpersonal. «Como [mirando en] el agua, el rostro refleja el rostro, así nuestro corazón se refleja en el del otro»[2]. Así, según la naturaleza y medida de nuestro compromiso con otra persona, se puede estimar el auto-refinamiento que uno ha alcanzado de acuerdo a como uno es tratado.

Puesto que el matrimonio es la forma más intensa de relación interpersonal, este principio es aplicable ante todo a la vida matrimonial. Es ahí donde uno se enfrentará en forma más impresionante con sus éxitos y fracasos en el proceso de auto-refinamiento reflejados en el comportamiento de su esposa hacia él.[3]

Generalmente, esta actitud recíproca entre consortes ocurre en uno de los tres niveles, según las etapas de rectificación de la imaginación.

Si el marido aún actúa guiado por nociones falsas y egocéntricas del amor, su conducta seguramente lo reflejará y su esposa no podrá sino resentir su egocentrismo y oponerse a él. Su relación, la de dos individuos sin conexión alguna entre ellos ocupando «espacios» separados y en conflicto, se caracterizará por frecuentes y dolorosas fricciones. Alienada de un marido que ella siente indiferente a sus necesidades, la mujer se distanciará de él y se desentenderá de sus obligaciones como esposa.

Una vez que el marido se desprende de su imaginación no-rectificada, puede comenzar a mejorarse a sí mismo. Gradualmente comienza a orientar sus intenciones a cumplir la voluntad de Dios en todos los caminos de su vida (particularmente en lo que respecta a su matrimonio)[4], siente la raíz espiritual común suya y de su esposa, y refina su carácter. Aunque aún no haya completado este proceso, su esposa sentirá su genuino esfuerzo y responderá intentando ayudarlo y apoyándolo.[5]

Sin embargo, hasta completar el proceso, ella continuará sintiéndose a sí misma como entidad separada. Ambos verán en su matrimonio una relación mutuamente beneficiosa en la que cada uno es feliz y está dispuesto a dar, aunque también espera recibir.

Si el marido tiene éxito en todas las áreas arriba mencionadas, purificando sus intenciones de modo que su único aliciente es hacer la voluntad de Dios en conexión con la raíz espiritual común suya y de su esposa, refinando su carácter, poniendo siempre los deseos de otros antes de los propios, la conciencia de pareja emergerá. Su absoluta devoción a su esposa le servirá a ella de inspiración, y a su vez ella se dedicará a él inconmensurablemente:[6] «Como [mirando en] el agua, el rostro refleja el rostro, así nuestro corazón se refleja en el del otro»[7]. Ella se sentirá una parte indivisible de él y todas sus acciones reflejarán una devoción total a su marido.

A estos tres niveles de relación entre la pareja alude la frase de Dios antes de crear a Eva:

«Crearé para él [para Adán] alguien que lo ayude»[8].

En hebreo, la expresión traducida como «alguien que lo ayude» [*ezer kenegdó*] significa literalmente «ayuda frente a él»[9].

EL MISTERIO DEL MATRIMONIO

Nuestros sabios señalan perceptivamente que se trata de dos tipos de relación: «Si él se lo merece,[10] ella será una ayuda para él, y si no lo merece, ella se *enfrentará* y luchará contra él»[11].

Al tercer nivel de relación, que es el nivel superior, alude la expresión «para él» [*lo*][12], que precede la expresión hebrea de dos palabras «alguien que lo ayude». A este nivel se alude asimismo dos versículos después, cuando «alguien que lo ayude» aparece por segunda vez:

«Pero para sí mismo, Adán no halló alguien que lo ayude»

Las palabras «para sí mismo» son la traducción de un prefijo de dos letras adjunto al nombre Adán. Estas dos letras forman la palabra [*lo*] «para él». En esta alusión la mujer está totalmente conectada e incluso precede a su marido.[13]

Más aún, como hemos observado,[14] la palabra «hallar» alude al versículo «quien halló mujer halló el bien», donde el uso del pasado implica que ha hallado a su consorte espiritual en su fuente común. Podemos interpretar la frase «para sí mismo, Adán no halló...» como «y el hombre aún no era capaz de hallar a la mujer al nivel de su propia raíz espiritual, el nivel de «para sí [mismo]»[15].

«para él»		Unidad de esposa y marido
«una ayuda»		Esposa asistiendo al marido
«frente a él»		Esposa enfrentándose al marido

El *tzadik* (el justo): devoción absoluta

Estos tres niveles de relación entre marido y esposa reflejan los tres niveles generales de relación entre Dios y el hombre.[16]

Un *tzadik* (una persona justa consumada) es alguien tan dedicado a Dios,[17] que nunca se considera a sí mismo como una entidad separada o un individuo. Verdaderamente, su observancia de la Torá y los mandamientos está imbuida con su intención de afianzarse y hacerse uno con Dios haciendo Su voluntad, y experimenta la Divinidad con amor y temor. Y más todavía, atribuye todo eso a la gracia y providencia infinita de Dios. Como dicen nuestros sabios:[18] «Dadle [es decir, atribuye] a Él lo que es de Él, porque tú y todo lo tuyo sois de Él»[19].

Dios responde atribuyendo con orgullo todo el bien que hay en la realidad como mérito del *tzadik*[20]. En realidad, como lo mencionamos anteriormente,[21] Su motivo al crear el mundo fue el placer que derivaría de las buenas acciones de los justos[22].

El *beinoní* (el intermedio): intereses mutuos

El segundo nivel de relación corresponde a la conciencia del *beinoní*, el servidor «intermedio» de Dios.

En todas las formas de comportamiento, pensamiento, habla y acción, el *beinoní* ha renunciado al estilo de vida resultante de una imaginación no rectificada, por lo tanto está libre de pecado, pero sus motivos aún no son totalmente puros, no ha sometido su yo. Está comprometido a ayudar a Dios a encaminar al mundo hacia la perfección, y hace Su voluntad con alegría, pero aún es consciente de que actúa también para su propio bien.

Nuestros sabios interpretan la frase que concluye el versículo: «Debes por lo tanto observar los mandamientos, los estatutos y las leyes que Yo te mando *hoy para hacerlos*»[23], como implicando: «hoy (en este mundo) para hacerlos y mañana (en el mundo venidero) para recibir su recompensa»[24].

Para el *beinoní* esto significa que aunque el desafío de este mundo (hoy) es observar fielmente los preceptos de Dios, a cambio, heredará seguramente (mañana) la recompensa del mundo venidero.

Un *tzadik*, por el contrario, comprende esta enseñanza como que «hoy» uno debería ocuparse sólo del «hoy» y sus tareas, sin preocuparse por el «mañana» y sus recompensas. Porque en realidad, «una hora de "retorno" a Dios mediante auto-rectificación –*teshuvá*– y buenas acciones en este mundo es superior a toda la vida del mundo venidero»[25], porque en este mundo uno puede unirse totalmente con Dios haciendo Su voluntad. El *tzadik* sirve a Dios estrictamente con el motivo de servirlo. Este deseo incondicional de servir y unirse a Dios excluye todo afán de recibir una recompensa, incluso la del mundo venidero.

El Rabí Shneur Zalman de Liadi ilustra esta idea de la manera siguiente:[26]

En el Midrash[27] se cuenta la historia de una mujer que estuvo casada durante muchos años pero no tenía hijos. Su marido decidió divorciarse de ella, y se dirigió a Rabí Shimon bar Iojai, de bendita memoria, quien le dijo que de la misma manera que su matrimonio se celebró con alegría, debería celebrar con alegría también su separación.

El marido preparó un gran festín, y en su culminación le propuso a su esposa que eligiese cualquiera de sus posesiones que desease, asegurándole que no le negaría nada.

¿Qué hizo ella? Le sirvió tanto vino que él se durmió ebrio y entonces ella dijo a los sirvientes que lo transportaran sobre su cama al dormitorio de ella.

A la mañana siguiente, cuando él se despertó y se encontró en la casa de su esposa, le preguntó por qué había sido transportado allí ¿no estaba claro que pretendía divorciarse de ella? Ella le replicó: «¿No dijiste que podía llevarme lo que quisiera? Yo no deseo oro, ni plata, ni piedras preciosas, ni perlas, lo único que quiero es a ti. Tú eres el único objeto de mi deseo».

Cuando el marido escuchó estas palabras, se enamoró nuevamente de su esposa y volvió a ella. Y por este mérito, el Santo, Bendito Sea, les concedió hijos.

Así sucede con el servicio a Dios. Como está escrito: «Te serviré vino aromático, la fragancia de mis granadas»[28], en referencia a que incluso el menos meritorio de Israel está tan lleno de los preceptos de Dios (méritos adquiridos mediante la observancia de estos preceptos) como una granada está llena de semillas. La novia, Israel, sirviendo al novio, Dios, Lo llama a descender (y morar) entre nosotros, porque (al hacerlo), decimos a Dios en efecto: «A quién tengo en el cielo y nada deseo salvo a Ti en la tierra»[29]. Significando, «no deseo ningún bien o deleite, ni en el jardín del Edén superior, ni en el jardín del Edén inferior, nada deseo salvo a Ti»[30].

Por este mérito uno procreará hijos espirituales, un hijo y una hija, es decir amor y temor a Dios. (Amor y temor a Dios son considerados progenie espiritual ya que son los «hijos» de la meditación intelectual).

Y también en el plano físico, «verá linaje y (merecerá) una larga vida»[31].

El *rashá* (malvado): ajenación indignada

El tercer grado de relación y el más bajo: cuando la esposa se opone al marido, corresponde a la relación entre el *rashá*[32] y Dios.

La rebelión intencional contra Dios suele ser resultado de la frustración existencial del *rashá*, resultado de su incapacidad de medirse con las tribulaciones de la vida y/o con las tantas obligaciones que le impone la Torá. Tanto consciente como inconscientemente, el alma del *rashá*, prisionera de las fuerzas del mal (y sin saber cómo distinguir entre ellas y la Divina providencia[33]), se lamenta angustiada ante Dios: «¿Por qué has hecho mi vida tan miserable?»

El lamento del *rashá* puede parecer legítimo:[34] a veces, parecería que Dios abandonó injustamente a Su creación.[35] El *rashá* reacciona como lo haría una mujer frente a un marido cruel o desinteresado: se rebela.

El acercamiento del *rashá* a Dios (su retorno, *teshuvá*) puede comenzar en una de estas dos formas:

✓ El *rashá* puede reconocer[36] que sólo él mismo es culpable de la aparente distancia entre él y Dios.[37] Dios siempre desea revelarse colmando de bien a Sus criaturas, pero Se lo «impiden» los pecados colectivos de la generación y de individuos particulares,[38] incluyendo, por supuesto, al mismo *rashá*.[39] Una vez que el *rashá* penitente entiende esto, puede perdonar a Dios por el trauma y la desilusión que ha experimentado y entonces podrá dejar de obstaculizar la revelación Divina en este mundo con su actitud y hechos de rebeldía.

✓ O Dios puede tomar la iniciativa, expresando Su propio «arrepentimiento» por Su «mala conducta» hacia el *rashá* (y el mundo en general),[40] y hacer, por así decirlo, un esfuerzo serio de cortejar nuevamente a Su consorte. Él le restaura su bienestar espiritual y material.[41] Esta demostración de gracia Divina hace que el *rashá* entienda que la conducta de Dios hacia él, pasada, presente y futura, ha sido siempre pensando en el mejor de sus intereses. Entonces también él puede perdonar a Dios y resolver servirlo nuevamente.[42]

En cualquiera de estos casos, el *rashá* se transforma totalmente. Ya no está furioso, amargado o sumido sólo en sí mismo; ahora, su única aspiración es que Dios colme de bendiciones a toda la gente, y se compromete a trabajar sin cesar para conseguir este objetivo. El centro de su vida es ahora la redención final, porque sólo entonces la enorme bondad de Dios será revelada a todos.

Dios, como amante-esposo, en respuesta a los gestos de buena voluntad de la esposa que antes alejara, actuará recíprocamente perdonando al *rashá* sus pecados anteriores. El recuerdo del *rashá* de su actitud y comportamiento anteriores lo inspiran a remediar su situación (y la del mundo) con una firmeza de espíritu y amor a Dios aún mayores que quien nunca ha pecado.[43] A cuenta de esto, Dios no solamente borra los efectos negativos de los pecados anteriores del ex *rashá*, sino que los cuenta como méritos,[44] en virtud de que impulsaron al *rashá* a hacer lo necesario para remediar la situación propia y la del mundo. Así, pese a una disposición problemática o a una historia personal oscura, el *rashá* puede aspirar a una «segunda naturaleza»[45] más sublime y satisfactoria.

Basándose en la descripción anterior del proceso de rectificación de la relación entre el *rashá* y Dios, podemos inferir lo siguiente respecto a la relación entre marido y esposa:

> Cuando un hombre ve que su esposa se opone a él, debe sospechar que la culpa es de él. Tal vez haya proyectado una imagen de desinterés y falta de compromiso en la relación. Reconociéndolo, debe perdonar la falta de cooperación y devoción de la mujer, viendo por lo con-

trario que estos defectos son indicadores útiles de su propia ineficiencia en su relación con ella y con otros.

Las peleas domésticas deben servir, sea esa o no la intención consciente de la esposa, para desinflar y neutralizar el ego del marido.[46] El marido, respondiendo a las manifestaciones de insatisfacción de su esposa con comprensión y consideración, en lugar de hacerlo defendiéndose y con hostilidad, comienza el proceso de su propia corrección. Sometiendo su propia inclinación a la ira y relacionándose con su esposa con amor, seguramente hará que ella lo ame a su vez y si él simplemente deja de pensar en ella negativamente la situación mejorará.[47]

Por supuesto también es conveniente que la esposa considere que si su matrimonio es dificultoso también es resultado de sus propios defectos. Tal vez sus pensamientos, palabras o acciones impiden que su marido haga su deseo natural de relacionarse con ella de forma positiva. Si ella reconoce esto, podrá perdonarlo[48] y reformular su perspectiva de la relación de un modo nuevo y positivo.

El marido, viendo que su esposa toma la iniciativa, comprenderá que su conducta negativa en el pasado fue en realidad causada por la impresión de insensibilidad por su parte. Puede entonces comenzar a mejorarse, a refinar su carácter y en particular a aprender cómo relacionarse con amor con su esposa.

Entretanto, el consorte herido debe recordar que nada sucede por accidente, y que seguramente es la Divina providencia quien lo ha puesto en esta situación que ojalá sea temporal. En lo posible deberá intentar cultivar una actitud de paciencia y confianza en Dios, que seguramente lo somete a esta prueba con algún propósito.[49]

Si la tensión no se resuelve por sí misma pese a estos intentos, la pareja debe enfrentarse con la posibilidad de que su relación puede ser rectificada sólo finalizándola. El divorcio, cuando es requerido por la Torá, es comparado en el Jasidismo al éxodo de Egipto: un marido que no es el dedicado compañero de su esposa, es como el Faraón para ella.[50] El divorcio es en este caso una forma de liberación, redimiéndola de un ambiente esclavizador y una unión poco saludable. Aunque no es fácil, la mujer debe tener fe en que encontrará su verdadero consorte (*bashert*) en otro lugar, así como el pueblo siguió fielmente a Moisés al desierto y allí descubrió al verdadero Amado esperándolos en el monte Sinaí.

Incluso si se decide que el divorcio es necesario, no hay razón alguna para que haya mala voluntad entre las parte involucradas o respecto a Dios. En base a las actitudes arriba descritas, deben considerar que el tiempo que estuvieron juntos fue un decreto de la Divina providencia, tanto como una manera necesaria de alcanzar cierto grado de rectificación en sus almas, o con el fin de realizar otra parte del plan de Dios para este mundo. Si han sido bendecidos con hijos, deben considerar que el propósito de esa unión fue traer esas almas al mundo.

Y nuevamente, pese a estos consuelos, el divorcio debe considerarse siempre el último recurso a contemplarse sólo después que otros intentos han fallado porque como dicen nuestros sabios: «El mismo altar llora cuando uno se divorcia de su primera esposa»[51].

PRIMERA NATURALEZA Y SEGUNDA NATURALEZA

Nuestros sabios nos enseñan que nuestra primera esposa es la consorte espiritual predestinada, mientras que si uno necesita casarse una segunda vez, su segunda esposa le es concedida en mérito a sus acciones.[52] Esto, sin embargo, no significa que los méritos no determinan con qué tipo de esposa uno se casa por primera vez, o que la segunda esposa no sea la predestinada. En cada matrimonio, «primera esposa» y «segunda esposa» puede comprenderse como la manera inicial y no rectificada, y la forma subsecuente y rectificada, respectivamente, en la que uno se relaciona con su consorte.

Si uno contrae matrimonio antes de haber comenzado o progresado suficiente en el proceso de auto-rectificación, buscará una esposa según criterios basados en percepciones no rectificadas. Es capaz de confundir una excitación pasajera con una sensación de predestinación y enredarse en una relación que no tiene base real.

Nuestros sabios nos enseñan que desde el exilio del jardín del Edén «no hay bien en el que no haya un elemento de mal, ni mal en el que no haya un elemento de bien»[53]. Por lo tanto es imperativo que haya un trasfondo de realidad en los sentimientos iniciales de una pareja. Aunque se manifieste en motivos nada ideales, expresa sin embargo una conexión profunda e inconsciente que siempre ocupará un lugar especial en las psiques de esos individuos.[54]

Si este núcleo de afinidad real puede ser aislado y desarrollado, la pareja puede entonces transformar su relación en un «segundo matrimonio» mientras progresivamente se refinan y rectifican sus perspectivas.[55]

Por otra parte, si las personas buscan sus consortes en base a perspectivas rectificadas y correctas, incluso la atracción inicial se basará en sus naturalezas rectificadas. En la medida que se han rectificado lograrán identificar a su consorte espiritual en el contexto de esas cualidades que proveen una base sólida para una relación duradera.[56]

En este caso, su «segundo matrimonio» coincidirá con el primero, y serán capaces de sintetizar la intensidad de la atracción cruda y sus «segundas» y rectificadas naturalezas.[57]

Los arquetipos bíblicos de «primer matrimonio» y «segundo matrimonio» son los de Adán y Noé, respectivamente. El versículo complementario de «pero para sí mismo, Adán no halló quien lo ayudase»[58] es:

«Pero Noé halló gracia ante los ojos de Dios»[59]

En el primer versículo el verbo «hallar» es negado: «Adán no halló»; en el segundo, es positivo: «Noé halló gracia». Esto es como decir que aquello que Adán no mereció hallar por virtud de sus acciones,[60] una consorte, Noé lo mereció.

Podemos aplicar a Adán el enunciado de nuestros sabios: «Si uno dice "Me he afanado, pero no hallado", no le creemos (es decir que se haya afanado lo suficiente]» y a Noé la continuación: «Si alguien te dice "Me he afanado y he hallado", créele»[61].

«Primera naturaleza» entonces, corresponde a Adán y Eva, que pecaron, mientras que «segunda naturaleza» corresponde a Noé y a su esposa Naamá,[62] que «hallaron gracia ante los ojos de Dios»[63].

La influencia de la esposa

Mientras que el marido debe considerar que la armonía conyugal es un reflejo de su propio desarrollo interno, la siguiente historia del Midrash[64] nos enseña que la esposa tiene el poder de mejorar la conducta de su marido directamente:

> Una vez, cierto hombre piadoso contrajo matrimonio con una mujer piadosa, pero no tuvieron hijos. Dijeron: «Nada bueno hacemos para Dios» y se divorciaron. El hombre piadoso se volvió a casar esta vez con una mujer malvada y ella lo hizo malvado. La mujer piadosa se casó con un malvado y lo hizo piadoso. Así vemos que todo depende de la mujer.[65]

La mujer mejora el comportamiento de su marido mediante su fe innata en él, proyectando su visión de la naturaleza verdadera y noble de él y viéndolo como si fuera a través de los ojos de Dios.

Un hombre, por lo tanto, invierte trabajo en su matrimonio al corregirse en relación con su esposa, estimando su progreso según la actitud de ella hacia él. La mujer, por otra parte, invierte en su matrimonio centrándose en su marido, ayudándolo (sea él consciente o no de ello) a corregirse y realizar su potencial. Ella lo hace profundizando su fe en Dios y en Su providencia, y su conciencia de Su propósito en la creación (que incluye la imagen rectificada de su marido y su matrimonio). Por esta razón ella es llamada su «ayudante».

Ahora procederemos a examinar las maneras en las que marido y mujer pueden y deben perfeccionarse individualmente y mutuamente mientras ascienden hacia la fusión renovada de sus almas en una.

V

VIVIR CON LA DIVINA PRESENCIA

DIVINA PRESENCIA Y FUEGO SAGRADO

Las palabras hebreas *ish* –«hombre»– e *ishá* –«mujer»–, están compuestas cada una por tres letras, dos de las cuales, la *alef* y la *shin,* son comunes a ambas, y una de las cuales, la *iud* en «hombre» y la *hei* en «mujer», son específicas a cada una de las palabras. Este fenómeno es la clave para comprender las características específicas del hombre y la mujer, de qué forma se complementan el uno al otro y cómo pueden utilizar sus diferencias para fusionarse y unificarse.

Las dos letras comunes de «hombre» y «mujer», forman la palabra *esh*, «fuego», y las dos letras específicas, *iud* y *hei*, al juntarlas, forman uno de los Nombres de Dios, *Ka*. De modo que podemos ver al hombre y a la mujer como dos fuegos que juntos pueden servir de morada a la Divina Presencia.

Nuestros sabios nos enseñan que «si se lo merecen, la Divina Presencia mora entre ellos. Pero si no se lo merecen», y se quitan las letras que refieren a la Divina Presencia, «el fuego los devorará»[1].

«Merecer» significa aquí «ser suficientemente refinado»[2]. El fuego que devora a la pareja en ausencia de la Divina Presencia es la indomable lujuria, la envidia o la furia que inevitablemente aparece como consecuencia.

Pero cuando se lo merecen, el fuego que comparten esposo y esposa es la llama sagrada del amor inspirado por Dios, amor que funde a los dos en uno.[3] El fuego sagrado consume todo

59

fuego destructivo y profano que pueda aparecer entre los consortes y lo convierte en fuego sagrado.[4]

VERDAD Y FE

El fuego sagrado se manifiesta en forma diferente en cada uno de los cónyuges.

El fuego sagrado del esposo es su «luz intelectual» –*or sijlí*– cuyas iniciales forman la palabra *esh*, «fuego», el que él introduce en su casa mediante el saber de la Torá.[5]

Tanto los hombres como las mujeres están obligados a estudiar la Torá. Pero si bien ambos están obligados a aprender aquellas partes necesarias para observar o perfeccionar el cumplimiento de los preceptos que les corresponde cumplir,[6] los hombres además deben estudiar Torá constantemente y también aquellas partes que no incumben a su observancia de los mismos[7]. Este nivel abstracto, intrínseco del intelecto Divino, es lo que el esposo contribuye al hogar, aportando un nivel único de verdad y esclarecimiento a su familia.[8]

El «fuego sagrado» de la mujer es su «completa fe» en Dios (*emuná shlemá*, cuyas iniciales también forman *esh* – «fuego»),[9] principalmente expresadas en plegarias del corazón y bendiciones,[10] así como en su actitud general hacia la vida. Su fe firme y duradera refuerza a su esposo y a su familia, proveyéndoles de calidez y de un refugio que los protege de las tormentas y las veleidades de la vida. Su llama de fe penetra y enciende la fe de su esposo y de su familia.[11]

Esposo y esposa se inspiran mutuamente para contribuir con sus respectivas cualidades, cada uno atizando la llama del fuego sagrado del otro. Cuando los fuegos santos de la Torá y la fe se unen, la *iud* y la *hei* del Nombre de Dios descienden sobre el hogar, agraciándolo con la Divina Presencia.[12]

COMPLEMENTACIÓN MUTUA

El valor numérico de la letra *iud,* la letra característica de la palabra *ish* (hombre), es diez, mientras que el valor de la *hei,* la letra característica en la palabra *ishá* (mujer), es cinco.

Como lo mencionamos con anterioridad,[13] el *daat* («conocimiento») es el poder del alma mediante el cual conocemos la realidad, es decir, la manera en que nos relacionamos con ella.[14] Uno puede ver su entorno en forma optimista, considerar que las personas son generalmente cordiales o verlas en forma crítica y con aprensión. En la terminología de la Cábala, estas propensiones son denominadas, respectivamente, los cinco grados de *jesed,* misericordia de *daat* y los cinco grados de *guevurá,* severidad de *daat,* su «lado derecho» y «lado izquierdo» respectivamente.[15] Estos son los orígenes mentales de las dos emociones primarias del corazón, amor y temor, que se manifiestan después de completarse el proceso intelectual.

El hombre posee naturalmente todos los diez (*iud*) grados de *daat* y es más o menos equilibrado en su percepción de su medio ambiente. Una mujer, aunque haya recibido una medida extra de entendimiento (*biná*),[16] carece inicialmente de la facultad de *daat;* antes del matrimonio ella poseía sólo el grado quinto (*hei*) de *guevurá.*[17] Su esposo es quien la introduce al lado positivo (el «lado derecho») del aspecto *jesed* de *daat*[18] y así completa su *daat.* Es la responsabilidad de él complementar a su «mejor mitad».[19] Esto lo hace usando su «luz del intelecto» para ayudar a su esposa a ver las cosas en forma objetiva y positiva.

Lo que falta a la *hei* numéricamente lo compensa con su forma. La forma de la *iud* es virtualmente la de un punto sin dimensión, mientras que la de *hei* está compuesta por tres líneas representando las tres dimensiones del espacio.[20] La forma de la *iud* significa potencial no desarrollado, el germinal aunque efímero destello de percepción (*jojmá*); la forma de la *hei* significa la expansión y substanciación de este potencial y su asimilación en el mundo verdadero, *biná*[21].

La asistencia que la esposa puede ofrecer a su esposo es por lo tanto ayudarle a manifestar su potencial. Su fe implícita en el potencial del hombre lo estimula a realizarlo. Mediante la influencia de la *hei* de ella en la *iud* de él, el hombre toma conciencia de sus potencial latente y sus talentos y puede trabajar para desarrollarlos.[22] Así como la esposa cultiva la simiente de su esposo hasta que está preparada para realizarse,[23] también ayuda a dar a luz a su potencial latente, induciéndolo a que él le de una expresión concreta.

Pero además de animarlo también debe cuidar el equilibrio del nivel de orgullo y satisfacción que le producen sus logros.[24] Su función es infundir en su hogar una atmósfera de humilde agradecimiento[25] a Dios por todos los logros y bendiciones. Como ya explicamos, la esposa es el pilar de la fe. Ella constantemente refuerza su fe, directa o indirectamente, en que es Dios «quien te da fuerza para lograr»[26] y no, como el ego del marido puede hacerle pensar, que «mi fuerza y el poder de mi mano han logrado esto»[27].

Es en este sentido que el *Jasidismo* interpreta la frase de nuestros sabios «una buena mujer es aquella que hace la voluntad de su esposo»[28], como que ella realmente construye y rectifica su voluntad[29]. Esta rectificación se lleva a cabo cuando ella hace posible simultáneamente su desarrollo y su humildad.[30]

El amor de la pareja a Dios, fuente suprema de sus almas, despierta Su amor a ellos, del que los colma cuando se unen en amor.[31]

EL TERCER PARTÍCIPE EN LA PROCREACIÓN

El fruto esencial de la unión de esposo y esposa, al que cada uno contribuye su fuego sagrado, permitiendo así que la Divina Presencia more entre ellos, son los hijos. Por eso se dice que Dios es el tercer partícipe en la procreación.[32]

Un niño nacido del fuego sagrado puede llamarse «hijo del fuego». Esta expresión en hebreo es una permutación de otro de los Nombres de Dios, *Kel Shakai* («Dios Todopoderoso»). Las iniciales de este Nombre, a su vez, forman *esh* – «fuego», y las letras restantes forman la palabra *ieled* – «niño».

Efectivamente, el Nombre *Kel Shakai* suele asociarse con el poder Divino de procreación[33] y figura en forma prominente en las apariciones de Dios a los patriarcas y las matriarcas,[34] especialmente cuando Él prometió hacerlos progenitores del pueblo de Israel»[35].

Podemos identificar dos permutaciones únicas de este Nombre: una que encarna el poder del varón en la procreación y la otra que encarna el poder femenino.

La permutación «masculina» de *Kel Shakai* es «él concebirá fuego», *ieled esh*. Esto alude al «nacimiento» de la simiente del esposo en el útero de su esposa.[36]

La permutación «femenina» es *dli esh*, un «cántaro de fuego»[37], es decir un recipiente que atrae el fuego.[38] Esto es una alusión al útero femenino, que recibe la simiente masculina junto con la suya propia.[39]

Cuando la palabra *esh* –«fuego»– en cada una de estas expresiones se expande para formar la connotación particular para el esposo («luz intelectual») y para la esposa («fe completa»), se producen las dos siguientes frases:

> *Ieled eshieled or sijli*
> Él concebirá la luz del intelecto

> *dli eshdli emuna shelema*
> [Ella es] el cántaro de la fe completa

Estas dos frases son numéricamente iguales a las dos palabras «Torá [estudio] y tefilá [plegaria]» respectivamente, los fuegos de esposo y esposa[40]:

ieled or sijli = Torá
dli emuna shelema = utfilá

Vemos así que los fuegos sagrados que el esposo y la esposa contribuyen a su hogar común son también sus respectivos poderes pro creativos.

Dios es Uno

Como hemos mencionado, las dos facetas principales del intelecto, *jojmá* y *biná*, son el «padre» y la «madre» figurativos de las emociones que nacen de cada idea particular. Estas emociones se expresan mediante el pensamiento, el habla o la acción, que también se originan en el intelecto. Así, emoción y expresión son el «hijo» y la «hija» figurativos de *jojmá* y *biná*. El proceso creativo sucede entonces en cuatro etapas: el destello de percepción, su desarrollo a una estructura conceptual, las emociones que engendra y la forma en la que se expresa.

Ahora bien, todo proceso creativo es una manifestación del poder creativo de Dios, que es el atributo Divino asociado al Nombre de Dios *Havaia*. Y efectivamente, el significado literal de este Nombre es «Él crea [continuamente].[41] Más aún, este proceso creativo cuádruple (percepción-desarrollo-emoción-expresión), está aludido en las cuatro letras del Nombre:[42]

`	*iud*	*jojmá*, sabiduría	padre
ה	*hei*	*biná*, comprensión	madre
ו	*vav*	emociones	hijo
ה	*hei*	expresión	hija

La *iud*, la letra más pequeña del alfabeto hebreo, representa el punto germinal de la percepción. La *hei*, compuesta por tres líneas, representa la expansión de la percepción germinal en las tres dimensiones de longitud, amplitud y profundidad. La *vav*, una línea recta o vector, representa el descenso de la idea de la mente al corazón, al nivel de la emoción. La última *hei* nuevamente representa expansión, pero aquí es de la emoción a las tres formas de expresión: pensamiento, habla y acción[43].

Aunque cada uno posee, por supuesto, el arsenal completo de los poderes del intelecto, emoción y expresión, el poder predominante en cada individuo está determinado por el papel que desempeña en el esquema anterior. Ya hemos descrito cómo esposo y esposa aportan sus «fuegos sagrados» de *jojmá* y *biná* a su hogar común; la experiencia emocional completa y su expresión efectiva es la contribución de los hijos y las hijas respectivamente. Esta es la razón mística por la que la ley judía requiere que uno conciba por lo menos un hijo y una hija para cumplir el mandamiento «fructificad y multiplicaos»[44]. Sólo entonces el hogar posee la matriz completa de los poderes creativos, convirtiéndose en un recipiente comprehensivo de la expresión de la unidad Divina en el mundo.

Como ya mencionamos, una pareja casada deviene en «una sola carne» al procrear hijos. Esta idea es uno de los significados místicos del *Shemá*: «Escucha, oh Israel, El Eterno (*Havaia*) es nuestro Dios, El Eterno (*Havaia*) es Uno»[45].

De modo que antes de tener hijos, la pareja se encuentra en el nivel de *vav-hei* del nombre *Havaia*. En este contexto, la *iud-hei* que se cierne sobre ellos representa, además de a sus propios padres, a la Divina Presencia que mora entre ambos. Como lo mencionamos, esta Divina Presencia es representada por el Nombre *Ka*, y allí se manifiesta como el potencial Divino de la pareja de devenir en padres.

En resumen:

י	*iud*	futuro padre
ה	*hei*	futura madre
ו	*vav*	novio
ה	*hei*	novia

Cuando tienen hijos, esposo y mujer ascenderán por razón de su nuevo papel de padres al nivel *iud-hei* y sus hijos devienen al *vav-hei* de una nueva manifestación del Nombre de Dios, *Havaia*.

Así es que de generación en generación, *vav-hei* deviene en *iud-hei* y nace un nuevo *vav-hei*. Todo el proceso comienza y depende de la *Ka (iud-hei)* inicial, la Divina Presencia, morando sobre y entre los fuegos sagrados de esposo y esposa. Así vemos que es el poder del Nombre esencial de Dios, *Havaia*, el que crea todas las generaciones desde el principio de la creación y para siempre.

Intención y experiencia

Esposo y esposa experimentan la Divina Presencia que mora entre ellos de maneras sutilmente diferentes.

De todos los Nombres sagrados de Dios,[46] tres son denominados «esenciales» (substantivos):[47] *Havaia* (*iud, hei, vav, hei*), *Ekie* (*alef, hei, iud, hei*), y *Ka* (*iud, hei*). El más esencial es el inefable *Havaia*[48]. Estos tres nombres están asociados con el intelecto, en contraste con los atributos emocionales.[49] El intelecto sin compromiso emocional se dirige hacia dentro (uno piensa para sí mismo). Emoción y conducta, por otra parte, se dirigen hacia el exterior (uno ama, teme, etc., cosas externas a uno mismo).

En particular, el Nombre *Havaia* está relacionado con *jojmá*, el Nombre *Ekie* con *biná* y el Nombre *Ka* con el nivel de *jojmá* que se une con *biná*.

En resumen:

havaia	*jojmá* («sabiduría»)	padre, esposo
ekie	*biná* («comprensión»)	madre, esposa
ka	el nivel de *jojmá* que se une con *biná*	tercer partícipe en la procreación

Observando estos Nombres en hebreo, vemos que las letras que forman el Nombre *Ka*, son las primeras dos letras del Nombre *Havaia*, así como las dos últimas del Nombre *Ekie*.

Si comprendemos que los Nombres *Havaia* y *Ekie* reflejan la conciencia del esposo y la esposa en las relaciones matrimoniales, resulta que el esposo experimenta la Divina Presencia, el «tercer partícipe» en la unión de la pareja, al comienzo de las relaciones matrimoniales, mientras que la esposa la experimenta al final.[50]

«Comienzo» y «final» en este caso se refieren al comienzo y al final temporal de las relaciones matrimoniales, es decir, las etapas preparatorias y el clímax. Pero al mismo tiempo se refieren al comienzo y final de la conciencia: los planos espirituales/mentales y físicos/emocionales. Es decir que el esposo experimenta la Divina Presencia en forma más espiritual, en su mente abstracta, mientras que la esposa la experimenta en la psique innata de su cuerpo.[51]

Observando nuevamente estos dos Nombres en hebreo, vemos que las cuatro letras restantes forman el Nombre *Akva (alef, hei, vav, hei).*[52] Este nombre se asocia con *daat*, el poder Divino que unifica *jojmá* y *biná*[53] y significa la experiencia de la pareja que deviene en «una carne». Las primeras dos letras de este Nombre son las dos primeras de *Ekie* y sus últimas dos letras son las últimas dos de *Havaia*.

Esto nos enseña que la esposa experimenta la fusión con su esposo en «una carne» al comienzo de las relaciones maritales, mientras que el esposo las experimenta al final. Nuevamente, además de referirse al comienzo y fin temporal de las relaciones maritales, nos referimos también (y esencialmente) al comienzo espiritual/mental y al final físico/emocional. La esposa experimenta la dimensión relativamente espiritual de devenir una con su esposo; él es más consciente de su devenir uno en el plano físico.

Este es un ejemplo del fundamento «el final está incluido en el principio y el principio en el final»[54]. El fin de la experiencia que la esposa tiene de la Divina Presencia está incluido en el comienzo del esposo: la experiencia del cuerpo de ella se enlaza a la experiencia en la mente de él. Recíprocamente, el comienzo de la experiencia de la esposa de «devenir en una carne» está incluida en el final de la de su marido: la experiencia en la mente de ella se enlaza con la experiencia de su cuerpo.[55]

Para decirlo de otra forma: la *intención* primaria (o ideal) del esposo en las relaciones maritales debe ser manifestar la presencia del tercer partícipe, mientras que la de la esposa debe ser devenir en «una carne». La *experiencia* esencial del esposo, sin embargo, es devenir en «una carne», mientras que la de la mujer es la presencia del tercer partícipe.

En resumen:

	Comienzo de la experiencia	Final de la experiencia
Esposo	Divina Presencia	Devenir en uno
Esposa	Devenir en uno	Divina Presencia

VI
PALABRAS DE AMOR Y CORDIALIDAD

EL HOMBRE, EL PARLANTE

La Torá describe la creación del hombre de la manera siguiente:[1]

> /Entonces Dios formó al hombre del polvo de la tierra/
> y sopló en su nariz aliento de vida/ y fue el hombre un
> ser viviente.

Rashi explica que la aparente redundancia de la tercera frase se refiere al nivel adicional del alma conferido al hombre por encima de las formas de vida inferiores. Sorprendentemente identifica esta singularidad no como la inteligencia pura del hombre sino como «conocimiento y habla»[2]. El Targum traduce la expresión «ser viviente» en este versículo como «espíritu parlante»[3]. Los sabios también diferencian al hombre de otras formas de vida inferiores refiriéndose a él como «el parlante» más que como «el pensante».

El poder del habla es pues considerado el sello de la humanidad, la cualidad que separa al hombre del resto de la creación. Por importantes que sean el intelecto y las facultades superiores, la singularidad del hombre se basa no en la capacidad de pensamiento autónomo sino en su habilidad de comunicar sus pensamientos más íntimos y emociones a los demás.

El «habla», la capacidad de transmitir una parte de uno mismo a otro, es usada por los sabios como un eufemismo de las relaciones maritales,[4] ya que éstas son la forma más intensa e íntima de comunicación. De la misma manera, el verbo «conocer» en la Biblia se usa a menudo en el sentido de relaciones maritales, comenzando con las de Adán y Eva: «Y Adán *conoció* a su esposa Eva».[5] Hemos descrito un círculo completo: el habla alude a las relaciones maritales, relaciones maritales son equivalentes a conocimiento, y conocimiento y habla son los máximos dones de la humanidad.

La comunicación verbal y las relaciones maritales están estrechamente enlazadas[6]. El mal uso de la facultad de hablar equivale al mal uso de la energía sexual, ya que en ambos casos el resultado es el desperdicio de la capacidad de relacionarse a otro con potencia. De la misma manera, dedicar esfuerzo conscientemente para rectificar la capacidad del habla, afectará directamente y positivamente las relaciones maritales.

No es sorprendente, entonces, que la Torá adjudique una gran importancia al uso apropiado y a la rectificación del habla y discuta extensivamente tanto sus poderes constructivos como los destructivos.[7] Porque es el habla lo que nos hace humanos y *cómo* hablamos es lo que determina qué tipo de seres humanos somos.

El habla rectificada

La clave de la comunicación genuina mediante el habla es la sinceridad o, en palabras de nuestros sabios, cuando «la boca y el corazón son lo mismo»[8]. Cuando la boca expresa aquello que está verdaderamente en el corazón, las «palabras que salen del corazón [del que habla] entran al corazón [del que escucha]»[9]. Siendo así que la emoción más esencial del corazón es el amor,[10] las palabras que más verdaderamente «proceden del corazón» son palabras de amor y preocupación por el bienestar del otro.[11]

El rey Salomón afirma:[12]

Como [cuando miramos] en el agua el rostro refleja el rostro, así nuestro corazón se refleja en el del otro.

Hablar y relacionarse «cara a cara» es sinónimo, entonces, de hacerlo «de corazón a corazón»[13]. En el *Zohar*[14] aprendemos que la capacidad de relacionarnos «cara a cara» es la esencia misma de toda rectificación. El hombre es virtualmente la única criatura que tiene relaciones maritales cara a cara.[15] Esto es porque para él, las relaciones maritales constituyen una expresión de esa capacidad únicamente humana de transmitir amor a su esposa, el atributo más íntimo de su alma.

Como ya mencionamos, hay cinco tendencias positivas (grados de *jesed*) en *daat* («conocimiento» o el poder de conectarse y relacionarse). Puesto que el habla es el paradigma de la conexión y la relación, es a través del habla como se manifiestan estos cinco grados de *jesed*. Así lo enuncia el *Zohar*: «El *daat* está escondido en la boca»[16]. Cada uno de los cinco grados de *jesed*, proyectados en la facultad del habla, define una categoría diferente de habla rectificada. Por lo tanto uno debería intentar rectificar[17] su manera de hablar, especialmente con su consorte, de acuerdo a estas cinco categorías:

1. *Palabras de amor:* Nunca exageraremos al destacar la importancia de las declaraciones sinceras de amor y afecto incondicionales. Por más desafiante que pueda ser buscar continuamente nuevas formas de transmitir nuestro amor a nuestra esposa sin que suene trivial, uno nunca debe asumir que «ni hay que decirlo» o que es obvio[18]. Este grado de *jesed* es designado en la Cábala «bondad dentro de[19] bondad» (*jesed shebejesed*). El atributo de *jesed* está asociado en la Cábala con el primer día de la crea-

ción[20]. Las primeras palabras dichas por Dios ese día –Sus primeras palabras registradas en la Torá– fueron: «Sea la luz»[21]. Siendo que la primera instancia de habla registrada en la Torá es la creación de la luz, concluimos que el principio y esencia de toda habla es la luz[22], y la expresión verbal de luz son palabras de amor.[23] Como ya mencionamos, las emociones se dirigen hacia fuera, a diferencia del intelecto que se dirige hacia dentro. Así que puede decirse que una emoción irradia o brilla hacia el mundo. El amor es la emoción primera y primaria, nos hace suficientemente atentos a los demás como para expandirnos hacia la realidad y relacionarnos con ella.

2. *Palabras de reprimenda: crítica constructiva*. Las palabras de reprimenda son constructivas sólo cuando las categorías previas (las palabras de amor) han sido empleadas adecuadamente, de modo que no quepa duda de que la crítica surge del amor y la preocupación por el otro. De hecho, la reprimenda sincera no sólo debe ser predicada con amor sino que debe ser el resultado directo del mismo. El amor y la preocupación que uno siente por su consorte debe ser el único motivo de la crítica.[24] Al igual que con todos los demás preceptos, existen leyes en torno al precepto de reprender al prójimo.[25] Estos preceptos deben ser estudiados y observados para que la reprimenda sea adecuada y efectiva. Además, tenemos que tener siempre en mente lo que enseñó el Baal Shem Tov[26] que cuando una persona ve un defecto en otra, es en primer lugar y principalmente porque Dios le muestra mediante el espejo del otro un fallo que de alguna forma existe en ella misma. La primera reacción, entonces, debería ser buscar y corregir el defecto correspondiente en uno mismo. Sólo entonces, con el beneficio de la perspectiva, y cuando no queda ni un ápice

de ira o indignación, es posible proceder a criticar y corregir[27]. Este grado de *jesed* se denomina «bondad dentro de severidad» (*jesed shebeguevurá*). Este atributo de *guevurá* (severidad) está asociado en la Cábala con el segundo día de la creación, en el que Dios creó el firmamento para separar las aguas altas de las aguas bajas: «Haya firmamento entre las aguas»[28]. En la Cábala el agua representa jesed y amor. Rashi[29] explica que la esencia del firmamento es la reprimenda de Dios, en respuesta a la cual las aguas superiores permanecieron suspendidas en el espacio. El hecho de que el firmamento esté «entre las aguas»[30] como reprimenda, enseña que la crítica debe ser constructiva, es decir, debe provenir del amor y expresarse con términos de amor.

3. *Palabras de alabanza y admiración.* Cada persona posee infinitas cualidades positivas. Desafortunadamente estas cualidades pueden estar en estado latente en determinadas circunstancias o incluso a lo largo de la vida de la persona, hasta tal punto que ella misma no es consciente de su existencia. Al alabar a alguien por cierta propiedad o atributo podemos ayudarle a conscienciarse del mismo.[31] Al reforzar persistentemente el atributo en la mente de la persona, su carácter se va templando hasta que de modo gradual comienza a ponerse a la altura de esa imagen de sí mismo por la que es alabado. Tomando en cuenta lo que ya hemos explicado respecto a cómo marido y mujer se completan uno al otro,[32] podemos concluir que cada uno usará la habilidad de alabar a su pareja de manera diferente. El marido, personificando a la letra *iud* (el punto), se centrará en las buenas cualidades de su esposa y las alabará en el momento de percibirlas. El Baal Shem Tov nos enseñó que a veces es eficaz hacer a alguien un favor material antes de hacerle un

favor espiritual. Beneficiar a alguno de una manera material demuestra la sinceridad de las intenciones ya que el consejo espiritual puede fácilmente parecer condescendiente o verse como un sustituto barato de la ayuda verdadera. Una vez ganada la confianza del otro, uno también puede ayudarlo espiritualmente. Así sucede en lo que respecta a los elogios: una esposa puede apreciar elogios acerca de sus virtudes físicas (y relativamente mundanas),[33] y su marido debe ser lo suficientemente sensible como para saber cuándo hacerlo. En dichos casos, debe alabarla por esas cualidades antes de alabar sus cualidades espirituales y más sublimes para que la segunda alabanza sea más creíble y profunda.[34] También la esposa debe alabar a su marido tanto por sus cualidades físicas como espirituales.[35] Y sin embargo, siendo que ella personifica la letra *hei* (el espacio en general), tenderá a centrarse en el potencial de su marido, abarcando una visión general de él en lugar de centrarse en cualidades específicas. Al alabarlo en estos términos generales, ella lo cultiva, ayudándolo a llevar a la práctica su visión más elevada de si mismo. Por supuesto que quien alaba debe ser sincero y realmente debe ver la cualidad que alaba en el otro y debe comunicar su elogio de manera convincente. Después de expresar interés y preocupación mediante la crítica constructiva, la alabanza resulta más genuina. En la reprimenda amorosa hay una confianza implícita en el potencial oculto y no realizado del otro. Y es seguro que simplemente pensar bien acerca de una persona y hacer hincapié en sus buenas características es importante y eficaz.[36] En muchos casos, tratar a una persona como si tuviera realmente una característica recomendable le permitirá y animará a ponerse a la altura de las expectativas. Pero esto no siempre se produce o tiene lugar, ya que generalmente no se logra edificar en forma suficiente el carácter de la otra persona en forma activa. Idealmente, la visión positiva de la otra persona debe ser verbalizada. Este grado de *jesed* se denomina «bondad dentro de belleza»[37] (*jesed shebetiferet*). El atributo de *tiferet* («belleza») está asociado en la Cábala con el tercer día de la creación, en el que Dios dijo: «Júntense las aguas que están debajo de los cielos en un lugar, para que se descubra la tierra seca»[38]. La tierra seca ya existía pero estaba cubierta por el mar. En efecto, Dios «alabó» a la tierra seca (al decir que debía revelarse) y esto la «inspiró» a revelar su ser latente. Entonces «dijo Dios: produzca la tierra hierba verde, hierba que da semilla y árbol frutal...»[39]. Este «elogio» sirvió para activar la capacidad inherente aunque latente de la tierra de producir vida vegetal (*coaj hatzomeaj*).[40]

El pueblo de Israel es comparado a la tierra: «Porque seréis una tierra de deseo, dijo Dios de los Ejércitos»[41]. Según el Baal Shem Tov este versículo significa que al igual que la tierra física, todos y todas y cada una de la personas poseen un potencial infinito latente y tesoros escondidos. «Son esos tesoros y generosas cosechas», dijo, «lo que deseo revelar en cada uno»[42], y lo hizo alabando continuamente incluso a los más simples. Activar el potencial latente de una persona la convierte de alguna manera en una persona nueva, y de hecho el Jasidismo nos enseña que la constante recreación del mundo por parte de Dios es más evidente en el poder de producir vegetación latente en la tierra.[43] Así, y pese a que *jesed* es el atributo principal del corazón y las palabra de amor son la base de la relación y comunicación con el cónyuge, los esfuerzos más profundos deben invertirse en alabarla. *Tiferet* hace referencia a la fusión armoniosa de diferentes colores,[44] y los elogios a la esposa deben incluir el más amplio espectro de alabanzas posible. Más aún, elogiar a la esposa puede ayudar a reanimar el fuego del amor.[45] Reconocer y actualizar su potencial da más razones para amarla.[46]

4. *Palabras de control y dirección.* Toda persona se encuentra, en determinadas circunstancias, en posición de autoridad respecto a otra, y por lo tanto es importante aprender cómo dirigir sin ser condescendiente. Dar órdenes de una manera dominante o paternalista puede lograr resultados inmediatos, pero a largo plazo terminará fomentando descontento y resentimiento. Uno debería aprender a dirigir con amor y deferencia. Si uno formula instrucciones como pedidos y no como exigencias, reconociendo por un lado la autonomía de la otra persona (pese a ser un subordinado) y por el otro minimizando el lugar de autoridad que uno ocupa, obtendrá generalmente una respuesta positiva. Al ser abordadas de manera correcta, la mayoría de las personas accederán con alegría. La sensibilidad y el tacto que uno maneja se expresan en las instrucciones que imparte, y comunican a quien escucha confianza en su veracidad en forma subliminal. Los despliegues autocráticos de fuerza son un intento de compensar la falta de convicción, invocando la autoridad del poder y la posición. Si los subordinados sienten la verdad interna que comunican las órdenes más que una autoridad impuesta, accederán de todo corazón. Como dijo el rey Salomón: «Las palabras de los sabios, dichas suavemente, son escuchadas»[47], es decir que cuando las palabras se dicen suavemente, es claro que uno es sabio y por lo tanto debe prestarse atención a sus palabras.[48] Pero también aquí la sinceridad es esencial, y aquel que imparte las instrucciones debe ver-

daderamente reconocer y valorar la integridad y el valor intrínseco de la otra persona. Si el recipiente de las instrucciones percibe que la actitud del instructor es falsa, su obediencia será, en el mejor de los casos, forzada.[49] Por esta razón esta categoría del habla sigue a la anterior: la alabanza. Este grado de jesed se denomina «bondad dentro de victoria» (*jesed shebenetzaj*). La palabra hebrea usada para victoria, (*netzaj*), también significa «conducir» o «supervisar» (*nitzuaj*). El atributo de *netzaj* se asocia en la Cábala con el cuarto día de la creación, en el que Dios creó el sol, la luna y las estrellas. «Y Dios las puso en el firmamento de los cielos para alumbrar sobre la tierra, para gobernar el día y la noche y para separar entre la luz y la oscuridad»[50]. Se nos ha enseñado que los cuerpos celestes tienen almas y son conscientes tanto de Dios como de los asuntos de nuestro mundo.[51] En el orden natural establecido por Dios, ellos controlan y dirigen las estaciones y los asuntos de la tierra, actuando como comandantes, dando órdenes y aplicando orden. Y pese a lo antedicho otorgan total autonomía a la tierra y a sus seres mortales. Por supuesto que no creen que se les debe algo, porque son conscientes de no ser más que «el hacha en manos del leñador»[52]. Son humildes servidores de Dios, así como lo fue Moisés, el humilde líder y comandante del pueblo.[53]

5. *Palabras de gratitud.* Después de haber cumplido con lo que requerimos (primero alabar y, después, ordenar y dirigir con amor), debemos expresar la gratitud correspondiente. Si uno se descuida y no lo hace, el tono deferencial del pedido es desvalorizado y no tardará en llegar una respuesta adversa. La obediencia a la solicitud debe considerarse como un regalo inesperado e inmerecido.[54] De la

misma manera que uno expresa gratitud por cualquier otro presente, especialmente cuando es realmente inesperado, debe articular apreciación por el cumplimiento de los deseos de uno. Este grado de *jesed*, se denomina «bondad dentro de gratitud» (*jesed shebehod*)[55]. Siendo la sinceridad crucial en todos los aspecto del habla (y el carácter), es por encima de todo la esencia verdadera de la expresión de gratitud[56], ya que al agradecer sinceramente uno confirma el amor que supuestamente subyace en todo el proceso comunicativo. La manera más genuina de asegurar la sinceridad de la gratitud, es estimular nuestra convicción de que, de hecho, ninguno de nosotros se merece nada, y que todo lo que poseemos y los beneficios que obtenemos son resultado de la bondad inagotable de Dios.[57] El atributo de *hod* («agradecimiento») está asociado en la Cábala con el quinto día de la creación, en el que Dios creó los peces y las aves.[58] Aquí, por vez primera, Dios bendice Su creación: «Y Dios los bendijo diciendo: "Fructificad y multiplicaos y llenad las aguas en los mares y multiplíquense las aves en la tierra"»[59]. Además de poseer movilidad, el reino animal se distingue del mineral y el vegetal por su conciencia activa.[60] Nuestros sabios nos enseñan que peces y aves poseen suficiente conciencia para experimentar la Divina Providencia y continuamente reconocen que su destino está en Sus manos.[61] Siendo así que los peces y las aves fueron capaces de reconocer la bendición de Dios, Él los bendijo. La habilidad y voluntad de recibir con gratitud es lo que produce el regalo. El deseo de dar (o de satisfacer un pedido) está profundamente arraigado en cada individuo, ya que dar y contribuir reafirman la autoestima.[62] Alguien que siente que no tiene nada para dar probablemente se sienta falto de valor y pierda interés en la vida. Pero igualmente arraigada está la repulsión de despilfarrar nuestra energía. Alguien que siente que está perdiendo su tiempo y esfuerzo o que no hace nada con sus dones, puede sucumbir a la sensación de frustración y vacío.[63] Al verbalizar el aprecio por el otro, el recipiente se convierte en el dador y el dador en el recipiente de valorización.[64] Así convalidado, el dador recibe el estímulo de seguir dando o acceder a solicitudes adicionales.[65] Y así comienza un mutuo ciclo infinito de dar y recibir.[66] En el proceso de la pareja, la Cábala enseña que «la posición del hombre es la de *netzaj* [comando], mientras que la posición femenina es la de *hod* [gratitud]»[67]. Así, en el ciclo continuo de dar y recibir, los esposos intercambian papeles constantemente. Por esto el dador busca recipientes adecuados y sólo cuando encuentra un receptor adecuado puede dar el regalo.[68] Para tener éxito y ser fructífero, este ciclo de dar y recibir requiere la bendición de Dios.[69] La bendición original y arquetípica que Dios concedió a la creación fue la capacidad de procrear, que a su vez implica el deseo o instinto de procrear, es decir, la búsqueda de un consorte y la atracción al mismo.[70] La procreación es una relación mutua de dar y recibir. Así como Dios es la suprema fuente de bendición, Él es también el supremo objeto de gratitud. Cuando uno agradece a otro por un regalo recibido o un favor, su agradecimiento debe comprender la conciencia de que debe también agradecer a Dios. Agradecer sinceramente a los demás es de hecho una buena manera de desarrollar un sentido de deuda a Dios.[71] Y, tal como afirmamos antes, al cultivar la conciencia de nuestra deuda con Dios, uno provoca su bendición. De modo que las parejas que aún no han sido bendecidas con hijos deben prestar particular atención a cultivar este aspecto del habla, es decir, reconocer la benevolencia del otro.

Comunicación pura

Como ya dijimos, uno, al comunicarse con su cónyuge, debe asegurarse de invertir tiempo y esfuerzo suficiente en expresar verbalmente los cinco estados de *jesed* ya detallados. La meta suprema de la comunicación, sin embargo, no es sólo urdir una relación cortés o incluso amorosa entre marido y mujer, sino facilitar su unión. De modo que el objetivo de rectificar el habla según las cinco categorías, es aplicarlo a la vida conjunta de la pareja.[72]

Por lo tanto es importante que la pareja analice sus vidas separadas uno con el otro. Hay que tomarse el tiempo necesario para compartir por lo menos una parte de las experiencias cotidianas, y el hecho de que vivan vidas individuales puede servir para acercarlos en lugar de hacerles sentir como si vivieran en mundos diferentes.[73]

Y, por supuesto, la pareja debe reflexionar acerca de los aspectos conjuntos de sus vidas. Una pareja progresa al pasar de «hablar a» y «hablar acerca de» a «hablar con» el otro. El acto de conversar se convierte en un agente de unión en sí mismo, además de ser una forma de iniciar o conducir alguna otra actividad[74]. Compartir pensamientos y sentimientos es de alguna forma una expresión de amor aún más profunda que decir «Te amo».

Los cinco aspectos del habla rectificada previamente detallados sirven como marco y estructura de la conversación de la pareja. Como tales, el habla a ese nivel es una expresión del atributo de *iesod* (base, fundamento), en el que las cinco emociones precedentes (de *jesed* a *hod*) fluyen y se funden[75].

Por supuesto que la pareja no debe dejar que la conversación se convierta en un propósito en sí misma; esto es contraproducente. Cuando se continúa hablando después de haber llegado a la conclusión natural de la conversación, se corre el riesgo de permitir que la conversación degenere a una familiaridad excesiva y a la invasión de la privacidad del otro, sin mencionar transgresiones de la prohibición de chismorrear, calumniar, delatar, etc., que generalmente resultan de una conversación excesivamente extendida. Hablar con la esposa de uno de esta manera es en realidad insultarla.[76]

El ejemplo arquetípico de este caso ocurrió en el sexto día de la creación, el día asociado en la Cábala con *iesod*. Por una parte, ese fue el día en el que Adán y Eva se unieron por vez primera en relaciones maritales,[77] que expresaron su profunda comunicación y unión. Por otra parte, los eventos de ese día indican que aún no habían aprendido realmente cómo comunicarse profundamente.

Dios ordenó al hombre que no comiera del fruto del árbol del conocimiento del bien y del mal.[78] Al comunicarle esto a Eva, Adán no puso en claro que Dios había prohibido solamente comer el fruto.[79] Cuando la serpiente le preguntó qué frutos era prohibido comer, ella dijo que era prohibido incluso tocar el árbol del conocimiento. Adán no se tomó el trabajo de comunicarse adecuadamente con ella, como lo haría un esposo amante. En cambio le comunicó vagamente la orden de Dios, asumiendo que eso sería suficiente y no sería necesario para él discutir el asunto en forma extensiva. Por ello, nuestros sabios nos enseñan que, la serpiente pudo entablar una prolongada conversación con Eva y finalmente seducirla y hacer comer el fruto prohibido. Finalmente, ella sedujo a Adán, y éste también comió.[80]

El tipo de conversación más profundo que una pareja puede entablar es, por supuesto, el que versa sobre la Torá que estudian, sea analizando lo que aprendieron cada uno por su lado o estudiando juntos.[81] Como lo explica el Jasidismo, cuando uno estudia la Torá, uno está «total y verdaderamente unido a la luz bendita e infinita [de Dios]»[82] en una «unión maravillosa, como no hay otra igual, y que no tiene paralelo en el mundo material, una unión en la que es posible lograr unidad y singularidad en todos los aspectos»[83]. Cuando esposo y esposa estudian o comparten el saber de la Torá, participan juntos en esta unión consumada con Dios.

Cuando juntos una pareja aprende y analiza la Torá se hace parte del proceso constante de revelación de la voluntad de Dios en este mundo que es el propósito particular de la Torá oral.[84]

El estudio oral de la Torá y la Torá oral en particular, están identificados en la Cábala con el atributo final, *maljut* («reinado»),[85] ya que, como dijimos, el objetivo principal del estudio de la Torá oral es comprender y acatar la voluntad de Dios. Puesto que el estudio de la Torá oral es una expresión de nuestra fe en la integridad de la transmisión de la voluntad de Dios a través de nuestros sabios, ese es el lugar donde los fuegos gemelos de la «luz del intelecto» (el fuego masculino) y la «fe completa» (el fuego femenino) se hacen verdaderamente uno.

Maljut se asocia en la Cábala con el séptimo día de la creación, Shabat. Siendo así que Dios descansó durante el séptimo día del habla mundana usada para crear el mundo, el Shabat es considerado un día de descanso del habla mundana, dedicado a la plegaria contemplativa y al estudio de la Torá.[86] Shabat es el tiempo ideal para que esposo y esposa estudien juntos la Torá.[87]

En un nivel superior aun, la santidad esencial del Shabat no puede ser expresada por ningún tipo de habla.[88] Esto nos recuerda que hay niveles de comunicación que el habla no es capaz de expresar. A esos niveles dedicaremos nuestra atención a continuación.

BESAR

El habla rectificada es esencial para que una pareja se comunique de forma efectiva su mutuo amor y forjen un lazo entre ellos. Sin embargo, considerando que el habla presume la dicotomía del que habla y el que escucha, nunca puede ser más que un medio de comunicación e intercambio entre dos individuos, y no puede expresar la unidad esencial de la pareja. Para volver a las palabras del *Zohar:* «El *daat* está escondido en la boca». El habla puede comunicar los cinco grados de *jesed* en *daat*, pero el mismo *daat*, el sentido de la unión verdadera, es demasiado profundo como para ser comunicado ni siquiera mediante el habla rectificada, y queda siempre oculto en la boca. Los sabios dicen aún más: «El corazón no puede revelar [su esencia] a la boca»[89]. Aunque como dijimos anteriormente, para que el habla sea efectiva debe proceder del corazón, es incapaz de expresar el secreto más íntimo del corazón.

La conexión más oculta y secreta de la pareja puede ser expresada solamente mediante el beso.[90] Al besarse, ambas partes dan y reciben simultáneamente[91] y no hay dicotomía sujeto-objeto. Mientras que el habla refleja la conexión revelada entre esposo y esposa, el besar manifiesta su conexión oculta, su secreto común.

Ya hemos mencionado que cuando uno conversa con su esposa, uno debería preservar un sentido de conexión interna con ella y no permitir que la conversación degenere en temas ajenos, insípidos y eventualmente prohibidos. A esto debemos ahora agregar que uno no debe conversar con su esposa más allá del punto en el que la comunicación entre las almas fluye naturalmente al beso, y hacerlo interrumpe la intensificación espontánea de la proximidad que han alcanzado.[92] Si una pareja continúa hablando pasado ese momento, la energía e intensidad que su conversación ha desarrollado puede desviarse por canales indeseables.[93]

El beso interno del corazón sólo puede manifestarse en la medida en que el habla haya sido rectificada y la boca se haya transformado en vehículo de expresión de los cinco grados de *jesed*. Por esto besar es generalmente significativo sólo después de haberlo dicho todo y de forma apropiada. La comunicación defectuosa o frustrada entre cónyuges puede resultar en que ambos o uno de los dos pierdan el deseo de besar.[94]

LA UNIÓN CON DIOS

Vemos, entonces, que la boca posee dos dimensiones: su dimensión externa, que comunica y experimenta la realidad de la palabra hablada, y la dimensión interna que comunica y experimenta la sublimidad del beso.

En nuestra relación con Dios, el beso es el nivel de unión que se logra mediante el estudio de la Torá y se contrasta con la observancia de los preceptos, que es como abrazar a Dios.[95]

Al observar los preceptos, el cuerpo se convierte en un vehículo mediante el cual Dios puede expresarse en el mundo, por así decirlo, y podemos llegar a emular a Dios con nuestras acciones. Pero mediante el estudio de la Torá, la mente se une, de alguna forma, con la mente de Dios, ya que la Torá es la voluntad y el saber de Dios. El estudio de la Torá es, entonces, un nivel de unión a Dios mucho más profundo que la observancia de los preceptos.[96]

Por supuesto que el estudio de la Torá es en sí un precepto de modo que mediante el estudio de la Torá podemos observar ambos aspectos de la unión con Dios: al usar la facultad del habla para articular las palabras de la Torá, se santifica el cuerpo físico y al usar la mente para entender la voluntad y el saber de Dios, el alma Divina se afianza y se une a su origen.[97]

Estudio de la Torá	Unión interna con Dios	Beso
Observancia de los preceptos	Unión externa con Dios	Abrazo

Rabí Shimón Bar Iojai preguntó una vez:[98] por qué Dios no creó al hombre con dos bocas, de la misma forma que lo creó con dos ojos, dos orejas y dos orificios nasales. Una boca podría usarse para hablar de asuntos mundanos y la otra sólo para el estudio de la Torá. La respuesta es que la intención de Dios era que usásemos nuestra facultad de habla solamente para el estudio de la Torá, como está escrito: «"Y hablarás de ellas" [99], de *ellas* y no de otras cosas»[100]. Incluso al entablar una conversación mundana, ésta deberá estar llena de santidad,[101] de la misma forma que la conversación mundana de los verdaderos eruditos en la Torá es en sí considerada Torá y es digna de estudio.[102]

Es cierto que el habla aparentemente mundana del erudito de la Torá proviene de la dimensión exterior de su boca, mientras que las palabras de Torá provienen de su dimensión interna. Pero como todo lo que dice está colmado de inspiración Divina y conscientemente intenta unir las dos dimensiones de su boca, la dicotomía entre las dimensiones externa e interna desaparece.

A las dos dimensiones de la boca se alude en la descripción de la relación de Dios con Moisés, el mayor de los profetas: «Habló con él boca a boca»[103]: el sentido de esta de esta frase es que Dios habló a Moisés directamente, cara a cara.[104] Su significado interno, sin embargo, se refiere a las dos dimensiones en la boca de Moisés: la dimensión interna experimentada sin nada de egocentrismo, el beso de la Divina Presencia; mientras que la dimensión externa comunica las enseñanzas de Dios al pueblo de Israel.[105] Al hablar con Moisés «boca a boca» Dios unificó las dos dimensiones dentro de su boca. Es con este objetivo supremo por lo que el hombre fue creado con una boca.

Siendo que cada persona debe aspirar al ejemplo de Moisés,[106] cada uno de nosotros debe intentar usar el poder del habla para comunicar, en lo posible, su inefable experiencia de la sublimidad de la Presencia de Dios. Y a su esposa, su habla rectificada debe comunicar en lo posible el secreto compartido del beso.

EL BESO DEL FUTURO

El Cantar de los Cantares, el más importante de los hagiógrafos[107] y la Divina parábola del amor entre Dios e Israel, comienza su serie de imágenes con la delicia del beso:

> Cantar de los Cantares, el cual es de Salomón,
> ¡Oh, si Él me besara con los besos de Su boca,
> porque mejor es Tu afecto que el vino!»[108]

Según Rashi[109], el afecto al que se refiere este versículo es la experiencia del pueblo de Israel al recibir la Torá y el beso anhelado es la experiencia de la revelación futura de esta dimensión interna:

> [El pueblo de Israel dice de Dios]: «¡Oh, si Él me besara con los besos de Su boca, como lo hizo una vez!»... Porque Él les dio Su Torá y habló con ellos cara a cara, y [la memoria de] este despliegue de afecto es aún más placentera para ellos que cualquier delicia mundana [simbolizada por el vino]. Les han prometido que Él aparecerá nuevamente para revelar su significado oculto y sus misterios escondidos y ellos Le ruegan que cumpla Su palabra. Este es el significado de «si Él me besara [tiempo futuro] con los besos de Su boca».

Luego el significado directo de este pasaje es que la memoria de haber recibido la Torá es más preciosa para el pueblo que todo placer mundanal, y esto nos hace anhelar la revelación de sus dimensiones internas.[110]

AFECTO	Beso futuro	Futura revelación de la dimensión interna de la Torá
	Beso pasado	Experiencia de haber recibido la Torá en el monte Sinaí
VINO		Deleites mundanos

Aunque hemos identificado el estudio de la Torá en general con el beso, este pasaje indica que en la era mesiánica ocurrirá un beso más sublime, asociado a la futura revelación de la Torá.

Con relación a este beso futuro, el estudio actual de la Torá no se considera un beso. Según la comprensión profunda de este versículo, «vino» hace referencia no a los placeres mundanos sino al placer Divino de estudiar la Torá[111] y meditar acerca de sus secretos, que suele expresarse como «beber el vino de la Torá»[112]. Visto desde esta perspectiva, el versículo describe nuestro anhelo por el beso futuro de Dios, la revelación de la dimensión interna de la Torá, porque sabemos que será infinitamente más sublime que el «vino» de su manifestación presente.

		ENTENDIMIENTO BÁSICO	ENTENDIMIENTO PROFUNDO
AFECTO	Beso Futuro	Futura revelación de la dimensión interna de la Torá	Futura revelación de la dimensión interna de la Torá
	Beso Pasado	Experiencia de haber recibido la Torá en el Monte Sinaí	Experiencia de haber recibido la Torá en el Monte Sinaí
VINO		Deleites mundanos	Estudio de la Torá

Suele decirse que «cuando entra el vino, sale el secreto»[113]. De modo que hay un secreto que se revela al beber vino, aprendiendo la Torá de este mundo, la conexión esencial entre Dios y el hombre. Cuando uno aprende Torá, en forma subliminal siente o «escucha» a Dios murmurando los secretos de Su amor. Hay un nivel de amor, sin embargo, que es demasiado sublime para expresarse incluso de esta manera pero que será comunicado con el beso futuro.[114] Respecto a este secreto revelado por el vino de la Torá, el secreto revelado por el beso futuro es llamado el «secreto de los secretos»[115].

La frase «el corazón no puede revelar [su esencia] a la boca» suele decirse en referencia al tiempo asignado para la llegada del Mesías. Es como si Dios Mismo no pudiera aún articular el más profundo deseo de Su corazón, la transformación de la realidad en «Su morada», que sucederá cuando venga el Mesías.[116] La Torá que se nos revela en este mundo son las instrucciones de Dios respecto a cómo debe manejarse el mundo, Su sueño secreto del mundo perfecto que comparte con nosotros. La futura revelación de la Torá, sus «significados secretos y misterios ocultos» son las razones que subyacen en estas instrucciones, los deseos más íntimos de Dios que son el motivo por el que creó el mundo.

Con el advenimiento del Mesías, el beso de la voluntad presente devendrá en la palabra hablada del futuro; Dios «verbalizará» Su beso. Cuando los «significados secretos y misterios ocultos» de la Torá sean revelados, los besos de este mundo, que comunican profundidades de expresión inexpresables en palabras, devendrán en las palabras de ese mundo.

En forma parecida, nuestros sabios nos enseñan que Moisés es «tanto el primero como el último redentor»[117]. Aunque en su primera encarnación, como el agente elegido por Dios para revelar la Torá, su boca externa expresaba a su boca interna (como lo describimos anteriormente), lo que fue revelado al pueblo fueron las palabras explícitas de la Torá, su boca externa. En su encarnación final como redentor de Israel, Él revelará la «nueva Torá». «Hablará» exclusivamente desde su boca interna y revelará a Israel los deleites infinitos de los besos de Dios.

Nuestros sabios nos enseñan que la Torá de este mundo es considerada vanidad en relación a la dimensión de la Torá que el Mesías revelará.[118] De la misma manera que la conversación mundana de un estudioso de la Torá es considerada mundana en relación a las percepciones de la Torá que recibirá y revelará con el advenimiento del Mesías. Así como escucharemos la nueva dimensión de la Torá dicha por el Mesías, cada uno de nosotros será tocado por el beso de Dios.

Como parte de los preparativos para el Shabat, se acostumbra probar la comida del Shabat en la tarde del viernes.[119] De la misma manera el Jasidismo es el goce anticipado de la dimensión de la Torá que será revelado en el futuro mesiánico, que se asemeja al Shabat[120]. Al estudiar Jasidismo, uno se acerca al «secreto de los secretos», saborea el beso futuro de Dios y, puesto que este beso es el secreto de la mirada inefable de Dios hacia el mundo, el aprendizaje del Jasidismo incrementa la sensibilidad de la persona y la conciencia de la inminente llegada del Mesías.[121]

Hemos identificado cinco niveles progresivos de la revelación de la Torá, todos los cuales son parte palabra, parte beso. La naturaleza de la revelación progresa de habla a beso. En el comienzo, cuando la Torá fue dada, se escuchó la palabra mientras que el beso estaba oculto; en el futuro, el beso será totalmente revelado y eclipsará a la palabra.[122]

Nivel de estudio de la Torá	Continuo habla/beso
La Revelación futura de la Torá	El beso futuro
Jasidismo, el sabor anticipado de la futura revelación de la Torá	El sabor anticipado del beso futuro
El vino de la Torá en este mundo	El beso de este mundo, conciencia del amor de Dios en las palabras de la Torá
La Torá que estudiamos en este mundo	El habla
La experiencia de la entrega de la Torá en el Monte Sinaí	El «beso anterior» que el pueblo recuerda; Moisés habló con ambas dimensiones, pero nosotros escuchamos ante todo la dimensión externa, el habla.

VII
HUMILDAD

La base de la humildad

La clave para mejorar el carácter y en particular reducir la tendencia a la ira,[1] es reconocer la propia insignificancia existencial.[2]

Esto no implica que uno no debe reconocer su propio valor. Cada persona posee un alma Divina única y completa, con una profusión de las más nobles y sublimes capacidades del intelecto y la emoción, y este hecho en sí le confiere un potencial y valor inestimables.[3]

Y, sin embargo, la misma conciencia de nuestro gran valor, paradójicamente nos hace al mismo tiempo dolorosamente conscientes de nuestro fracaso total en aprovecharlo. De hecho, cuanto más aprecia uno la naturaleza exaltada de su alma Divina, más se desploma su autoestima cuando se compara su historial de lealtad hacia aquella.

La figura arquetípica de la humildad es Moisés: «Y Moisés era el hombre más humilde sobre la faz de la tierra»[4]. Pero seguramente Moisés sabía que había sido elegido por Dios para tener las comunicaciones más íntimas con Él, de una naturaleza tal que ningún mortal había tenido, y que enseñaría la Torá al pueblo para siempre. ¿Cómo podía ser tan humilde pese a esta obvia superioridad?

La respuesta que se da en el Jasidismo[5] es que, efectivamente, Moisés era, en realidad, perfectamente consciente de esto. Pero razonaba que sus enormes logros y el favor que le demostraba Dios se debían a las cualidades excepcionales que le había concedido Dios, y que si algún otro hubiese recibido dichas cualidades seguramente habría logrado mucho más. Como resultado de ese pensamiento, Moisés realmente se consideraba el más insignificante de los hombres, pese a –y de hecho a causa de– su grandeza.[6]

El rey David también ejemplifica el epítome de la conciencia de la propia insignificancia. Cuando su esposa Mijal lo reprendió por degradar aparentemente el trono al bailar delante del arca del pacto ante las criadas, él dijo: «Yo soy (y seré) insignificante a mis ojos»[7].

La vergüenza esencial que uno siente ante Dios se debe a que la mayoría de nuestras sensaciones y pensamientos están desprovistos de conciencia Divina. Los sabios afirman que «no hay lugar vacío de Él»[8], y «lugar» significa no sólo lugar físico sino también lugar temporal y psicológico.[9] Todo pensamiento y sensación ocupa un «lugar» en nuestra conciencia. Nuestro propósito en la tierra es llenar todo ese lugar con la conciencia de la omnipresencia de Dios. Cuando no logramos hacerlo, comparecemos ante Dios avergonzados[10], porque de la misma manera que la naturaleza aborrece el vacío, la mente no puede permanecer vacía. Si no está llena de pensamientos sacros, se llenará de pensamientos profanos.[11]

Así como David personifica la conciencia de la insignificancia, José, el *tzadik* (justo) arquetípico, personifica el estado ideal de la conciencia Divina, su valor esencial. Su mera presencia en el «pozo» (la mente vacía) expulsa los pensamientos ajenos y profanos (las serpientes y escorpiones) que de otra manera lo llenarían.

Así es que José y David[12] unen el reconocimiento del valor esencial y de la insignificancia existencial.

La Fuente de la Felicidad

Cuando uno es consciente de su propia insignificancia, deja de exigir de los demás y no espera nada de ellos, porque sabe que no merece nada.[13] Y así sucede con nuestra relación con Dios:

en la medida en que uno logra cultivar una humildad verdadera, no demanda nada de Dios y considera totalmente inmerecida la infinita bondad que Él le otorga.[14]

Esta humildad es personificada por nuestro patriarca Jacob. Cuando estaba a punto de enfrentarse con su hermano Esaú, después de haber huido de él treinta y cuatro años antes, le pidió protección a Dios diciendo: «Pequeño he sido ante toda la bondad y toda la verdad que Tú has hecho con Tu siervo»[15]. Sintió que todo mérito que pudiera poseer ya había sido totalmente agotado por la infinita bondad que Dios ya le había otorgado.[16]

La Torá afirma que esta actitud es intrínseca al pueblo de Israel: cuanta más bondad recibimos más humildes nos volvemos.[17] En cambio, la característica de una mala persona es que el éxito y la prosperidad le inflan el ego, ya que su soberbia reforzada lo convence de que toda su fortuna y sus logros son debidos a sus propios esfuerzos y méritos.[18]

Por el contrario, cuando suceden cosas aparentemente malas, una persona humilde asumirá la completa responsabilidad y reconocerá que Dios le causa sufrimiento como expiación por sus pecados.[19]

Al dejar de lado todas las demandas a Dios y a los hombres por un lado, y aceptar la completa carga de culpa por el infortunio, por el otro, uno se repone del dolor de ser herido u ofendido en la vida. La ira y la depresión resultan de la creencia de que uno realmente se merece una vida mejor en este mundo y que su derecho asumido de gratificación está siendo infringido.[20] La actitud correcta nos permite ser constante y sinceramente felices y optimistas.[21]

Humildad Verdadera e Ilusoria

La humildad que acabamos de describir no debe ser confundida con las desgraciadamente comunes trampas psicológicas de la auto-denigración o de una pobre auto-imagen. Éstas resultan de la insensibilidad a lo espiritual, en cuyo caso uno *pierde* la conexión con su alma Divina o se vuelve débil. Cuanto menos uno se identifica con su alma Divina, más se centra en su naturaleza animal, que percibe correctamente como un complejo laberinto de bajos impulsos. Cuando sucede esto, una profunda depresión apresa su conciencia y una vaga sensación de desesperación inunda su vida cotidiana. Esta desesperación puede manifestarse de diversas formas.

La cura obvia para una baja autoestima, es entonces redoblar los esfuerzos y reunir la conciencia con el alma Divina. El cultivo de una autoestima apropiada equilibrada con una humildad apropiada es uno de los mayores retos con los que se enfrentan los padres al criar a sus hijos. En una medida menor, aunque ciertamente significativa, amigos, socios de negocios y por supuesto cónyuges, también pueden debilitar o reforzar tanto la autoestima de uno como su humildad.

En vista de la importancia de la humildad en las relaciones tanto con el prójimo como con Dios, es esencial cultivarla constantemente.

Respecto al matrimonio, cuando hay conflicto entre cónyuges, cada uno debe considerarse la causa primera de la dificultad, como lo explicamos anteriormente.[22] Si esto no fuera suficiente para resolver el problema, el próximo pensamiento deberá ser: «¿Qué me hace pensar que merezco ser tratado mejor?» Uno debe recordar que todo lo que uno tiene es un don inmerecido que Dios le ha dado, y que esto incluye al cónyuge y a los hijos, junto con todas las posesiones materiales y espirituales.[23]

VIII
AMIGOS FIELES

COMPARTIR

Los cónyuges deben, por supuesto aprender no solamente a evitar conflictos sino a ser el uno para el otro el amigo más leal. Deben ser capaces de acercarse al otro con sus pensamientos, sus esperanzas y sus temores más íntimos, y estar seguros de encontrar en el cónyuge un oído atento y un corazón abierto.[1] Esto incluye compartir las debilidades y los defectos. Aunque muchas personas detestan descubrir sus aspectos menos atractivos ante los demás, y más aún ante su cónyuge, es justamente allí donde la profundidad de la relación de pareja y su habilidad de comprenderse mutuamente se pone de manifiesto.

El temor de compartir preocupaciones privadas y personales proviene generalmente de la inseguridad. Uno teme que la revelación honesta de hechos y sentimientos sea recibida con rechazo, falta de respeto o sea usada contra él en el futuro. Irónicamente ese miedo e inseguridad provienen justamente de un ego exagerado y de estar tan preocupado por la imagen que presenta,[2] que no está dispuesto a hacerla peligrar mostrando debilidades o defectos. Su complejo de inferioridad es resultado de un profundo complejo de superioridad. Si no protegiera tanto a su ego, podría permitir que sucediese esa apertura que permite una verdadera intimidad entre cónyuges.

Esto es particularmente cierto en lo que atañe a las relaciones maritales: compartir inseguridades con el cónyuge refleja la profundidad de la relación. Cuando la gratificación sensual es la única base del lazo conyugal, toda manifestación de debilidad en la capacidad del cónyuge de satisfacer al otro pone en peligro toda la relación. El otro cónyuge probable y justificadamente se retraerá en lugar de apoyar y animar a su preocupado compañero.

Pero cuando esposo y esposa son buenos y fieles amigos no temen abrirse ante el otro; cada uno puede confiar, sabiendo que el otro aceptará y ofrecerá sus afectuosos consejos. En dicho contexto uno puede contemplar sus debilidades como desafíos de la Divina providencia, más que como amenazas a su propia imagen e integridad[3].

En realidad, la disfunción sexual no debe contemplarse como un defecto personal sino como una reflexión de la Divina providencia a la que hay que relacionarse teniendo esto en cuenta. La prueba máxima del hombre es no caer en la trampa de pensar que «mi poder y la fuerza de mi mano han logrado esto»[4]. Esto es cierto para todo don, incluyendo el desempeño sexual.[5] Uno debe recordar siempre que «Él es Quien te da fuerza para hacerlo»[6].

De hecho, la primera y única manifestación de la Divina providencia manifiesta en la Torá aparece cuando la familia de Rebeca exclama respecto a su matrimonio con Isaac: «De Dios ha salido esto»[7]. Basándose en esto nos enseñan que la mayor revelación de la Divina providencia implica tanto encontrar al consorte prometido, como todos los aspectos subsecuentes del matrimonio y su realización, los hijos.[8]

Por lo tanto no es una coincidencia que los fundadores del judaísmo, los patriarcas y las matriarcas, fueran casi todos infértiles durante largos años.[9] En esa fase primaria de la psique judía, Dios necesitaba enseñar a nuestros antepasados que el desempeño sexual es un don Divino, para que fuese heredado por su progenie. Él deseaba sus plegarias sinceras pidiendo hijos[10], porque con cada plegaria alcanzaban nuevas profundidades de fe en su Creador y Su providencia.

A la luz de lo anterior, vemos que una pareja no debe temer discutir entre ellos los aspectos físicos de su vida de casados. Esto no significa que las inhibiciones naturales de modestia y vergüenza deban ser totalmente eliminadas. Para estar seguro, si la vergüenza de uno proviene de su timidez, se trata entonces de otra manifestación del ego y puede resultar en diversos complejos sexuales. Este tipo de vergüenza es perjudicial y debe ser evitada.

Pero la vergüenza que proviene del temor de profanar lo sacro de la vida en general o las relaciones maritales con el consorte en particular, es sana y saludable.[11] Al verbalizar una idea, uno está suponiendo que puede ser de hecho expresada totalmente, por lo tanto, al hablar de los aspectos de la vida más sublimes se corre el riesgo de suponer que carecen de una dimensión más elevada e inefable. Una pareja debe entonces esforzarse en sopesar las ventajas de la apertura y la candidez frente al riesgo de la pérdida del misterio y la modestia que requiere.[12]

Además uno debería evitar centrarse en las debilidades, especialmente cuando vienen de un lugar de amargura,[13] para evitar obsesionarse con ellas. La exagerada preocupación por los defectos delata la falta de fe en la benevolencia constante de Dios. Uno no debe olvidar nunca que «todo lo que hace el Todo misericordioso, lo hace para bien»[14], incluso si somos actualmente incapaces de ver el bien en el mal aparente. Si es capaz, uno debería esforzarse en mirar tan profundamente en el mal aparente a tal punto que pueda ver realmente el núcleo de bien escondido, para que pueda decir: «*todo* es, efectivamente, para bien»[15].

LA MENTE Y EL CORAZÓN

El hecho que se deba intentar que la relación de pareja se base principalmente en el lazo espiritual de la verdadera amistad y sólo en forma secundaria en la relación física, está aludido en la famosa frase del *Zohar*:[16] «La mente gobierna al corazón».

En el simbolismo de la Torá, los términos «mente» y «corazón» aluden a menudo al cielo y la tierra, es decir a los ámbitos espiritual y físico, respectivamente. En la frase citada, «la mente» significa el poder de relacionarse con otra persona en el plano espiritual, como un amigo sensitivo y afectuoso, mientras que «el corazón» significa la estructura emocional innata motivada por la atracción o la repulsión física.

De aquí que un matrimonio feliz es aquel en el que «la mente gobierna al corazón». La amistad y los lazos espirituales de la pareja prevalecen sobre la relación física. Esto no significa que la mente niegue los sentimientos del corazón, sino que los madura y refina de modo que reflejen la sensibilidad del alma. De todas maneras, el Jasidismo nos enseña que esto es apenas el comienzo. Después de acceder al nivel en el que «la mente gobierna al corazón», una pareja puede intentar alcanzar niveles incluso más altos en su unión y servicio a Dios. El primero de estos es aquél en el que «la dimensión interna del corazón gobierna la mente»[17].

La razón por la que la mente debe generalmente gobernar al corazón es que el corazón no rectificado personifica todas las perversiones egocéntricas de la imaginación no rectificada. Los extremos físicos de lascivia y repulsión que los cónyuges pueden sentir uno por el otro pueden resultar entonces en muchos casos de factores poco sagrados. La dimensión interna del corazón, sin embargo, es esa parte que no ha sido contaminada por el descenso de la conciencia en la imaginación no rectificada; son las emociones tal como existen en la raíz espiritual, donde la pareja es una esencia unida. En este nivel, la atracción física de los cónyuges ha sido despojada de todos los agregados negativos de la imaginación no rectificada y expresa simplemente la mutua afinidad natural. Al alcanzar este nivel de conciencia puede permitirse que «gobierne el corazón»: la atracción física rectificada entre los cónyuges puede y debe realzar e intensificar su relación espiritual, haciéndolos amigos aún más cercanos y verdaderos.

E incluso al alcanzar este nivel de conciencia que deriva de la unidad intrínseca en su raíz espiritual común, su mutua atracción se expresa como la de dos individuos separados. En un nivel aún más elevado que éste, «la dimensión interna de la mente gobierna la dimensión interna del corazón»[18]. La dimensión interna de la mente es la conciencia de la unidad esencial de la pareja como una entidad única e indiferenciada. Este nivel, una vez alcanzado, «gobierna» la dimensión interna del corazón: transmite a la pareja su atracción física mutua con un sentido de unidad subyacente, que a su vez le imparte la permanencia y la eternidad características de un enlace esencial.

En la historia de la creación, se dice que Adán y Eva personifican la mente y el corazón.[19] Después de comer el fruto prohibido, se le dijo a Eva que «[Adán] te gobernará»[20]. Es decir que el dominio del hombre sobre la mujer no es una condición intrínseca de la creación sino una circunstancia del exilio, el estado presente del mundo, resultado del pecado original y de la expulsión del Edén. Sólo durante el orden presente la mente debe descender al corazón para gobernarlo y rectificarlo. La amistad espiritual de la pareja debe supervisar y dirigir su pasión física no rectificada hacia el refinamiento.[21]

En el futuro mesiánico, sin embargo, otra vez se revelará que «una mujer de valor es la *corona* de su marido». La dimensión interna del corazón gobernará la mente y la alegría inmitigada de la atracción pura e inmaculada dominará y dirigirá la dimensión mental de la relación de la pareja.

Pero esto en sí será inferior al nivel supremo, en el que la dimensión interna de la mente gobernará la dimensión interna del corazón. La bendición esencial encerrada en la maldición del Edén será revelada[22] y la unidad intrínseca y la amistad absoluta de la pareja gobernarán y elevarán continuamente el gozo de las relaciones maritales.

El estado inicial, en el que «la mente gobierna al corazón» es la naturaleza del servicio a Dios durante la semana, cuando experimenta su exilio del jardín del Edén. Aunque todo servicio Divino debe realizarse con alegría,[23] la alegría del servicio a Dios durante la semana está por naturaleza relativamente constreñida debido a la necesidad de enfrentarse continuamente a las fuerzas negativas de la realidad no rectificada.

Por el contrario, las festividades están marcadas por la experiencia de la alegría (*simjá*).[24] Esta alegría es la experiencia de la dimensión interna del corazón,[25] la experiencia de Eva.[26] En las festividades «la dimensión interna del corazón gobierna la mente».

El Shabat, por contraste, es el día de placer y deleite (*oneg*), que es más que la alegría. Mientras que la exuberancia de la alegría se manifiesta en el plano físico, lo sublime del placer se manifiesta en el plano espiritual.

Como explicaremos más adelante,[27] el tiempo ideal para las relaciones maritales es la noche del Shabat, porque entonces el elemento físico de la unión alcanza la alegría de las festividades[28] «gobernada» por el placer del Shabat. «La dimensión interna de la mente gobierna la dimensión interna del corazón». De modo que si la semana puede compararse al exilio del jardín del Edén, la festividad puede compararse a Adán y Eva regresando al jardín y el Shabat a alcanzar el árbol de la vida, compartiendo su fruto y alcanzando la vida eterna y Divina.[29]

La dimensión interna de la mente gobierna la dimensión interna del corazón	Shabat	Deleite (y alegría contenida)	Comer la fruta del árbol de la vida
Dimensión interna del corazón gobierna a la mente	Festividades	Verdadera alegría	Regreso al jardín del Edén
La mente gobierna al corazón	Semana	Alegría limitada	Fuera del jardín del Edén

IX
PACIENCIA INFINITA

Rectificar a uno mismo, rectificar a otros

Llegar a ser suficientemente genuino como para analizar los defectos de uno con el cónyuge es, ciertamente, un gran logro. Pero se debe tener cuidado en aplicar esta objetividad sólo a las imperfecciones y problemas propios, contando con la ayuda y el sostén de la pareja, mientras trabaja para rectificarlos mediante la plegaria y el autorefinamiento.

Respecto a juzgar (o condenar) los defectos y malas acciones aparentes del otro, han dicho nuestros sabios: «No juzgues a tu prójimo hasta no estar en su lugar»[1]. El Jasidismo explica que como uno nunca puede realmente estar en el «lugar» del otro —es decir, nunca puede comprender realmente sus motivos conscientes o inconscientes— uno *nunca* puede juzgarlo.[2]

Sin embargo, al decir «*hasta* no estar en su lugar», los sabios dan a entender que uno debería intentar comprender a su prójimo de la mejor manera posible y acercarse a su «lugar» lo máximo posible. Acercarse al otro significa relacionarse con él, tanto intelectual como emocionalmente, con empatía y amor.[3]

Al acercarse a otra persona nuestra perspectiva cambia. Comenzamos a apreciarlo más y somos capaces de observar el dictamen de nuestros sabios:[4] «Juzga favorablemente a todos los hombres». Uno comienza a reconocer que los defectos aparentes que ha observado en el otro, son en realidad el reflejo de defectos similares propios, aunque menos aparentes en uno mismo.[5] Puede entonces observar el precepto de reprender al prójimo[6] de acuerdo a las enseñanzas del Baal Shem Tov:[7] ante todo uno debe reprenderse a sí mismo por la misma falta y sólo entonces es capaz de reprender a su prójimo en forma constructiva. Esta enseñanza del Baal Shem Tov confiere una percepción adicional al consejo de nuestros sabios:[8] «Primero rectifícate y después rectifica a los demás».

EL ANTÍDOTO DE LA IRA

Cuando uno comprende que la rectificación de los demás depende de la rectificación propia, aprende a ser paciente con los demás. La paciencia es el antídoto de la ira.

El único objeto legítimo de la ira es la propia inclinación al mal, como enseñan los sabios: «Uno debe siempre despertar la ira de su tendencia al bien contra la tendencia al mal»[9]. Respecto a los demás en general y a su cónyuge en particular, uno debe bregar por adoptar[10] el atributo Divino de «paciencia infinita»[11].

La paciencia fomenta la capacidad de esperar[12] que un conflicto se resuelva por sí mismo,[13] de suspender el juicio[14] y de controlar constantemente la tendencia a responder en forma impulsiva. Esa es la clave para evitar el daño que uno se inflinge a sí mismo y a los demás cuando es incapaz de controlar las reacciones de la «primera naturaleza».

PREMADUREZ

Todos los grandes pecados arquetípicos registrados en la Torá provienen de la falta de paciencia:

1. El pecado original fue comer el fruto del árbol del conocimiento del bien y del mal. Si Adán y Eva hubieran esperado solamente tres horas[15] hasta la entrada del Shabat antes de

comer del árbol,[16] habrían heredado para siempre las bendiciones del Edén. Fue su impaciencia la que causó la caída de esa prístina realidad inicial, el decreto de muerte para la humanidad y nuestro prolongado exilio del paraíso.[17]

2. El pueblo de Israel como un todo regresó al estado edénico, liberado del ángel de la muerte, al recibir la Torá en el monte Sinaí. Pero perdimos ese estado con el pecado del becerro de oro, el ídolo que supuestamente reemplazaría a nuestro líder Moisés. Fuimos incapaces de esperar que regresara de la montaña.[18] Nuestros sabios se refieren a este pecado como el pecado arquetípico de una comunidad.[19]

3. Como ya vimos[20], David y Batsheva fueron destinados el uno al otro desde los principios. Debieron ser la rectificación consumada de la pareja primordial, Adán y Eva. Pero David tomó a Batsheva prematuramente.[21] Esta impulsividad fue la esencia de su pecado, al que nuestros sabios se refieren como el arquetipo del pecado individual.[22]

Ambos compañeros matrimoniales deben estar constantemente en guardia y cultivar la paciencia. La paciencia depende de la fe y la confianza en Dios ya que, si queremos algo y no lo recibimos, es porque aún no lo merecemos.[23] Cuando los consortes entienden esto, se hacen mucho más pacientes el uno con el otro. Más que demandar de sus cónyuges que sean más perfectos de lo que son, se concentran antes en rectificar su propio carácter, con la ayuda de Dios.

Con la paciencia viene la capacidad de trascender nuestro carácter mortal e innato y cumplir el mandamiento emulando a Dios: «Como Dios es compasivo, tú debes ser compasivo... como Dios es infinitamente paciente, tú debes ser infinitamente paciente»[24].

Tal era el temperamento de Moisés, como está escrito:[25] «Y el hombre Moisés era muy humilde». Rashi define la palabra humilde aquí como «carente de orgullo y paciente»[26]

LA TIERRA DE ISRAEL

La paciencia infinita suele asociarse conceptualmente a la naturaleza de la Tierra de Israel.[27] La Biblia se refiere con frecuencia a la Tierra Santa como «la tierra de donde mana leche y miel»[28], evocando una imagen de sublime tranquilidad de espíritu que uno esperaría experimentar en su propio hogar, dondequiera que sea.

El mejor lugar para adquirir paciencia es la Tierra Santa[29]. Israel es la antesala al jardín del Edén,[30] donde Dios intentó originalmente que el primer hombre y la primera mujer vivieran y crecieran espiritualmente juntos, relacionándose uno con el otro con amor y paciencia infinita, mereciendo por lo tanto la dicha eterna.

Cuando uno de los *jasidim* –seguidores– de Rabí Menajem Mendel de Lubavitch[31] le preguntó si debía o no trasladarse a Israel, él le respondió: «Haz la Tierra de Israel aquí»[32]. De acuerdo con nuestra interpretación anterior de «paciencia infinita» y su relación con la Tierra de Israel, podemos ver que la implicación de esa frase es «dondequiera que estés, aprende a ser paciente». La impaciencia representa el estado existencial de vivir fuera de Israel, mientras que la compostura serena manifiesta la esencia misma de esa tierra.[33]

AGILIDAD CON DELIBERACIÓN

La actitud tolerante fomentada mediante el cultivo de la paciencia infinita no debe hacernos, sin embargo, pasivos ante la vida. Por lo contrario, debería realzar el impulso enérgico de rectificar la realidad. Esto es porque la verdadera paciencia se basa en la conciencia de que Dios está siempre presente en la vida de uno e influye en el resultado de nuestras empresas. Uno siente entonces la labor de Dios en y a través de uno y al mismo tiempo orquestando los eventos desde afuera. Es consciente de ser el agente de Dios y tiene una misión única e imperativa que debe cumplir, pero al mismo tiempo siente paradójicamente que no es él mismo quien la lleva a cabo, sino el poder de Dios a través suyo. El Baal Shem Tov se refiere a la condición de equilibrio que dicha conciencia inspira como «agilidad deliberada»[34].

De lo antedicho se deduce claramente que la paciencia infinita es la clave de la propia rectificación. En la medida en que uno tiene éxito en rectificarse, integrando la paciencia infinita en su propio ser de modo que se refleje en su conducta externa, entonces puede proceder a rectificar a otros. Esto lo hace con palabras dulces y gentiles, como está escrito: «Las palabras del sabio [es decir quien posee la perspicacia de rectificarse primero a sí mismo], cuando se dicen suavemente, son escuchadas»[35].

X
EL HOGAR

EL HOGAR ES LA ESPOSA

Hemos descrito la relación esposo-esposa como la dimensión espacial de su amor. El lugar concreto donde se manifiesta esta dimensión es el hogar de la pareja. Y efectivamente, nuestros sabios dicen que «el hogar es la esposa»[1].

Considerar a su esposa su hogar es verla como su ancla en la vida[2] y la fuente definitiva de conciencia de su fuente Divina. El alma deja su hogar celestial y desciende al plano terrenal con el fin de realizar la labor Divina que le ha sido encomendada: hacer de este mundo una morada para Dios.[3] A medida que marido y mujer construyen su hogar sobre las bases de la Torá, incrementan la manifestación de la Divinidad en este mundo cumpliendo por lo tanto con su propósito en la vida y aumentando su percepción de su propio hogar original conjunto en las alturas.[4]

Así, la esencia de nuestra conciencia del hogar deriva del alma de nuestra esposa. En todas sus empresas terrenales, ella ancla la conciencia del marido en la fuente Divina de éste y su misión en la vida. Por esta razón ella es conocida como «los cimientos del hogar»[5].

El espíritu del hogar y el alma de la esposa están íntimamente ligados. El marido, por tanto, debe considerar que su hogar es un entorno dinámico con un espíritu viviente que debe ser tratado con respeto y santidad,[6] justamente como uno debería tratar a su esposa.

Por lo tanto es importante invertir tanto espiritualmente como materialmente en el entorno doméstico con dedicación y amor.[7] Esto implica asegurar que el hogar sea físicamente agradable para vivir en él, pero lo más importante es que posea dignidad judía,[8] como lo reflejan las *mezuzot* fijadas a sus puertas, la comida *kasher* que uno come y, especialmente, los libros sagrados que cubren sus paredes.[9]

Un santuario en miniatura

Lo que hace de un lugar un hogar es el amor.[10] Dios creó el mundo para tener criaturas que pudiesen brindar bondad y amor,[11] como está escrito: «El mundo fue construido[12] con bondad»[13].

Siendo el amor la emoción primaria del hombre[14] y el hogar el vehículo esencial mediante el cual el hombre se vuelve capaz de expresar su amor, «un hombre[15] sin hogar no es un hombre»[16]. Es incapaz de entender la profundidad de su amor y pasión innatos por el mundo en general, como así también la pasión que siente en la autorrealización que viene con creatividad.[17]

Originalmente, el mundo entero habría de ser la morada de Dios.[18] Sin embargo, como resultado del pecado original,[19] la Divina Presencia se vio forzada a retirarse, ya que el mundo ya no era adecuado para Su Revelación.

Abraham pensó que el lugar ideal para que la Presencia de Dios volviese a morar en la tierra era una montaña. «Y Abraham llamó al lugar "Dios verá", que es como se llama hasta hoy día, "la montaña en la que Dios será visto"»[20]. Abraham sintió que para contactar a Dios, el hombre debe elevarse de su realidad mundana a un estado de conciencia más elevado.

Aunque, efectivamente, es necesario que el hombre se eleve, con todo, la visión de Abraham fue incompleta.

Isaac se comunicó con Dios en el campo. «Y Isaac salió a orar al campo»[21]. Sintió que Dios era más accesible en plena naturaleza, lejos de las distracciones y la corrupción de la civilización.

Aunque tiene valor el escape ocasional y la soledad, también la visión de Isaac fue incompleta.

Jacob vio a la Divina Presencia reposando en un hogar. «Y llamó al lugar "la Casa de Dios"»[22]. Más que creer que la unión con Dios requería trascender o huir de la realidad, Jacob veía la Divina Presencia como parte de la vida cotidiana. Las excursiones a montañas o a campos pueden ayudar a renovar la inspiración, pero el lugar donde el hombre verdaderamente trae a Dios a su vida es su hogar.

Dios aceptó la visión de Jacob como completa.[23]

De esta manera, para permitir que la Divina Presencia more nuevamente en este mundo, Dios ordenó al pueblo de Israel que Le construyera un «hogar», el Tabernáculo, que más tarde fue reemplazado por el Santo Templo. Desde ese punto se pretende esparcir nuevamente la Divina Presencia en el mundo.[24] Por eso, cuando Dios dio el mandamiento de construir el Tabernáculo, dijo: «Y me harán un santuario, y habitaré dentro de ellos»[25]. Nuestros sabios señalan[26] que este versículo no dice «habitaré dentro de él» sino «dentro de ellos», significando en el corazón de cada persona. De modo que el propósito supremo del Santo Templo es atraer la Divina Presencia al corazón de cada individuo cuando y dondequiera que pueda estar.[27]

Las casas de plegaria y de estudio de la Torá también son consideradas casas de Dios[28] o «santuarios en miniatura»[29], donde puede buscarse a Dios.[30] Efectivamente, muchas de las leyes que rigen la construcción de las sinagogas y nuestra conducta en las mismas, derivan de las leyes acerca del Templo.

Sin embargo, la casa definitiva de Dios es el hogar, porque es en su hogar donde cada familia expresa su única y común raíz espiritual y el propósito Divino en la vida.[31]

Hemos identificado tres niveles de «hogar»: el Santo Templo, las sinagogas por todo el mundo, y el hogar. En la terminología de la Cábala, la revelación primaria de la Divina Presencia corresponde a la letra *iud* del Nombre *Havaia*. El Santo Templo corresponde a la primera *hei*, donde el punto de la morada Divina comienza a expandirse. Las sinagogas en todo el mundo corresponden a la *vav*, ya que a través de ellas la Divina Presencia revelada en el Santo Templo es transmitida (en forma reducida[32]) por todo el mundo. El hogar corresponde a la última *hei*, la morada final de la Divina Presencia antes de expandirse hasta llenar el mundo como lo hizo al comienzo de la creación.

Los cuatro niveles de «hogar» de la revelación de la Divina Presencia son:

- ✓ El Santo Templo
- ✓ La Sinagoga
- ✓ El hogar marital o conyugal

HOSPITALIDAD

Otro elemento esencial en la santificación del hogar es la tradicional hospitalidad judía. Nuestros sabios nos enseñan que «recibir huéspedes es superior incluso a darle la bienvenida a la *Shejiná* (Divina Presencia)»[33].

Parecería que recibir invitados e invitar gente podría transgredir la intimidad de que disfrutan marido y mujer, sin embargo, de hecho la incrementa.

La intimidad privada de los cónyuges es una forma de «darle la bienvenida a la *Shejiná*». Esto sucede primeramente porque la Divina Presencia mora entre la pareja cuando los cónyuges lo merecen, y también porque las relaciones maritales se asemejan a la unión de la esencia trascendental de Dios con la *Shejiná*, Su inmanente Divina Presencia.

De esta analogía entre las relaciones maritales y la unión de los aspectos trascendentes e inmanentes de Dios, vemos que la *Shejiná* es considerada como el lado femenino de la Divinidad. Durante el exilio, la *Shejiná* anhela estar unida al lado masculino de la Divinidad, la revelación de la infinita trascendencia de Dios. Así, cada huésped que encuentra un hogar aunque no sea más que un lugar temporal de descanso, trae consigo una chispa de la *Shejiná*,[34] la Presencia alienada y exiliada de Dios que busca su hogar.

Ofrecer hospitalidad es entonces dar la bienvenida a chispas de deseo espiritual en la casa de uno. Estas chispas despiertan y realzan el fuego sagrado propio de la esposa –su pasión y deseo hacia su esposo[35]– y aumentan la potencia y fertilidad de la pareja.[36]

Esto es evidente en el relato bíblico de Abraham y Sara, que fueron capaces de tener un hijo sólo después de haber dado la bienvenida y hospedado gentilmente a los tres viajeros angélicos.[37]

Sin embargo, las exigencias que genera acomodar a los huéspedes puede ser un esfuerzo físico y psicológico excesivo para la mujer, por más que el marido la ayude.[38] Por lo tanto, la pareja deberá decidir conjuntamente cuánta hospitalidad pueden realmente ofrecer en cada momento. Porque, después de todo, los huéspedes representan las «chispas» de la *Shejiná*, mientras que la mujer representa la *Shejiná* misma. Uno puede interrumpir la «recepción de la *Shejiná*» con el fin de exaltar su poder, pero no provocar su colapso, Dios lo prohíba.

XI
VIVIENDO ACORDE AL TIEMPO

ESENCIA Y EXPERIENCIA

De los tres marcos de referencia, espacio, tiempo y alma, el espacio es el más palpable y el alma el más abstracto. El tiempo es el ámbito intermedio, más abstracto que el espacio,[1] que es como su vestimenta,[2] aunque más concreto que el alma, cuya experiencia consciente viste a su vez.[3] De modo que puede decirse que el alma se experimenta como extraída al mundo del espacio mediante la realidad intermedia del tiempo.

Cuanto mejor es la conexión entre una persona y sus propias sensaciones y sentimientos, es decir, la forma en que reacciona a las vicisitudes del tiempo, más vívida será su experiencia de vida. El propósito de la vida espiritual, sin embargo, no es meramente experimentar la vitalidad esencial de ser, sino utilizar esa conciencia para cumplir la voluntad de Dios. Cuando uno lo hace «vive acorde al tiempo»[4].

El marco temporal primario que influye en la vida de la pareja es el ciclo menstrual de la esposa. Durante su ciclo mensual, la estructura temporal no sólo dirige la fisiología de la mujer, sino también su alma y sentido de sí misma. Aquí, como en otras instancias, los sabios nos enseñan cómo usar esta condición dada como oportunidad de crecimiento espiritual. Si el marido está en concordancia armónica con su esposa, puede ayudarla en los altibajos psicológicos y espirituales de este proceso y, al mismo tiempo, beneficiarse de sus percepciones y experiencia.

En hebreo, la palabra que suele usarse para denotar «experiencia» –*javaiá*–, deriva del nombre de la primera mujer, Eva –*java*.[5] Así, el entorno sensorial de la experiencia, que se despliega en la dimensión consciente del tiempo, está íntimamente ligado con la misma identidad de la mujer.

Un hombre, por el otro lado, está naturalmente asociado con la esencia abstracta, que se encuentra por encima del tiempo y separada de la sensación explícita.[6] Sin embargo, a través de su esposa, un marido puede experimentar la vida en todos sus ricos detalles, ya que ella lo ubica en una percepción del aquí y ahora de la realidad. Y él, mediante su distanciamiento y objetividad inherentes, puede ayudar y respaldarla para hacer un uso productivo de su experiencia.[7] Así el esposo y la esposa se complementan y equilibran mutuamente.

De una forma similar, los novios cósmicos, Dios y el Pueblo de Israel, se complementan el uno al otro. Aunque la esencia de Dios axiomáticamente no carece de nada, nos enseñan que en el contexto de la creación Su deleite en los hechos futuros de los justos es lo que motivó a Dios a crear el mundo.[8] En este sentido, el hombre le proporciona a Dios el lado vivencial de la creación, de la que Él carece, por así decirlo.[9] A Su vez, Dios da al hombre la Torá, las instrucciones que le permiten maximizar e interpretar y responder adecuadamente a sus experiencias.[10]

EL PULSO FEMENINO DEL TIEMPO: CORRER Y VOLVER

Estas diferencias esenciales en la naturaleza del hombre y la mujer afectarán la dinámica de su relación marital.

Naturalmente, la mujer da de sí misma a la relación más abiertamente y en forma más completa que el marido.[11] Esto sucede porque la tendencia de la esposa hacia el compromiso total se refleja en su dinámica innata de «correr y volver».

La expresión «correr y volver» aparece en la visión de Ezequiel[12], en referencia a los ángeles del Carruaje Divino:

«Y los ángeles corrían y volvían como relámpagos».

La palabra usada aquí para «ángeles», *jaiot*, significa literalmente «seres vivientes». En la Cábala este término se refiere al pulso subyacente de todo lo viviente,[13] que alternativamente corre «hacia arriba», fuera de su cuerpo, para reunirse con su fuente Divina, y después regresa «hacia abajo», vistiéndose con una nueva fuerza vital.

Al aspirar unirse totalmente con su amado, una esposa expresa la tendencia natural (aunque no siempre consciente) de su alma, la novia del Cantar de los Cantares, y de toda la creación de «correr» hacia su Amado deshaciéndose de la alienación que le impone la prisión del cuerpo.[14]

Este modo de correr del alma, si no es mitigado por una vuelta correspondiente, puede tener consecuencias poco saludables. Por ejemplo, en la famosa historia talmúdica de los «cuatro que entraron al paraíso»[15], leemos cómo Ben Azai murió, Ben Zomá enloqueció, Elisha ben Avuia renunció a su fe y sólo Rabí Akiva «entró y salió en paz». El Jasidismo enseña que Rabí Akiva sobrevivió porque emprendió este viaje místico con total compromiso y sumisión a la voluntad Divina. Esto incluye el compromiso de regresar al reino inferior después de haber llegado a la cima del ascenso de su alma para adherirse a Dios. La base de este compromiso es la alianza al Divino propósito de la creación: que el hombre convierta este bajo mundo material en una «morada» para el Santo, Bendito Sea.[16] Los otros sabios no emprendieron el viaje con dicho compromiso.[17]

Nos enseñan asimismo que Nadav y Avihu, los dos hijos mayores de Aharón que fueron consumidos por el fuego tras ofrecer voluntariamente una ofrenda de incienso en la inauguración del Tabernáculo, sin que se lo hubieran ordenado, también fueron culpables de correr hacia Dios sin ningún compromiso anterior a volver.[18]

Sin embargo, el Jasidismo nos enseña que durante el mismo acto de correr, uno puede temporalmente perder conciencia de su anterior compromiso de volver.[19] Esto es necesario con el fin de no comprometer la intensidad del acto de correr. Si el acto de correr no es suficientemente inspirado y no expresa suficiente entrega, puede que no exprese más que una búsqueda egoísta de «elevación» espiritual. Por ello no debe permitir que el compromiso de regresar interfiera con la fuerza y la pasión del acto de correr.

Inconscientemente, sin embargo, el compromiso de regresar de los estados espirituales más sublimes[20] sirve en realidad para facilitar el viaje a «la montaña de Dios»[20], aunque como consecuencia se deba volver atrás después de alcanzar la cima.

Así como Rabí Akiva, la mujer debe preservar el equilibrio natural de correr y volver en su matrimonio. La devoción abnegada a su marido debe estar complementada por el compromiso de cumplir sus obligaciones respecto a sí misma, su familia y la sociedad. Estos compromisos no deben socavar su devoción a su marido sino más bien exaltarla. Al asumir los valores de su marido está cumpliendo con sus obligaciones de acuerdo con la voluntad de él. De esta manera, mediante acciones físicas se aúna con él en esencia.

En referencia a Dios se dice que «Él y Su voluntad son uno»[21]. En el acto ascendente de correr hacia Dios, uno nunca puede alcanzar Su esencia, ya que la misma conciencia y deseo que guían la corrida hacen imposible que el alma pierda su conciencia finita en la infinidad de Dios. Sólo cuando el alma regresa a cumplir la voluntad de Dios sobre la tierra se une con Su esencia. En las palabras del *Sefer Ietzira*:[22] «Si tu corazón *corre, vuelve* al Uno». El «Uno», la manifestación de la unión absoluta del Creador y Su creación mediante el servicio del alma, se alcanza mediante la vuelta. Así sucede que, paradójicamente, al retirarse de la búsqueda y la experiencia de la unión extática, uno consuma la búsqueda y alcanza la unión verdadera y esencial.

Más aún, el regreso mismo alimenta el próximo acto de correr. Como cada huésped es una chispa del deseo espiritual que atiza la pasión de la esposa por su esposo, así cada buena acción enciende en ella un deseo similar.[23] La unión escondida de esencia con esencia despierta el deseo de volver a unirse de modo consciente y de esta manera se renueva el ciclo de correr y volver.

EL PULSO MASCULINO DEL TIEMPO: TOCAR Y NO TOCAR

En contraste, la dinámica del marido en el matrimonio es denominada «tocar y no tocar»[24]. Esta expresión está ilustrada en la Torá[25] con la imagen de un águila que se cierne suavemente sobre su nido, cuidadosa de no dañar a sus pequeños o perturbar el delicado orden del nido. El deseo de «tocar» o posarse en el nido indica el ansia del marido de ocuparse de su esposa y de todas sus necesidades. Al mismo tiempo, el control que se refleja en «no tocar» indica su voluntad de permitir a su esposa el espacio necesario para actuar de forma independiente. Cuando «no toca», sin embargo, el marido nunca se distancia hasta el punto que su esposa se sienta abandonada. Su amor y preocupación continúan cerniéndose sobre ella también cuando se ocupa de sus necesidades propias y las necesidades de su hogar.

Esta dinámica subyace en el mismo proceso de creación: con el fin de generar una realidad finita, Dios tenía que, figurativamente hablando, retirar Su infinita «luz» de la arena de la creación para que el universo se desplegase sin interferencias. El primer mundo que emana de la voluntad de Dios[26] está dotado con el máximo sentido de Su inmanente proximidad. Los elementos[27] de ese mundo poseen la sensación de estar totalmente y continuamente «en contacto» con la Divinidad (es decir que experimentan la realidad como trascendiendo tiempo y espacio).

En la creación de los mundos siguientes, espiritualmente más bajos, la distancia de Dios o el «no tocar» de Dios se hace más aparente. Esto confiere a estos mundos sucesivos una sensación creciente de existencia independiente. La verdad, por supuesto, es que Dios nunca cesa de tocar ninguna parte de la realidad.[28] Sin embargo, experimentar esta verdad requiere una vida de dedicación y esfuerzo.

La dinámica de tocar y no tocar se refleja en un enunciado talmúdico que se refiere, entre otras cosas, a la educación de los niños: «La mano izquierda aleja, mientras que la derecha acerca»[29].

En la buena educación de los niños un elemento importante es aprender cuándo mantener cierta distancia de ellos, para que se hagan conscientes de su propia existencia y habilidades independientes. Al mismo tiempo, la certeza de que los padres están siempre disponibles y solícitos es lo que permite a los niños explorar sus libertades y capacidades propias. Este tocar y no tocar paradójico es el contexto esencial de todo ambiente de crecimiento saludable.

Hay un versículo en el Cantar de los Cantares en el que la novia habla de su amado evocando el mismo tipo de imagen: «Su brazo izquierdo está bajo mi cabeza, mientras que su brazo derecho me abraza»[30]. La fuerza distanciadora o «brazo izquierdo» de su amado está descrito como sosteniendo su cabeza, es decir su conciencia de sí misma.[31] Al mismo tiempo, la fuerza abrazadora de su brazo derecho se comunica con ella, con todo su ser, e incluso su espalda (que representa su experiencia de distanciamiento y separación) está incluida en su amor y solicitud.

En cada uno de los ejemplos anteriores, vemos que el objetivo final de «tocar» es conducir al estado siguiente de «no tocar». Al demostrar su preocupación por su esposa, el marido le muestra que incluso cuando está alejado, su solicitud aún la abraza.[32] Y al retirarse, reconociendo su independencia, el marido inspira a su mujer a aspirar (correr) en un grado más alto de unión consigo mismo.

De la misma manera, el omnipresente contacto de Dios con todos los niveles de la creación hace que Él sea accesible incluso en aquellos niveles donde Su Presencia no se manifiesta. La solicitud de un padre por su hijo tiene como fin concederle la confianza en sí mismo para que se haga un individuo independiente.

Cada cónyuge entonces expresa su amor en una forma única y profunda: la mujer mediante la dinámica vivencial de «correr y volver» y el hombre mediante la dinámica más sutil de «tocar y no tocar»[33].

EL PULSO UNIFICADO

La dinámica masculina es por lo tanto «descender con el fin de ascender»[34], mientras que la dinámica femenina es un «ascender con el fin de descender»[35]. Por eso cuando el marido y la mujer se unen, sus ascensos y descensos se «visten» uno con el otro.

El esposo despierta el amor de su esposa por él «tocándola», revelándole un aspecto de su solicitud y preocupación por ella. Este despertar inicial la inspira, tal vez en forma subconsciente, impulsándola a «correr» hacia él.[36]

Este alejamiento subsecuente, que afianza la independencia de ella, impulsa su deseo de unirse con él. Anteriormente mencionamos que si el acto de correr de la esposa no es suficientemente intenso puede orientarse hacia ella misma, buscando su propio placer (o en la analogía de Dios y el pueblo de Israel, en nuestra «captura» de Dios). El marido que no toca refuerza y eleva su acto de correr incrementando la energía y la bendición que desciende con su vuelta.

Por otra parte, dijimos, si el acto de correr de la esposa es demasiado intenso, puede resultar destructivo. El no tocar de su marido también puede favorecer esta situación, sirviendo para objetivizar su ascenso y darle el propósito que finalmente lo transformará en un descenso. Como Rabí Akiva, ella será capaz de «entrar en paz y salir en paz».

De la misma forma, cada vez que Dios Se revela en este mundo, es con el fin de elevar al mundo a un plano más alto de espiritualidad, para persuadirnos de dejar nuestro materialismo y «capturarnos» para Sí mismo. Al cumplir los preceptos en este mundo, nosotros, por nuestra parte, intentamos «capturar» a Dios, por así decirlo, y revelar Su Presencia aquí.

Así, al sentir que la unión verdadera con su marido es en el plano concreto, aquí y ahora, la esposa regresa para centrarse en sí misma y en sus asuntos en este mundo. Esta reorientación de lo abstracto a lo concreto, sin embargo, inspira a su marido a tocarla nuevamente, a producirle inspiración suficiente para despertarla nuevamente de su concentración en lo vivencial. Esta vez, sin embargo, el descenso de él está «vestido» con el descenso de ella: su deseo de persuadirla que deje el mundo vivencial está permeada con una sana apreciación por la realización que sólo es posible en el mundo concreto. Por lo tanto, su subsecuente ascenso no es un escape del mundo vivencial al abstracto, sino una elevación del mundo vivencial en sí a la sublime concienciación de los mundos superiores.

Notamos que la única fase que permanece subjetiva es la semi-dinámica masculina inicial de descenso, ya que llega sola, por sí misma. Cuando el marido desciende a tocar a su esposa, él es consciente solamente de su propio deseo de inspirarle a ella el deseo de perseguirlo en su ascenso de no tocar. Él no cobra conciencia del objetivo supremo, el regreso de su esposa, en el que realmente se unen, hasta que su ascenso se viste con el de ella. La semi-dinámica femenina del descenso, en contraste, ya ha sido objetivizada por el acto unido de correr y el no tocarse que la precede.

De aquí que el propósito del acto de correr ascendente de la mujer, su expresión de devoción, es sólo para capturar a su marido de modo que él se concentre en ella. El verdadero deseo de ella es unirse con la esencia de él en su regreso. El ascenso de ella es sólo un medio; para ella, el fin verdadero es su descenso.

Para el marido, sin embargo, lo opuesto es cierto: su descenso, su tocar a la esposa, es el medio, mientras que su ascenso, su no tocar, inspirándola y persuadiéndola de perseguirlo, es el fin. La imagen general del marido descendiendo y la esposa ascendiendo se refiere entonces a la dirección inicial de movimientos, el medio hacia sus respectivos fines. Respecto a sus objetivos, el marido anhela ascender y la mujer descender.

En otras palabras: mientras que una esposa desea ante todo unirse con su marido, el marido desea ante todo inspirar y persuadir a su esposa para que lo persiga. El marido intenta inspirar a su esposa con infinidades abstractas; la esposa intenta concretizar los sueños de su marido en el aquí y ahora. El marido busca el desafío, la mujer la realización. El marido anhela introducir lo romántico en su relación, la esposa anhela llevarlo a su consumación final.[37]

De modo que las dinámicas respectivas del hombre y la mujer se complementan. El no tocar del marido impide que el regreso de la esposa se estanque en una preocupación exhaustiva respecto al aquí y ahora, mientras que el retorno de la esposa impide que el no tocar del marido degenere en un alejamiento de la realidad objetiva.[38]

Así es que nos podemos referir a la unión de marido y mujer y la combinación de sus dos dinámicas como un «descenso con el fin de ascender con el fin de descender»[39].

Habiendo explorado las diferentes naturalezas de hombre y mujer y su interacción en la vida matrimonial, podemos ahora analizar el efecto específico que el ciclo menstrual femenino tiene sobre la relación de la pareja y en qué forma está destinado a beneficiar su crecimiento espiritual conjunto.

XII
LOS CICLOS DE INTIMIDAD MARITAL

El ciclo mensual:
Una espiral de crecimiento espiritual

«Pureza familiar» es el nombre del área de la Ley de la Torá –*halajá*– que trata las circunstancias en las cuales una pareja tiene permitido practicar relaciones maritales. Como lo describiremos a continuación, el eje en torno al cual giran estas leyes es el ciclo menstrual de la esposa.

Una pareja que vive según las leyes de «Pureza familiar» puede verdaderamente ser considerada como «viviendo acorde con el tiempo». El ciclo menstrual femenino de la esposa les permite ser extremadamente sensibles a las estructuras temporales en la creación[1] y aplicar esa comprensión al servicio a Dios.

Una de las enseñanzas fundamentales del Baal Shem Tov es que cada acción completa en el servicio de Dios comprende tres fases: sumisión, separación y dulcificación[2]. Según el principio de integración[3] que se cumple en cada conjunto integral de conceptos o experiencias en el servicio Divino, cada una de las tres etapas se manifiesta también a su vez dentro de si misma. Al desplegarse en forma completa, las tres etapas se expanden en nueve niveles de experiencia espiritual. Cuando la mujer atraviesa su ciclo mensual y experimenta los cambios físicos consecuentes, ella y su marido pueden construir un modelo de servicio Divino que siga cada una de estas etapas.

DÍAS DE OBSERVACIÓN, DÍAS DE LIMPIEZA, DÍAS DE PUREZA

El comienzo de la menstruación y los cambios emocionales que produce, centran la atención de la mujer en sí misma. Durante su período, ella se dedica a la realidad biológica y emocional de su condición física y por lo tanto no puede dirigir su atención a otra persona. Como durante este período ella no puede experimentar la serenidad apropiada para que tengan lugar las relaciones maritales, éstas son prohibidas.[4]

Como ya analizamos anteriormente,[5] en el pensamiento de la Torá la exagerada conciencia de uno mismo es considerada como un estado de «impureza» y «corrupción», impedimentos para la orientación espiritual y crecimiento. Por lo tanto este período es considerado un estado impuro del que la mujer debe purificarse ritualmente antes de que ella y su esposo reanuden las relaciones maritales.

En la ley de la Torá el ciclo menstrual se divide en tres etapas: los «días de observación», los «días de limpieza» y los «días de pureza».

1. *Días de observación.* Son el período de tiempo durante el cual la mujer experimenta su flujo menstrual. Este período dura cinco días o hasta que la mujer deje de sangrar.

2. *Días de limpieza.* Siempre son siete y siguen inmediatamente a los días de observación. Durante este período, la mujer se «recupera» y se limpia de la pesadez psicológica de los días de observación.[6] Por lo tanto, aunque no se vea más sangre, el cuerpo es considerado aún espiritualmente impuro por el flujo previo. Durante estos dos primeros períodos, toda forma de contacto físico entre el marido y la mujer es prohibida.

3. *Días de pureza*. Después de la inmersión de la mujer en la *mikve* (baño ritual) al finalizar el séptimo día limpio, comienzan los días de pureza. Esposo y esposa tienen permitido entonces reanudar la intimidad física hasta la reaparición de la sangre menstrual.

Días de observación (5)	Período de flujo menstrual	
Días de limpieza (7)	La semana que sigue al cese del flujo menstrual	Relaciones maritales prohibidas
Días de pureza (18)	Período que sigue a la inmersión en la *mikve*	Relaciones maritales permitidas

Estos tres períodos del ciclo menstrual físico son paralelos a las tres etapas de servicio Divino mencionadas arriba.

Los días de observación corresponden a la sumisión. Al ver por vez primera la sangre impura, el alejamiento físico involuntario entre la esposa y el esposo les recuerda la distancia existencial del alma respecto a Dios, aprisionada como está en su cuerpo «impuro» (no rectificado). La pareja experimenta la misma humildad existencial que un sirviente cuando se le indica que abandone la presencia del rey. Saben, sin embargo, incluso desde el fondo de su alejamiento, que éste es pasajero. El alejamiento del ser amado aumenta el anhelo intenso de acercarse.[7]

El deseo sincero y la fe en la eventualidad de la reunión, junto con la fe en la providencia y la benevolencia de Dios, incluso en el momento actual de distanciamiento, lo protegen a uno de caer en un estado depresivo como consecuencia de sentirse separado y alienado, estado que puede degenerar en desesperación y apatía. La amargura que uno experimenta puede en realidad servir de aliciente para cambiar su comportamiento de forma tal que logre resolver el motivo de su descontento.

Los días de limpieza corresponden a la labor espiritual de separación. Cada día, durante este período, la mujer se revisa escrupulosamente para comprobar si el flujo menstrual continúa o ha vuelto. Espiritualmente, este proceso enseña a la pareja a examinar si se han separado adecuadamente de pensamientos, sentimientos o comportamientos que puedan perpetuar el distanciamiento de Dios. En el versículo «alejarse del mal y hacer el bien»[8], este nivel de servicio Divino corresponde a «alejarse del mal».

En un nivel más profundo, la revisión diaria sirve para incrementar la anticipación creciente de la mujer respecto a su próxima reunión con su marido y el acercamiento de la pareja a Dios. Cada día sin sangre es contado y cuando han transcurrido siete días consecutivos, la mujer puede sumergirse y purificarse espiritualmente. Esta esperanza y expectativa hacia el futuro equilibra su preocupación meticulosa respecto a un posible signo de impureza.

Finalmente, la mujer se sumerge en la *mikve* y así comienzan los días de pureza que corresponden al servicio de dulcificación. La preocupación por el pasado y el futuro que caracterizan los recientes días de limpieza abren el camino a un goce limpio de toda impureza en el momento de consumar la unión física de marido y mujer en santidad y pureza. Sus relaciones maritales son el endulzamiento absoluto del anhelo y el deseo que sintieron. En el plano espiritual, la pareja aprende de esto a experimentar la inmensa alegría de la unión con Dios, unión que es concedida al observar Sus preceptos. Este es el cenit del cumplimiento del mandamiento Divino de «hacer el bien».

En resumen:

Ciclo de pureza familiar	Etapa de crecimiento espiritual	Aspecto del servicio Divino
Días de observación	Sumisión	Unión con Dios en la observancia de los preceptos; «hacer el bien»
Días de limpieza	Separación	Examen de conducta, «alejarse del mal», anticipación de la reunión con Dios
Días de pureza	Dulcificación	Conciencia de la distancia existencial de Dios

NUEVE NIVELES DE ÍNTER INCLUSIÓN

Examinemos ahora con mayor atención estas tres fases del paso de la impureza a la pureza, contemplando los elementos de ínter-inclusión dentro de cada una de ellas:

Los días de observación

1. *Sumisión dentro de sumisión.* La primera aparición de sangre menstrual se experimenta como una caída del

espíritu. Además de apartarse el uno del otro, la pareja siente alienación aparente de la gracia Divina, lo que los colma de humildad y una actitud de sumisión a la voluntad Divina, tal como se manifiesta en los ciclos naturales.

2. *Separación dentro de sumisión.* Este nivel de servicio refleja la aceptación complaciente de las leyes que prohíben contacto físico, impidiendo que la sensación inicial de humildad degenere en desesperación. La pareja encuentra un lazo e identificación alternativos en su esfuerzo conjunto por observar meticulosamente esas leyes. La mutua preocupación por seguir la disciplina de la Torá y adherirse a los imperativos de la Ley los centra más en su espíritu e intelecto que en sus naturalezas y emociones corporales. Los sentimientos de desesperación abren rápidamente camino a la humilde aceptación de la voluntad de Dios y a una disposición de cumplir los mandamientos de esta voluntad tal como se manifiestan en la Torá. Habiéndose resignado a una separación pasajera, la pareja puede anticipar la promesa del restablecimiento de la intimidad física. La experiencia de separación debe inevitablemente conducir a un aumento del deseo por lograr el estado de pureza identificado con la santidad de la unión conyugal. Este deseo y el beneficio espiritual que proporciona continúan aumentando hasta alcanzar los días de pureza.

3. *Dulcificación dentro de sumisión.* Esta etapa comienza al determinar que el flujo menstrual de la mujer ha cesado –la interrupción hacia la pureza–[9] que señala el final de los días de observación. Cuando llega ese momento,

la pareja tiene buenas razones para alegrarse modestamente, aunque deben ser conscientes de que el proceso está sólo parcialmente completo y la sumisión tiene aún razón de ser.

Los días de limpieza

4. *Sumisión dentro de separación.* Durante los siete días de limpieza, la mujer se examina cada mañana y tarde (antes del ocaso) para asegurarse de que el flujo ha cesado. La sospecha es que tal vez haya quedado alguna señal impura, y que uno pueda caer nuevamente en un estado de distanciamiento existencial de Dios. Tanto el esposo como la esposa son conscientes de que aún existe un estado de impureza ritual. La disciplina de los dos exámenes diarios ayuda a preservar la sensación de humildad y sumisión a Dios provocada por los días de observación.

5. *Separación dentro de separación.* Esta es la esencia de la experiencia de la pareja durante los días de limpieza. Junto con la atención que prestan a las leyes de separación que respetan desde los días de observación, su experiencia primaria es ahora la anticipación creciente respecto a la reunión que consagrará otro período de pureza renovada. Esta expresión primaria de su anticipación es la cuenta que lleva la mujer durante los siete días.[10] La esperanza que genera esta anticipación debe, sin embargo, permanecer muda, como cubierta por las leyes de separación. Incluso cuando comienzan los preparativos para la inmersión en la *mikve*, hacia el atardecer del séptimo día de limpieza, la excitación y la expec-

tativa aumentadas no deben comprometer la atención a los detalles necesarios con el fin de asegurar una inmersión válida.[11]

6. *Dulcificación dentro de separación.* El evento culminante de esos días, la inmersión ritual, representa el momento de dulcificación que concluye el período de separación. Toda la alegría contenida a lo largo del período de exhaustivas revisiones puede ahora emerger en el momento eufórico de inmersión en las aguas de la *mikve.* La ley de la Torá estipula que la inmersión debe ser total, y ni un cabello debe quedar fuera del agua de la *mikve.* Espiritualmente «cabello» significa un pensamiento fluctuante. Ni la más mínima parte de la conciencia debe rehusar entrar en las aguas placenteras del «útero» de la *mikve.* El estado anterior de impureza es anulado y uno renace como un ser nuevo y puro.[12]

Los días de pureza[13]

7. *Sumisión dentro de dulcificación.* Después de la inmersión en la *mikve,* la mujer vuelve a ser espiritualmente pura y la pareja puede reanudar el contacto físico y las relaciones maritales. Y, sin embargo, queda aún un aspecto de sumisión. Aunque ya no están forzados a separarse, la pareja aún debe conducir sus relaciones con modestia. Según la ley de la Torá las relaciones maritales deben llevarse a cabo en una atmósfera de temor. Las leyes de recato recuerdan a los esposos que Dios está siempre presente y que uno debe «ser recatado»[14] ante Dios.

8. *Separación dentro de dulcificación.* En este nivel de servicio espiritual, la pareja santifica sus relaciones maritales concentrándose, tanto antes como durante las relaciones maritales en pensamientos apropiados.[15] Estos incluyen la intención y la plegaria de corazón al Todopoderoso pidiendo que vengan al mundo hijos temerosos de Dios[16] o el deseo surgido de la bondad innata del alma de darse placer verdadero y completo uno al otro.[17] Niveles más elevados de intención incluyen meditación acerca de la omnipresencia de Dios. Como dijimos anteriormente, contemplar la dimensión interna de las enseñanzas de la Torá eleva a la pareja a un nivel de conciencia en el que experimentan su unión física abajo como un modelo verdadero y expresión de la unión de Dios y la Presencia Divina –*Shejiná*– arriba.[18] Una mayor santificación de las relaciones maritales se logra sincronizándolas con ocasiones espirituales conducentes.[19]

9. *Dulcificación dentro de la dulcificación.* La esencia de la dulcificación se experimenta en la misma unión marital. Cuando la pareja ha ascendido con éxito las etapas previas de servicio y preparación espiritual, habiendo neutralizado sus deseos egoístas y animales, están preparados para merecer la experiencia de una gran fuerza elevadora, con la unión de sus cuerpos y almas. En su experiencia de goce profundo y cercanía a Dios, la pareja asciende a alturas espiritualmente puras. Los hijos de esta unión serán puros de alma y personificarán la verdad y benevolencia de Dios.[20]

Podemos ver un resumen de todo ello en el esquema de la página siguiente.

En resumen:

DULCIFICACIÓN	Días de pureza	Dulcificación	Goce en las relaciones maritales
		Separación	Pensamientos apropiados durante las relaciones
		Sumisión	Conducta recatada durante las relaciones
SEPARACIÓN	Días de limpieza	Dulcificación	Inmersión ritual en la *mikve*
		Separación	Anticipación de la reunión
		Sumisión	Revisiones diarias
SUMISIÓN	Días de observación	Dulcificación	Interrupción hacia la pureza
		Separación	Observancia de las leyes de separación
		Sumisión	Aparición del flujo menstrual

XIII
DEL EXILIO A LA REDENCIÓN[1]

EL MATRIMONIO CÓSMICO

Nuestros sabios se refieren a la entrega de la Torá en el monte Sinaí como al matrimonio del pueblo de Israel con Dios.[2] De aquí que los sucesos que desembocan en la entrega de la Torá pueden compararse con las etapas ya descritas que conducen a la unión del esposo y la esposa.

El exilio en Egipto es el prototipo de todos los exilios que el pueblo de Israel ha sufrido,[3] así como el de todos los estados personales de alienación de Dios que cada individuo pueda experimentar. Egipto se identifica como un sitio de impureza espiritual,[4] y en este contexto puede considerarse símbolo de los días de observación, que se han identificado con el estado espiritual de sumisión.

El descenso de la casa de Jacob a Egipto, la caída existencial del pueblo judío al exilio,[5] corresponden a la primera señal de sangre del período menstrual, la experiencia de sumisión dentro de sumisión.

Durante el exilio egipcio, el pueblo de Israel mantuvo su identidad única. No cambió sus nombres, su lenguaje o vestimentas, y observó meticulosamente las leyes de Pureza Familiar que los patriarcas y las matriarcas enseñaron.[6] Más aún, su fe en la redención prometida nunca flaqueó.[7] El período del exilio corresponde entonces al nivel de separación dentro de sumisión.

El éxodo de Egipto simboliza el cese del flujo menstrual y la interrupción hacia la pureza, el nivel de dulcificación dentro de sumisión.[8]

Incluso después del éxodo, el pueblo de Israel temía que los egipcios lo persiguieran y lo forzaran a regresar al exilio. Por lo tanto ellos contaban los días transcurridos desde su éxodo, como «pellizcándose» para asegurarse de que su liberación era real.

Pese a que la amenaza física de persecución cesó cuando Dios ahogó al ejército egipcio en el mar, la posibilidad de regresar a la mentalidad de esclavitud de Egipto (e incluso de regresar voluntariamente a la tierra de Egipto) no desapareció.[9] Por esta razón, cada uno de los cuarenta y nueve días desde el éxodo hasta la entrega de la Torá es considerado un paso adicional en el distanciamiento de Egipto. Este estado mental corresponde al estado de sumisión dentro de separación.

Este cómputo, sin embargo, no estaba únicamente relacionado al pasado (la huida de Egipto) sino también al futuro (la entrega de la Torá).[10] Día tras día aumentaba la expectativa del pueblo por su encuentro y «matrimonio» con Dios en el monte Sinaí. El *Zohar*[11] establece un paralelismo entre este período de siete semanas de cómputo y los siete días de limpieza que preceden a la inmersión ritual en la *mikve*. Esto corresponde al nivel de separación dentro de separación.

La inmersión del pueblo de Israel en la *mikve* antes de recibir la Torá se asemeja a la inmersión de la esposa antes de unirse con su marido y corresponde al nivel de dulcificación dentro de separación.

Tres días antes de entregar la Torá, Dios ordenó a Moisés que cercara el monte Sinaí y prohibiera a la gente acercarse a la montaña, con el propósito de infundirles una sensación de modestia y moderación al consumar su relación con Dios.[12] Esto corresponde al nivel de sumisión dentro de dulcificación. Durante estos tres días de restricción se ordenó al pueblo que se abstuviese de relaciones maritales, para que estuvieran puros de cuerpo y espíritu.[13] Esta pureza les permitió concentrarse solamente en su novio Divino[14] mientras Su voz les habló desde todas las direcciones (y dimensiones) de la realidad[15].

El día anterior a los tres días de restricción, el pueblo le dijo a Moisés: «Deseamos contemplar a nuestro Rey por nosotros mismos»[16] (en lugar de recibir la Torá a través de un intermediario). En el momento de la entrega de la Torá, su pedido fue concedido. Esto corresponde al nivel de separación dentro de dulcificación.

En la entrega de la Torá, Dios nos concedió, por así decirlo, la simiente de Su esencia, así como en las relaciones maritales el marido transmite su esencia a su esposa.[17] En ese momento, el propio ser de la esposa se fusiona con el de su esposo, y comienza a integrar la simiente del ser de él dentro sí misma. Aquí, el novio Divino y la novia, Dios e Israel, alcanzan la cumbre del éxtasis en su unión sagrada; el pueblo se convierte en «el pueblo en cuyo corazón está Mi Torá»[18]. Esto corresponde al nivel de dulcificación dentro de dulcificación. (véase resumen en el cuadro de la página siguiente.)

ADORNANDO A LA NOVIA

Entre la inmersión en la *mikve* (la conclusión de la fase de separación) y el recato de la pareja en sus relaciones maritales (el comienzo de la fase de dulcificación), hay una etapa intermedia en que la esposa se prepara para las relaciones con su marido. Esta etapa es un ensayo para la unión que se aproxima. Al imaginarse las diversas fases del encuentro y prepararse para ellas, la mujer pone en movimiento fuerzas espirituales que determinarán la cualidad y la índole de lo que sucederá.

Esta etapa es necesaria ya que es difícil para la mayor parte de la gente prestar atención a las intenciones que motivan la acción y que determinan la cualidad de la misma, al tiempo que esta acción se está llevando a cabo. Esto es cierto respecto a la observancia de todos los preceptos, y por esta razón aprendemos que el momento de concentrarse en el sentido que uno desea infundir a un precepto es antes de comenzar a cumplirlo.[19]

			Ciclo de relaciones maritales	Éxodo de Egipto
DULCIFICACIÓN	Días de pureza	Dulcifica.	Goce de las relaciones Maritales	Recepción de la Torá
		Separación	Pensamientos adecuados durante las relaciones	Pureza corporal; centrarse en Dios
		Sumisión	Conducta modesta durante las relaciones	Restricción de ascender al monte Sinaí
SEPARACIÓN	Días de limpieza	Dulcifica.	Immersión ritual en la *mikve*	Purificación en la *mikve*
		Separa.	Expectación del reencuentro	Cuenta de los días hasta el Monte Sinaí
		Sumisión	Revisiones diarias	Amenaza de persecución de los egipcios
SUMISIÓN	Días de observación	Dulcifica.	Interrupción hasta la purificación	Éxodo de Egipto
		Separa.	Observancia de las Leyes de separación	Aferrarse a la identidad judía
		Sumisión	Aparición del flujo menstrual	Descenso al exilio egipcio

Las tres etapas de esta fase preparatoria se asemejan a las tres fases de las relaciones maritales.

En la primera etapa, la mujer se prepara a sí misma físicamente, embelleciéndose y adornándose con el fin de acentuar su gracia y encanto naturales. La cualidad que debe permear estos preparativos es el recato y la modestia.

Podría parecer contradictorio que la mente de una mujer se concentre en la modestia mientras se está haciendo físicamente atractiva. Pero la Torá nos enseña que «la gloria de la princesa está en su interior»[20]. Existe una tendencia en la vida matrimonial de ponernos las mejores ropas sólo cuando salimos fuera, dejando que la familiaridad con el cónyuge degenere en laxitud y abandono de la apariencia y la conducta. Aunque es sumamente importante para la pareja sentirse relajados cuando están juntos, la familiaridad excesiva puede ser contraproducente, socavando la percepción que la pareja tiene del otro como foco principal de sus vidas.

En cambio, la Torá nos enseña que lo mejor de uno y su belleza más íntima debe estar reservado para la relación privada con su consorte.[21] Modestia y atractivo son por lo tanto interdependientes: la modestia de una esposa realza su atractivo para su marido, y prestar atención a su atractivo pensando en su marido es una elocuente expresión de su modestia.[22]

Al engalanarse para su marido en un espíritu de modestia, la esposa asegura que sus relaciones maritales se llevarán a cabo recatadamente y en un espíritu de misterio y temor reverencial, como lo describimos con anterioridad.

La preparación física es un acto de sumisión, ya que la mujer debe prestar atención escrupulosa a las leyes de vestimenta modesta incluso al acicalarse.[23]

Además de refrescarla y relajarla, prestar atención al cuidado e higiene personal le permite a la mujer hacer a un lado las otras partes de su vida y concentrarse en la inminente reunión con su marido. Así su preparación física cataliza la próxima etapa, su preparación psicológica. Al llegar a esta etapa, ella reflexiona acerca de lo que piensa durante sus relaciones maritales y pasa revista a todos los pensamientos sublimes con los que desea imbuir su unión física, tal como lo hemos descrito. Al concentrarse en su marido, ella separa o aísla su conciencia de cualquier otra cosa que pueda desviar su atención.

La tercera fase de la preparación es la creación de una atmósfera de intimidad, particularmente hablándole a su marido con afecto y encanto, inspirándolo a concentrarse aún más en ella. Esta fase de preparación corresponde al acto de las relaciones maritales en si, ya que el habla es una metáfora (y un eufemismo) de las relaciones maritales, como ya lo señalamos.

En resumen:

	Fase de preparación	Fase correspondiente en las relaciones maritales
Dulcificación	Crear una atmosfera íntima, palabras de afecto	Goce de la unión en las relaciones maritales
Separación	Concentrar su atención en su marido	Pensamientos apropiados durante las relaciones maritales
Sumisión	Ornamento físico	Modestia en las relaciones maritales

Los preparativos de la esposa son semejantes a los tres días de preparativos que precedieron a la entrega de la Torá[24]. Dios ordenó al pueblo lavar sus vestimentas durante los tres días de restricción.[25] Esto corresponde al acicalamiento y atavío de la esposa, la primera etapa de sus preparativos.[26]

El atavío realza la apariencia y al mismo tiempo es una expresión de modestia. Dios estaba intimando al pueblo para que convocara lo mejor de sí mismo para la ocasión y al mismo tiempo se vaciaran de toda conciencia de su propio yo que hiciese peligrar su apertura a la nueva conciencia que estaban por recibir. Esto es particularmente evidente cuando recordamos que en la Cábala y el Jasidismo, las «vestimentas» del alma son sus modos de expresión: pensamiento, habla y acción.[27]

Como mencionamos con anterioridad, la pureza de mente inducida por el mandamiento Divino de abstenerse de relaciones maritales permite concentrarse exclusivamente en su novio Divino. La intensidad de esta concentración fue creciendo hasta llegar a su clímax en la recepción de la Torá.

La culminación de este período preparatorio fue en el día anterior a la revelación, cuando el pueblo ofreció un sacrificio a Dios al pie del monte Sinaí[28] y se entregó incondicionalmente a Él, exclamando: «Haremos y oiremos»[29]. Esta declaración expresó el epítome del auto sacrificio a Dios. No hay palabras de afecto y devoción más íntimas que aquellas que expresan el amor y la entrega gozosa a nuestro cónyuge.

Podemos ver un resumen del tema en el cuadro sinóptico de la página siguiente:

	El ciclo marital	El éxodo de Egipto
Dulcificación	Creación de una atmósfera de intimidad con palabras. de afecto, etc	Ofrenda del sacrificio; proclama: «haremos y oiremos»
Separación	Ella centra su atención en su marido	Abstención de relaciones maritales
Sumisión	Ornamentación física; recato	Lavado de sus ropas; acceso restringido a la montaña

La tercera etapa de preparación –palabras de afecto/ofrenda del sacrificio– puede dividirse a su vez en tres partes:

Un animal (u otro objeto) es asignado para el sacrificio y asume santidad según la Ley de la Torá cuando su propietario lo dedica de modo oral antes de llevarlo al Templo. Más tarde, inmediatamente antes de ofrecer el sacrificio, quien realizará la ofrenda confiesa verbalmente sus pecados (en el caso de una ofrenda por pecado o una ofrenda de incineración) o expresa su agradecimiento o alegría (en caso de otro tipo de ofrendas) a Dios.[30] Finalmente, sacrifica al animal,[31] expresando de esta forma su compromiso de servir a Dios en el futuro.[32]

De la misma manera, cuando se pararon al pie del monte Sinaí, el pueblo de Israel dedicó su sacrificio y así demostró que su afecto por Dios consumía incluso hasta el reino de lo mundano. Entonces confesaron sus pecados y verbalizaron su agradecimiento a Dios. Finalmente, confirmaron su compromiso con Él diciendo «haremos y oiremos».

Estas tres etapas de expresión son comparadas con las palabras de afecto de la novia hacia su novio antes del matrimonio. Cuando se encuentran, ella puede sentir una afinidad innata por su pretendiente al conversar. A medida que avanza la charla, al reflexionar acerca de sus sentimientos, se involucra emocionalmente cada vez más. Finalmente, expresa verbalmente su compromiso con la relación, aceptando la propuesta de su novio.

Habiendo expresado su devoción de manera consciente y estando ya comprometida, la novia asciende a un estado de conciencia que trasciende la individualidad y la expresión propia. Por ello la novia no habla durante la ceremonia de matrimonio bajo la *jupá* (palio nupcial).[33] Habiendo sometido su yo independiente, alcanza ahora un estado de conciencia trascendente que excluye la expresión propia.[34] Solamente en la era mesiánica oiremos «la voz del novio y la voz de la novia»[35]. La novia ascenderá entonces a un nivel aún más alto,[36] en el que su «nada» existencial es transformada en un «algo» verdadero y esencial; su voz perdida volverá e incluso trascenderá a la de su novio.

En términos de ofrendas de sacrificio, la etapa de la no-expresión corresponde al momento en el que los sacerdotes del Templo llevaban a cabo en silencio los rituales del sacrificio, mientras el propietario del sacrificio observaba. En esta etapa, los participantes humanos (el propietario y su representante, el sacerdote) están relativamente pasivos, mientras la llama Divina desciende del cielo para consumir la ofrenda.

Nos enseñan que «aunque el fuego desciende del cielo [para devorar el sacrificio], nos ordenan traer también fuego natural»[37]. En el futuro, este fuego inferior, hecho por el hombre, revelará su verdadera fuente Divina. Ascenderá hacia lo alto mientras su «nulidad» existencial manifestará su «algo» esencial, trascendiendo al mismo fuego celestial.

De la misma forma, cuando escuchamos y vimos a Dios hablándonos en el monte Sinaí, éramos como la novia bajo la *jupá*, y callamos. Pero en el futuro mesiánico, hablaremos nuevamente, al manifestarse la unión de Dios e Israel en las nuevas revelaciones de la Torá que expresaremos.[38]

Estas etapas también se reflejan en las expresiones de afecto de la esposa por su marido al prepararse para las relaciones maritales. Ella expresa primero su amor y afecto en el tono de la conversación sobre asuntos mundanos. El amor que encierran sus palabras santifica y eleva su habla. Habiendo hecho esto, puede entonces confesar abiertamente la profundidad de sus emociones hacia él y finalmente entregar su condición de ente separado en palabras de devoción.

Durante las relaciones maritales la conciencia asciende a un estado de abandono total del yo. Uno «pierde» su voz mientras que en silencio, en completo recato, se aferra a su pareja.

La «nueva canción» que marido y mujer cantarán con la llegada del Mesías expresará el secreto de su concepción de las «nuevas almas» que serán traídas a este mundo. Esta «nueva canción» es también el secreto de la «nueva Torá» que revelará el Mesías, las palabras Divinas que emergerán de las bocas de todo Israel.

Como resumen de lo anteriormente dicho véase el cuadro sinóptico de la página siguiente.[39]

Ceremonia matrimonial	Relaciones maritales	Sacrificio ritual	Éxodo de Egipto
Voz mesiánica de la novia, el «algo» verdadero.	Trayendo abajo a las almas del futuro	Manifestación suprema del fuego inferior	La nueva Torá del futuro
Silencio de la novia bajo la *jupá*; «nada».	Silencio en las relaciones maritales	El servicio silencioso de los sacerdotes	Ver y oír a Dios en el Sinaí
La expresión intencionada de la novia de total compromiso con el novio	Expresión de la esposa del compromiso total con el esposo	El acto de sacrificio y confirmación del compromiso con Dios	Haremos y oiremos
La novia experimenta sus emociones	La esposa expresa sus emociones a su marido	Confesión o expresión de agradecimiento	Confesión o expresión de agradecimiento
Sentido de afinidad innato	Palabras mundanas dichas con afecto	Dedicación del sacrificio	Dedicación del sacrificio

Como reacción a la expresión de sacrificio del pueblo de Israel, Dios «suspendió la montaña sobre ellos»[40]. El Jasidismo interpreta esto como una caricia de Dios a Su novia, abrazándola con Su «brazo derecho» de amor total.

> Y el tercer día, mientras amanecía,
> hubo truenos y relámpagos,
> y una pesada nube sobre la montaña
> y la voz potente del *shofar*...
> y todo el pueblo vio las voces y las antorchas
> y la voz del *shofar* y la montaña humeante...[41]

Estos preparativos fueron manifestaciones de Dios mediante las cuales Él «besó» y estimuló a Su novia antes y durante la entrega de la Torá. El trueno, el relámpago y las antorchas ardientes corresponden a los besos que preceden a las relaciones maritales, que son una expresión del deseo de unión, que estimulan a la esposa y la preparan para la unión física.

La voz del *shofar* corresponde a los besos durante las relaciones maritales,[42] que expresan el placer en la unión con el cónyuge,[43] la sensación de haber llegado a consumar su relación. Explicamos anteriormente que besar señala una unidad que no puede expresarse en palabras. Los sabios explican que el toque de *shofar* expresa un anhelo de Dios originado en la parte más íntima del corazón, inexpresable con palabras.

Las caricias y besos antes y durante las relaciones maritales pueden verse asimismo en tres niveles:

El ciclo marital	La recepción de la Torá
Besos durante las relaciones	La voz del *shofar*
Besos antes de las relaciones	El trueno y las antorchas
Caricias	Suspensión de la montaña

Estos actos físicos tienen como objeto concentrarse y sentir el alma del consorte. Por tanto pertenecen aún a la separación.[44]

Habiendo examinado el ciclo de intimidad marital detalladamente, reiteremos que el propósito de hacerlo es, como ya hemos dicho, ayudar a la pareja a comprender su propia experiencia marital en términos de los niveles espirituales correspondientes. En la vida diaria, la espontaneidad de toda relación exige desviaciones ocasionales y/o variaciones de la estructura general[45] (excepto, por supuesto, cuando una conducta específica y sus secuencias están dictadas por la ley de la Torá).[46]

En general, la etapa de la ornamentación y las etapas subsecuentes que reflejan la llama ascendiente del amor a Dios en el alma expresa el acto del correr existencial del alma que desea unificarse con la luz Divina. Con la caricia de la «mano derecha» de Dios, antes de la unión real de la entrega de la Torá, comienza el «retorno» del alma, «endulzada» con la luz Divina. El alma continúa ascendiendo en su experiencia de amor y afecto por Dios, consciente, desde ese momento, de que El Mismo Dios lo eleva.

OCHO ETAPAS DE AFECTO

Tras examinar el paradigma anterior, identificamos ocho etapas ascendientes en la expresión de afecto de la esposa a su esposo:

1. El primer atisbo de sangre del estado menstrual interrumpe el estado previo de intimidad física continua de la mujer con su marido. Con ello, el foco físico de su vida se traslada naturalmente a otros objetivos, que en este contexto pueden considerarse distracciones de la atención a su marido.[47] Cuando puede realizar la interrupción hacia la pureza, experimenta su primer alivio psicológico o «redención» de este «cautiverio» en el mundo terrenal.

2. El anhelo de reunirse con su marido aumenta durante los siete días de limpieza, que ella cuenta en anticipación a esta reunión.
3. Este anhelo culmina con su inmersión en la *mikve*.[48]
4. La mujer se acicala para inspirar el amor de su marido.
5. Ella concentra toda su atención en él, con el fin de estimularlo.
6. Le dice a su marido palabras de afecto y devoción.
7. Se acarician y besan.
8. Se unen en relaciones maritales.[49]

Como hemos visto, cada una de estas etapas es paralela a un evento o nivel de ascenso del pueblo de Israel del éxodo a la recepción de la Torá.[50]

	Unión marital	Entrega de la Torá
8	Relaciones maritales	Recepción de la Torá
7	Caricias y besos	Suspensión de la montaña, trueno, antorchas y toque del *shofar*
6	Palabras de afecto	«Haremos y oiremos»
5	Concentración en el marido	Abstención de relaciones maritales
4	Ornamentación	Lavado de ropa y atavío
3	Inmersión en la *mikve*	Inmersión en la *mikve*
2	Contar siete días limpios	Contar los días hasta el monte Sinaí
1	Interrupción para la pureza	Éxodo de Egipto

Puede parecer que la mujer es la fuerza activa en la dinámica marital y que el hombre es relativamente pasivo. Esto parecería contradecir la concepción normal del hombre como fuerza activa.

Cuando Dios creó el mundo, lo hizo solamente por iniciativa propia,[51] ya que obviamente no había nadie que solicitara o mereciera[52] ninguna revelación Divina. Pero después, Dios deseó que la humanidad solicitara la revelación Divina. La habilidad de hacerlo caracteriza la esencia del alma. Poseemos el poder de estimular a Dios, por así decirlo, como una mujer a su marido. Esta es la esencia de la parábola Divina del Cantar de los Cantares.

El amor entre marido y mujer es considerado rectificado sólo cuando la llama de la pasión revelada (y recatada, porque sólo una mujer es capaz de revelar pasión vestida recatadamente) asciende de la esposa a su esposo.[53] Aunque ambos, esposo y esposa, poseen fuegos sagrados,[54] el del esposo es como agua en relación al de su esposa y sirve para extinguir su llama.[55] Es en este momento cuando el marido se convierte en el cónyuge activo en la unión y la mujer se vuelve relativamente pasiva.

En todas las etapas de afecto ascendente descritas antes, el marido está involucrado sólo en forma indirecta, supervisando y dirigiendo, por así decirlo, los pasos progresivos de su esposa hacia él.[56] Aunque siempre consciente y sensible al ascenso emocional constante de su esposa, es sólo en el séptimo nivel[57] y octavo que el marido comienza a tomar la iniciativa.

RENOVACIÓN CONSTANTE

Concluiremos este análisis considerando por qué Dios creó a la mujer de manera tal que requiriera la repetición mensual del proceso arriba descrito.

El ciclo menstrual se divide aproximadamente en algo menos de una semana de sumisión (flujo menstrual), una semana de separación (examen de limpieza) y algo más de dos semanas de dulcificación (relaciones permitidas). De modo que algo menos de medio mes transcurre en abstinencia y algo más de medio mes en intimidad física compartida.

Esta simetría es asimismo aplicable al proceso interno experimentado por la pareja durante las primeras dos semanas de separación y las últimas dos de reunión. La experiencia de rechazo que acompaña el primer atisbo de sangre, es contrarrestada por el alborozo experimentado por la mujer en la noche de su inmersión en la *mikve* aproximadamente dos semanas más tarde. Más aún, vemos que así como la intensidad del rechazo se disipa gradualmente en el transcurso de las primeras dos semanas, la intensidad del alborozo que experimenta la pareja en el primer abrazo disminuye a lo largo de las últimas dos semanas del ciclo. Como está escrito: «placer constante no es placer»[58].

En consecuencia, se hace necesario revitalizar la relación comenzando un nuevo ciclo de anhelo y realización. El período de abstención permite a la pareja revivir la anticipación romántica que experimentaban cuando estaban comprometidos y la inmersión mensual en la *mikve* recrea la noche de bodas.

Llevando este pensamiento a un nivel más profundo, uno puede apreciar la necesidad de la repetición mensual, al reconocer que durante y después de las relaciones maritales, cada cónyuge experimenta indefectiblemente una sensación de satisfacción personal.[59] Durante el período de dos semanas de pureza, estas sensaciones egocéntricas tienden a crecer y la pareja tiende a perder, hasta cierto punto, el éxtasis altruista de la noche de la *mikve*. Espiritualmente esto requiere una renovada sumisión a Dios, con el fin de recomenzar el proceso de sumisión –separación– dulcificación.

La elevada sensación de cercanía a Dios que siente la pareja en la noche de la *mikve*, sin embargo, hace que la sensación de rechazo que siente ante el primer atisbo de sangre sea más profunda que la vez anterior.[60] Así, su sentido de sumisión se hace más profundo que antes, y esto a su vez conduce a un sentido de cercanía a Dios aún mayor cuando el proceso alcanza su próximo clímax.

Con cada ciclo, la pareja alcanza una experiencia más profunda de los nueve componentes de integración arriba descritos.[61] La repetición cíclica se transforma entonces en un ascenso en espiral.

Una segunda razón para la repetición del ciclo mensual es que con cada repetición, la pareja experimenta cada una de las etapas progresivas de una forma más profunda. Con cada ciclo aumenta la armonía de los cónyuges en los niveles inherentes de relación e integración y sus experiencias se hacen cada vez más homogéneas. Los nueve niveles se subdividen en veintisiete (3^3) y así hasta el infinito.[62] Esto concuerda con las enseñanzas del Baal Shem Tov quien dice que cuanto más alto es el nivel de conciencia, más alta es la «frecuencia» y más cortas las «longitudes de onda» en ese ciclo de sumisión, separación y dulcificación.[63] Uno se aproxima al «estado estable», punto limítrofe en el que sumisión, separación y dulcificación se experimentan simultáneamente.[64]

Uno de los grandes maestros jasídicos, el Maguid de Kozhnitz,[65] dijo que al comienzo del servicio Divino, el camino es escabroso. A medida que uno progresa y madura, el camino se hace más llano, de modo que uno casi pierde la sensación de movimiento. De esta manera el camino de la pareja en el matrimonio se allana gradualmente con el transcurso del tiempo y su experiencia mensual asciende en espiral.

Una tercera razón (esencialmente física) por la que el ciclo mensual debe repetirse, es que la aparición del período de la mujer (al afectar la conciencia de la pareja) sirve para recalcar que el verdadero objetivo de las relaciones maritales, el embarazo, aún no ha sido logrado. Recalcar que la sagrada simiente aún no ha sido absorbida e integrada provoca en la pareja un profundo sentido de sumisión ante el Creador, que ordenó a la humanidad «frucitificad y multiplicaos, llenad la tierra y dominadla»[66]. Aquí, nuevamente, la intención es que el marido se identifique con el estado de su mujer. Si ella no ha absorbido la simiente físicamente, tampoco la pareja ha absorbido, en un nivel espiritual, la Divina simiente de la procreación, que les permite expandir la conciencia Divina mediante la creación.

Si la esposa queda embarazada, la vida de la pareja se centra en el niño que crece dentro de ella. Esta reorientación de ambos hacia la manifestación en desarrollo de su unidad[67] sirve para neutralizar el egocentrismo que normalmente aumenta después de la noche de inmersión en la *mikve* y requiere una renovación del ciclo mensual. Esta concentración en el niño continúa durante el período de lactancia, en el que la mujer generalmente no menstrúa. La pareja es capaz, por lo tanto, de mantener un alto nivel de espiritualidad en sus relaciones maritales durante este período.[68]

Estos tres motivos que subyacen en la necesidad de la constante renovación de la sumisión, separación y dulcificación de la pareja, pueden correlacionarse con el paradigma del servicio Divino, de la siguiente manera: la comprensión y experiencia de no quedar embarazada física y espiritualmente se refleja en el estado de sumisión del alma. El proceso de clarificación, la comprensión de que uno debe continuamente refinar las emociones y los deseos limpiándolos de las manchas del ego, corresponde al estado de separación del alma. La experiencia de integración en constante aumento entre los diversos niveles del servicio Divino, aproximándose a un verdadero sentido de unidad interna en todas las experiencia heterogéneas de la vida,[69] corresponde al estado de dulcificación en el alma.

En resumen:

DULCIFICACIÓN	Integración en constante aumento
SEPARACIÓN	El proceso de clarificación
SUMISIÓN	La sensación de fracaso

En el futuro mesiánico, el espíritu de la impureza será elimina-do del mundo.[70] Esto significa que no habrá más necesidad del sentido de individualidad independiente y por lo tanto nunca nadie se sentirá alienado de Dios. La correlación física de esto será que la mujer no experimentará más el flujo menstrual. Las relaciones maritales ascenderán en espiral constantemente con intensidad espiritual. Así, nos dicen, «las mujeres darán a luz a diario»[71] (sin dolores de parto). La constancia de la felicidad marital reflejará la unión de la pareja cósmica, Dios e Israel,[72] y el constante flujo de la revelación Divina que «llenará la tierra y la dominará»[73].

XIV
LA UNIÓN MARITAL:
EL MISTERIO DEL SHABAT

El día de santidad

Las relaciones maritales están profundamente relacionadas con la santidad del Shabat.

Tal como lo mencionamos,[1] originalmente Adán y Eva debían haber esperado hasta el Shabat antes de tener relaciones maritales. Se explica en la Cábala que la esencia del pecado, que precipitó la caída de toda la realidad del idílico estado paradisíaco, fue que no esperaron hasta el momento adecuado para consumar su matrimonio.

Su proceso de «retorno» a Dios (*teshuvá*) después de la caída comenzó ese mismo Shabat, porque este día posee el poder de rectificar manchas espirituales causadas por la violación del pacto matrimonial.[2] De aquí podemos comprender que el Shabat en general representa el estado rectificado de la unión marital.

El versículo: «Y los hijos de Israel guardarán el Shabat»[3], en hebreo, contiene el acrónimo «biah» (*bet, iud, alef, hei*), literalmente «venida»[4], una de las tres expresiones primarias usadas para denotar relaciones maritales.[5] Las cuatro palabras cuyas letras iniciales forman este acrónimo significan en traducción literal «los hijos de Israel [junto con] el Shabat». Esto implica que la unión marital aquí aludida es la del pueblo de Israel y la santidad Divina del Shabat. Y, efectivamente, nuestros sabios nos enseñan que el Shabat es la novia espiritual de Israel,[6] y el deleite del pueblo en el Shabat es la consumación de su unión.[7]

De modo que, mientras que el pueblo de Israel es la novia de Dios, es asimismo el novio del Shabat. Cuando Israel se une en santidad con el Shabat, la novia del Shabat misma se convierte en el «signo» de la unión entre Dios, el novio, e Israel, la novia.[8]

A esto alude el versículo siguiente:

Es un signo entre Yo y los hijos de Israel...

Esta frase contiene el mismo acrónimo «biah», formado nuevamente por las letras iniciales de las cuatro palabras consecutivas. Aquí se alude a la unión entre «Yo y los hijos de Israel»; Dios es el novio, Israel la novia y el Shabat es el «signo» de su unión.

Desde este punto de vista es claro por qué la noche del Shabat está considerada como la noche o el tiempo más propicio para tener relaciones maritales.[9] No puede haber un día mejor para consumar la unión marital que el día que en sí mismo expresa la unión cósmica que la pareja terrenal debe manifestar. Puesto que toda la creación asciende en Shabat junto con el pueblo de Israel, todos los tipos de placer y alegría, tanto espirituales como físicos, se santifican y elevan a través de ellos a un nivel de conciencia Divina en Shabat.

Las almas sagradas de Israel son en sí mismas chispas de luz santa del Shabat. Además de ser la novia de las almas colectivas del pueblo de Israel, el Shabat es también el origen colectivo de cada alma individual.[10] De modo que el Shabat es el único día de paz y sagrada unión entre Dios e Israel, entre marido y mujer y entre espiritualidad y materialidad. Por esta razón en Shabat nos saludamos diciendo «*Shabat shalom*», «Shabat de paz»[11].

Incluso cuando una pareja tiene relaciones maritales durante la semana, deberían infundir a su intimidad la santidad del Shabat.[12] Ya que como la santidad del Shabat está en esencia por encima del tiempo, puede ser traída a la conciencia también durante la semana.[13]

TRES NIVELES DE SHABAT

Además de expresar la unión de Dios con el pueblo de Israel (y a través del mismo con toda la creación), el Shabat expresa la raíz espiritual común de la pareja.

El Shabat se divide en tres períodos, cada uno de los cuales posee su propio grado de espiritualidad.[14] Estos períodos reflejan la dinámica tripartita del servicio Divino que hemos expuesto con anterioridad: sumisión, separación y dulcificación.

En la víspera damos la «bienvenida» al Shabat. El motivo central es el cese del trabajo y la experiencia de haber completado la creación. Esta experiencia se refleja en las palabras de apertura del *kidush* de la noche del Shabat, la santificación que pronunciamos sobre una copa de vino: «Y los cielos y la tierra y todas las huestes fueron completados...». Durante la semana laboral debemos asumir la responsabilidad de refinar el mundo, lo que implica el conocimiento de nosotros mismos y el poder de imponer nuestra impronta a la realidad. En esta primera etapa de conciencia sabática, debemos deponer este papel[15] y encaminarnos a recibir la revelación de la Divinidad que desciende sobre el mundo.[16]

Habiéndonos desprendido de nuestra conciencia de refinamiento del mundo físico, pasamos a concienciarnos de nuestra verdadera identidad, nuestra raíz espiritual en la Divinidad, en la mañana del Shabat.[17] Ahí es cuando la pareja reconoce su raíz común y única, anterior a la separación[18] de sus almas y a su descenso a la tierra.

Finalmente, en la tarde del Shabat, el epítome de la experiencia sabática, nuestra conciencia asciende a su estado más elevado, el de la unidad con Dios.[19] La voluntad suprema de Dios respecto a la creación, adherirse y unirse a ella, encuentra expresión en el alma. Así como en la creación se revela la unidad de Dios, con la creación, así se revela la unidad de la pareja casada.

Dulcificación	La tarde de Shabat	Unidad con Dios
Separación	La mañana de Shabat	Conciencia de la raíz espiritual
Sumisión	Las vísperas de Shabat	Desprendimiento de la orientación hacia el refinamiento del mundo físico; experiencia de haber completado la creación

Estos tres niveles de conciencia se reflejan en los tres sinónimos más frecuentes que denotan relaciones maritales en la literatura rabínica: «venida» (*biáh*), «cópula» (*zivug*), y «unión» (*jibur*).[20]

La primera expresión, «venida» (o «entrada»), sugiere una conducta sumisa. Como hemos mencionado, la esposa es comparada al hogar (y en esencia es un sinónimo del mismo). Nuestros sabios señalan el efecto potencialmente perjudicial de entrar inesperadamente en el hogar: uno debe golpear cortésmente la puerta antes de entrar.[21] Psicológicamente uno debe calmar toda excitación egocéntrica antes de entrar en el hogar. Entrar abruptamente es considerado una falta de buenas maneras (*derej eretz*), las que nuestros sabios identifican con el atributo de humildad o sumisión.

De un modo análogo, antes de las relaciones maritales con la esposa, uno debe calmar su impetuosidad con el fin de no intimidarla y debe inspirarla apropiadamente («golpear la puerta»), antes de continuar.

De modo que en la víspera del Shabat, llamamos a la novia del Shabat y la invitamos a entrar: «Ven oh novia, ven oh novia»[22]. También invitamos a los ángeles oficiantes: «Sed bienvenidos [*Shalom Aleijem*] ángeles oficiantes... Venid en paz, ángeles de paz...»[23]

La segunda expresión, «copular», implica la habilidad de la pareja de identificar en el otro su verdadero consorte espiritual y ser consciente de pertenecerse como pareja predestinada. Esto sirve de ejemplo del estado de separación en la unión marital, porque al identificar a alguien como su único consorte espiritual uno lo distingue como el foco exclusivo de su atención marital. Este sentido de «separación» es el significado de santidad o *kedushá* en hebreo.

La tercera expresión, «unión», refleja el estado de dulzura en la unión marital, la unidad absoluta de esposo y esposa. Este estado es mencionado en el versículo: «y se unirá a su mujer y serán una sola carne»[24].

Estos tres niveles reflejan claramente la tríada de niveles de relación antes tratados: relación, estar juntos y unidad.[25]

En resumen:

«unión»	Dulcificación	Unidad
«cópula»	Separación	Estar juntos
«venida»	Sumisión	Relación

Los tres períodos del Shabat arriba descritos son las tres etapas del alma en la experiencia de ascenso a una unión mística con Dios. Esta unión es la cúspide del viaje semanal de la pareja a través de los niveles de conciencia.

El alma se expresa mediante tres «vestimentas»: pensamiento, habla y acción. El alma en sí, sin embargo, trasciende la expresión, la experiencia de su propia esencia es simplemente su unión intrínseca con Dios.

Aunque el alma experimenta su propia esencia y se expresa mediante sus tres vestimentas todo el tiempo, en cada día de la semana uno de estos aspectos es dominante. Los tres días que anteceden al Shabat, la conciencia del alma asciende mediante sus tres vestimentas, pero en Shabat trasciende la expresión y experimenta una unión mística con Dios;[26] durante los tres días después del Shabat desciende nuevamente a través de esas tres vestimentas.

Para ilustrarlo, véase el esquema siguiente:[27]

SHABAT
Unión mística

Viernes
Ascenso mediante
el pensamiento

Domingo
Descenso mediante
el pensamiento

Jueves
Ascenso mediante
el habla

Lunes
Descenso mediante
el habla

Miércoles
Ascenso mediante
la acción

Martes
Descenso mediante
la acción

EL MOMENTO POR ENCIMA DEL TIEMPO

Además de expresar la raíz espiritual de la pareja casada, el Shabat expresa la raíz espiritual del hijo concebido en sus relaciones maritales.

Hay tres momentos críticos en el descenso de un alma al cuerpo:[28] el de concepción,[29] el de formación,[30] y el del nacimiento.[31] Estos tres momentos son puntos de transición en el desarrollo del alma, cuando cesa de existir en su estado anterior y comienza su existencia en su próximo estado. En cada uno de estos momentos, la raíz espiritual del niño (*mazal*) debe brillar intensamente, para asegurar un pasaje seguro a la próxima fase.[32] En estos tres momentos, el alma adquiere los tres modos de expresión que analizamos.[33] En la concepción, es preparado para recibir la facultad de pensar, porque el pensamiento es el primer paso hacia una nueva realidad. En el momento de formación, cuando su sexo es determinado, está preparado para recibir la facultad del habla. Esto es porque el habla es el medio de comunicación primario, que, como explicamos, es esencialmente un acto sexual.[34] Finalmente, en el nacimiento, cuando se completa la investidura en el cuerpo físico, el alma es preparada para recibir la facultad de acción.[35]

Las relaciones maritales trascienden esos tres momentos y corresponden al estado celestial del origen de la raíz espiritual.[36] Ya mencionamos que este estado es tanto la conciencia del alma en Shabat, como el estado esencial de conciencia al que una pareja debe aspirar durante las relaciones maritales. Aquí tenemos otra perspectiva de la razón por la cual el Shabat es el tiempo más propicio para las relaciones maritales: es apropiado que el surgimiento celestial de la conciencia de un nuevo ser humano, ocurra en el día que encarna en sí este nivel de conciencia.

Más aún, como dijimos,[37] el Shabat está esencialmente por encima del tiempo. Tiempo implica proceso y dado que concepción, formación y nacimiento son fenómenos de proceso, son momentos en el tiempo. Por el contrario, las relaciones maritales en su estado puro no involucran conciencia de un proceso temporal, sino que constituyen un acto esencial de unión. Las relaciones maritales están orientadas hacia arriba, trascendiendo las barreras del tiempo y el espacio, mientras que los tres momentos de concepción, formación y nacimiento están orientados hacia abajo, son tres momentos dentro de un proceso evolutivo, cuyo fin es revelar al hombre en la tierra. El «momento» de las relaciones maritales, por lo tanto, el secreto del Shabat,[38] está por encima del tiempo.

Ahora podemos expandir el paradigma previo del ascenso y el descenso de la conciencia a través de las vestimentas del alma de Shabat a Shabat hasta que incluya toda la vida de la persona de la siguiente manera:

El primer Shabat, como dijimos, es la existencia del alma anterior a la concepción, cuando aún es una parte indiferenciada de la Divinidad. Este es el «momento» trascendente de las relaciones maritales de los padres.

El domingo, en la «semana» de la vida, corresponde a la concepción del niño, el lunes a su formación y el martes a su nacimiento.

Después del nacimiento, el niño comienza a adquirir niveles de conciencia cada vez más altos, que corresponden a los niveles de conciencia mediante los cuales su alma descendió en su camino al cuerpo.[39] Su educación de la Torá transcurre de «acción» (obediencia a los preceptos de Dios), al «habla» (estudio de la Torá) y al pensamiento (meditación en la plegaria). Estas tres etapas corresponden al ascenso del miércoles, jueves y viernes. Si llega a la cima de este ascenso, regresará al origen de su alma en la conciencia Divina.[40] El segundo Shabat, un estado de unión meditativa constante con Dios puede ser sostenido sólo por los muy justos.[41]

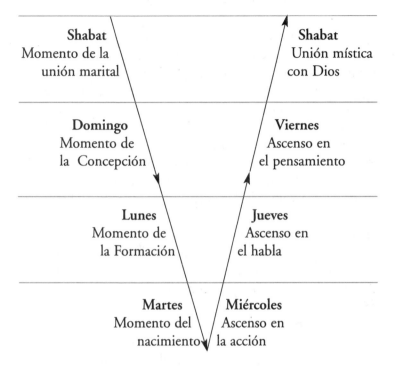

Esto esclarece en gran medida la afirmación de nuestros sabios antes citada:

> Si Israel guardase dos Shabat consecutivos, llegaría la verdadera y completa Redención.

El primer Shabat corresponde a la santidad de la unión marital, antes del descenso del alma al cuerpo; el segundo al regreso del alma a su fuente Divina, la experiencia de la unión mística con Dios.

KAVANÁ EN LAS RELACIONES MARITALES

La intención meditativa de la mente y el corazón con la que uno observa un precepto es denominada *kavaná*. Aunque la *kavaná* es un elemento importante en la observancia de todo precepto, en las relaciones maritales desempeña un papel especialmente importante.

El Baal Shem Tov enseña[42] que el uso del plural en el versículo «el sabio de corazón recibirá las *mitzvot*»[43] alude a que todo precepto posee dos dimensiones. La dimensión externa es la acción misma, mientras que la dimensión interna es la *kavaná*. El Baal Shem Tov denomina a la dimensión externa «la *mitzvá* inferior» y a la dimensión interna «la *mitzvá* superior». Cuanto más elevada y profunda es la conciencia de la *kavaná* («la *mitzvá* superior»), más refinada es la acción («la *mitzvá* inferior»). El «sabio de corazón» es aquel que sabe cómo conectar a ambas en cada *mitzvá* que cumple.

En la bendición recitada antes de observar un precepto, decimos «... quien nos ha santificado con Sus *mitzvot*», en plural. Esto también alude a las dos dimensiones (acción y *kavaná*) inherente a una.

En general, la relación entre el Shabat y los días de la semana es como la relación entre la *kavaná* y la acción.[44] Las relaciones maritales reflejan el secreto del Shabat y es evidente que la *kavaná* es un elemento especialmente esencial e intrínseco de este precepto. A causa del «alma adicional»[45] que todos reciben en Shabat, todos alcanzamos el nivel de «sabios de corazón»[46]; intuitivamente reconocemos los dos niveles de cada precepto y sabemos cómo unirlos.[47]

Las diversas *kavanot* correspondientes a las relaciones maritales son analizadas en varios textos sagrados.[48] Hay cuatro niveles generales de estas *kavanot*,[49] tal como lo presentamos a continuación. La conciencia del Shabat se expresa en los niveles superiores.

———

1. *Calmar las pasiones.* El nivel más bajo de *kavaná* en las relaciones maritales consiste en calmar la pasión sexual. «Te guardarás de toda cosa mala»[50]. Nuestros sabios enseñan que este versículo habla del control de los pensamientos referentes a los impulsos eróticos del alma animal. El efecto perjudicial de la imaginación sexual no rectificada en la vida de una persona ha sido señalado anteriormente. Es especialmente importante para un hombre dominar sus pasiones sexuales porque, como dice la Torá,[51] si no lo hace será profanado por la emisión de simiente vital.[52]

La primera línea de defensa contra el deseo erótico es simplemente no ser indulgente. Cuanto más uno controla y desvía estos pensamientos, menos lo molestarán. Como dicen nuestros sabios: «El hombre posee un pequeño órgano, cuando está saciado está hambriento, pero si está hambriento, está satisfecho»[53].

Ante el ataque de la tendencia al mal de la baja pasión sexual, uno debe ante todo intentar calmarla y debilitarla estudiando Torá. Como enseñan nuestros sabios, «si el "degradado" te encuentra, arrástralo a la casa de estudio...»[54]. La gracia y el encanto de la Torá hacen que sea más hermosa y atractiva que la mujer.[55] Como segunda línea de defensa, nuestros sabios generalmente recomiendan que se contraiga matrimonio joven, para evitar los malos efectos psicológicos y físicos de ser una persona madura incapaz de expresar sus impulsos sexuales de una manera positiva y permitida. Una vida marital saludable y equilibrada es la manera más segura de prevenir tanto la frustración sexual como el exceso.

Finalmente, cuando un marido se siente estimulado sexualmente y es incapaz de calmarse de manera alguna, tiene permitido pedir[56] a su esposa entablar relaciones sexuales (siempre y cuando ella le esté legalmente permitida).

En dicho caso, el marido debe intentar sentir su caída existencial (reflejada en su incapacidad de controlar sus pasiones físicas de alguna otra manera[57]), haciendo lo posible por trascender este estado.

Aunque la dinámica de caída y retorno que ha caracterizado la vida humana desde el pecado original y la expulsión del Edén se aplica a todas las facetas de la conciencia, afecta más intensamente a la *kavaná* en las relaciones maritales. Con el fin de comenzar el retorno uno debe tomar conciencia de su caída.

Se relata en el Talmud[58] que algunas veces, incluso grandes sabios eran incapaces de superar sus pasiones. Para esos grandes hombres, una experiencia de esta índole era necesaria una vez en la vida para dejar una impresión profunda de la degradación existencial humana.

Como enseña Maimónides,[59] incluso cuando la tendencia al mal lo domina a uno con pasión o ira, al mismo tiempo puede mantener una emoción e intención positiva y refinada, que proviene de su tendencia al bien. Así, incluso en este bajo nivel de *kavaná* durante relaciones maritales, uno debe intentar conectarse con los altos niveles de intención.

Tal vez el peor aspecto de sucumbir a la pasión física, es que al hacerlo uno usa a la esposa para satisfacer sus propios deseos egocéntricos. Esto desemboca en un distanciamiento espiritual de marido y mujer, que es la antítesis de la verdadera intención de las relaciones maritales. La única manera de rectificar esto, aunque en forma limitada, es seguir el consejo de Maimónides y «saltar» a un nivel más alto de *kavaná* incluso mientras uno está bajo la influencia temporal de la tendencia al mal. La esposa «usada» debe, por supuesto, intentar simpatizar con su cónyuge y, entendiendo su presente estado de motivación, ayudarle a alcanzar niveles más altos de *kavaná*.[60] Debe notarse que la pasión sexual del alma animal femenina no es tan reprensible[61] como la del marido. Esto sucede porque su cuerpo concuerda más con los estatutos Divinos grabados en la trama de la naturaleza que el cuerpo masculino. Mientras que Dios creó a Adán fuera del jardín del Edén y sólo después lo ubicó en el mismo, creó a Eva en el mismo jardín.

El jardín del Edén es el epítome de la naturaleza rectificada, donde las relaciones maritales del esposo y la esposa reflejan nada más y nada menos que su mutuo amor absoluto y puro. Ya que el correlato del jardín del Edén en el espacio[62] es el Shabat en el tiempo, esto significa que el cuerpo de la mujer está más próximo al estado ideal de Shabat,[63] cuando lo físico y lo espiritual se aúnan. Siendo así que el físico de la mujer es de antemano más rectificado, ella tiene permitido e incluso se la urge a seguir su dictamen. Por lo tanto, idealmente, la función de la esposa es saber cuándo y cómo estimular físicamente a su marido y hacerlo.

Con la caída y la expulsión del jardín, la conciencia del hombre se contamina; sus motivos se someten a su pasión por la gratificación sensual. Ya que la mujer también participó en el pecado original y de hecho fue la primera en comer el fruto prohibido, también ella sufrió una caída. El pecado trajo consigo una expresión abierta de pasión al entablar las relaciones maritales; así Dios dijo a Eva, al dictar su castigo: «desearás apasionadamente a tu marido, pero él te dominará»[64]. La maldición implícita es que la mujer no tiene permitido solicitar verbalmente relaciones maritales de su marido, sino que debe transmitir su deseo de forma no verbal.[65]

Pero aunque ella no pueda articular sus pasiones naturales, puede y debe sentirlas. No así su marido, como lo enseña el Jasidismo,[66] si él expresa el mismo grado de pasión física hacia ella que ella hacia él, sufrirá otra caída y la situación se invertirá. «Desearás apasionadamente a tu marido, pero él te dominará, pero si él te deseare apasionadamente, tú lo dominarás.[67]

Esto no implica, por supuesto, que las mujeres son inmunes a la aberración sexual (no olvidemos, nuevamente, que Eva fue la primera en caer). De hecho, su subjetividad innata la hace más susceptible de valorar la realidad incorrectamente,[68] lo que puede provocar, en casos extremos, que su pasión degenere en deseo de adulterio.[69]

Pese a ello, la Torá decreta[70] que el deseo físico de la esposa por las relaciones maritales es un motivo legítimo, ya que es más natural en ella que en su marido.

2. *Alegrando al cónyuge.* La más básica de las *kavanot* aprobadas y recomendadas para un esposo en las relaciones maritales es el deseo de complacer y «alegrar a su esposa»[71]. La Torá considera esto como la base de una vida matrimonial feliz y por ello exime al hombre de servicio militar durante su primer año de casado, para que pueda dedicarse a ese fin.[72] De la misma manera, la mujer debe intentar complacer a su marido.[73]

Para el hombre, este es el primer paso positivo hacia la rectificación del pecado original, cuyo efecto fue contaminar su conciencia con el deseo grosero de autogratificación, como vimos anteriormente[74].

Esta *kavaná* es una parte integral de la *mitzvá* del esposo de satisfacer los derechos conyugales de su esposa.[75] Se le ordena satisfacerla en este aspecto así como debe abastecerla de alimentos y vestimenta.[76] Él, por lo tanto, confiere absoluta legitimidad a la necesidad natural de intimidad física de ella.[77]

El término hebreo para este precepto, *oná*, significa literalmente «tiempo», en el sentido de «frecuencia». Esto nos enseña que el comienzo de la conciencia rectificada respecto a las relaciones maritales es aprender a reconocer su tiempo y frecuencia apropiadas.[78]

La primera consideración al determinar el tiempo apropiado para las relaciones maritales es, por supuesto, si están permitidas por la Torá.[79]

Dentro del período en el que las relaciones son permitidas, el tiempo más importante es la noche de la inmersión de la esposa en la *mikve*.[80] Esa noche es considerada una festividad privada para la pareja,[81] una renovación de la experiencia de su noche de bodas. En esa noche las relaciones maritales no sólo son recomendables sino obligatorias.[82] En esa ocasión, el marido debe convocar todo su amor y atención hacia su esposa, reconociendo el hecho que ella, en su devoción hacia él, se ha preparado para esta noche con gran esfuerzo durante un prolongado período de tiempo.

Durante el resto de los días de pureza, cuando las relaciones son permitidas, la Torá oral, tomando en consideración las disposiciones personales y las circunstancias de cada pareja y las normas de cada generación, ha establecido lineamientos para la frecuencia de las relaciones.[83]

Ocasionalmente, sin embargo, la pareja puede sentir deseo que exceda la frecuencia recomendada. Aquí, nuevamente, si es el marido quien desea la intimidad adicional (no en respuesta a las sugerencias de su esposa), debe intentar calmar su deseo físico mediante el estudio de la Torá, observando los preceptos, etc. Si, por el contrario, es la esposa quien desea intimidad con mayor frecuencia que la recomendada, la pareja puede considerarlo en forma positiva. Su marido debe considerar una señal de la Divina providencia el que eso suceda en un tiempo adecuado para las relaciones y debe responder a las sugerencias de la esposa.[84]

Sin embargo, si el marido ve que la excitación de la esposa se hace más «regular» que «ocasional» (y estos términos son relativos según cada pareja), deberá, en forma delicada y diplomática, intentar calmar sus pasiones. Ella misma, por supuesto, debe desarrollar sensibilidad a sus propios deseos físicos y saber cuándo controlarlos. Los sabios han advertido que excesiva indulgencia en las relaciones maritales es perjudicial para la salud espiritual[85] y física de la pareja.[86]

El precepto de *oná* incluye satisfacer a la esposa tanto física como emocionalmente. Claramente, si una mujer siente que su marido lleva a cabo el acto físico e ignora su lado emocional, ella lo interpretará como un mero intento de satisfacer sus propios impulsos físicos y observar ciertas obligaciones mínimas. En dicho caso ella puede sentirse utilizada o incluso sentir que su marido abusa de ella, que es lo opuesto a lo que él debe intentar hacer.

Es responsabilidad del marido, por lo tanto, preparar a su esposa para la intimidad física, en palabra y acción. Debe entender que ella se excita más lentamente que él, y debe ajustar su ritmo al de ella antes y durante las relaciones.

Esta es una de las razones por la que la noche es el tiempo preferido para las relaciones maritales.[87] Tuvimos ocasión de notar que el símbolo del marido es el día y el de la mujer es la noche.[88] Por la noche el ritmo de vida es más lento y el barullo diario se calma. Nuestros sabios señalan que uno no puede oír durante el día en la medida que lo hace en la noche, porque hay demasiado ruido.[89] En la relación entre ambos, el día es el tiempo de ver mientras que la noche es el tiempo de oír. «Ver» en hebreo implica una percepción directa y objetiva, y «oír», por su parte, alude a una comprensión indirecta y subjetiva. El tiempo de oír es el tiempo de comprender al otro. La palabra hebrea *laila*, «noche», es una síntesis de dos palabras *li la* que significan «lo mío es de ella»[90]. Sensible a su esposa y a sus necesidades, el marido se dedica a su esposa por la noche.

El ritmo de vida continúa calmándose hasta la medianoche, cuando todo se aquieta y entonces el poder de oír se aguza al máximo. Después de llegar a esta cima a medianoche, la conciencia nocturna comienza a hacerse consciente del día siguiente. En el lenguaje de la Cábala, a medianoche las puertas del paraíso se abren y la luz del «mañana» comienza a brillar en el mundo.

Así nos enseñan que las relaciones maritales deben ser conducidas idealmente no sólo por la noche, sino después de medianoche.[91] Al prescribir relaciones maritales después de la medianoche la Torá enseña en efecto que aunque se llevan a cabo en el nivel de la mujer, ésta debe tomar conciencia absoluta y estar atenta al nivel del marido.[92]

Aquí, la sensibilidad del marido respecto a su esposa es paralela a la sensibilidad del pueblo de Israel respecto a su «consorte espiritual» colectivo, el Shabat. Con la llegada del Shabat, calmamos nuestro ritmo y descansamos de toda labor, con el fin de aunarnos con él.

La importancia de la tranquilidad y la calma era asimismo conspicua en el antiguo ritual de ungir a los reyes.[93] Los reyes de Israel eran ungidos cerca del plácido manantial del Shiloaj, en las afueras de Jerusalén.[94] Se dice de su suave fluir: «... las aguas del Shiloaj, que fluyen lentamente...»[95]. La tranquilidad y quietud asociadas a este lugar se deben reflejar en el estado de ánimo y el tono de las relaciones maritales que uno desea lograr.

Al aprender a controlar sus propios impulsos y al bregar por lograr comprensión mutua, el marido se une a su esposa para elevar toda la experiencia a un nivel de conciencia que les permita recibir la Divina luz del Shabat, el día de paz y tranquilidad.

A todo esto alude la misma palabra *oná*, ya que es afín al verbo «responder». El marido debe cumplir todos los preceptos de una manera que responda sensitivamente tanto a los deseos físicos de su esposa como a sus necesidades emocionales.

3. *Fructificad y multiplicaos.* El nivel siguiente y superior de *kavaná* en las relaciones maritales es la observancia del precepto de «fructificad y multiplicaos»[96]. Aunque algunos sabios opinan que este precepto incumbe igualmente al esposo y a la esposa, la ley de la Torá es que corresponde únicamente al marido.[97] La esposa, sin embargo, debe intentar asociarse a su marido en la observancia de este precepto (que, evidentemente, él no puede observar sin ella).[98] Aunque la Torá recomienda traer al mundo cuantos hijos sea posible[99] (siendo cada hijo una «imagen Divina» adicional[100] sobre la tierra que apresura la llegada del Mesías), la ley de la Torá requiere como mínimo por lo menos un hijo y una hija.[101]

En un nivel más profundo, este nivel de *kavaná* incluye el deseo consciente y la plegaria de corazón de concebir hijos sagrados, de traer almas *sagradas* al mundo. Los textos más profundos explican que la pureza de los pensamientos y la conducta de los padres durante las relaciones maritales determinan la naturaleza de sus hijos.[102] Aunque su *kavaná* puede no tener influencia alguna en la esencia del alma de su hijo,[103] afecta la «vestimenta»[104] del alma que está descendiendo. Esta «vestimenta» comprende los medios mentales, emocionales y físicos que el alma recién nacida tendrá a su disposición para expresar su innata Divinidad.[105] Los padres que desean que sus hijos tengan mentes y cuerpos receptivos y en armonía con sus naturalezas Divinas deben concentrarse en pensamientos sanos y sagrados durante las relaciones.[106]

Esta es una razón adicional por la que el tiempo más propicio para entablar relaciones maritales es después de medianoche.[107] En ese momento se abren completamente las puertas del paraíso (la morada espiritual de las almas que esperan nacer) y la pareja puede recibir un alma del más alto nivel.[108]

El intento de atraer un alma santa, está relacionado con el antiguo ritual de ungir a los reyes de Israel.[109] El efecto de este ritual era atraer el alma real del futuro rey a su conciencia, ya que antes era completamente inconsciente de ese aspecto de su alma.[110] Siendo así que de algún modo «todos los integrantes de Israel son reyes»[111], la *kavaná* de la pareja durante las relaciones debe ser similar a la intención que acompañaba el ritual de ungir al rey.[112]

En las relaciones maritales, el esposo simboliza al profeta ungiendo al rey que es simbolizado por su esposa,[113] ya que es ella quien deberá desarrollar de su simiente un nuevo «reino».

La *kavaná* de hacer descender un alma santa es pertinente incluso aunque la pareja sea físicamente incapaz de concebir, porque según las enseñanzas, de cada relación marital resulta una descendencia espiritual.[114] Esta «descendencia» espiritual pueden ser las almas de futuros conversos, pensamientos de arrepentimiento que inspiran a otras personas a mejorar sus propias relaciones con Dios, o simplemente sensaciones psicológicas de gracia y bondad que permean la realidad.

4. *Emulando lo Divino.* El nivel más elevado de *kavaná* en las relaciones maritales es emular o efectuar la unión de la «pareja» Divina, el Santo, Bendito Sea, y la *Shejiná* (que es la fuente colectiva de las almas). Una pareja, expresando su mutuo amor durante las relaciones maritales, se convierte en un reflejo de la relación de amor cósmica entre la luz trascendente e infinita de Dios y Su Presencia inmanente o Su manifestación en este mundo.

En este nivel de conciencia, la pareja observa el precepto de «andarás en Sus caminos»[115]. Nuestros sabios ilustran este precepto diciendo: «Así como Él es misericordioso sé tú misericordioso, así como Él es compasivo, sé tú compasivo; así como Él es paciente, sé tú paciente...»[116].

Más aún, la pareja puede intentar mediante su unión no sólo emular la unión Divina sino realmente efectuarla y realzarla. Por causa de nuestros pecados tenemos una influencia negativa en la «relación» de la pareja Divina, provocando el distanciamiento, por así decirlo, de la *Shejiná* y el Santo, Bendito Sea. Esto es conocido como el «exilio de la *Shejiná*» y resulta en nuestro propio exilio físico de nuestra Tierra. Por otra parte, y en mayor medida,[117] nuestras buenas acciones, comenzando con la expresión de amor verdadero y compasión entre marido y mujer tal como se refleja en sus relaciones maritales, causa la reunificación (en niveles sucesivamente más altos) de la pareja Divina.[118]

La suprema manifestación de la unión Divina vendrá con la Redención del pueblo de Israel y del mundo entero de su exilio físico y metafísico, con la llegada del Mesías.[119]

La intención de emular lo Divino puede también asociarse a la *kavaná* de la pareja de concebir niños, ya que se ordenó a Adán y a Eva que procreasen con el fin de «llenar la tierra, conquistarla y gobernarla»[120]. Al aumentar la presencia del pueblo sobre la tierra (mediante la observancia del precepto de procrear), llenamos la realidad con nuestra concienciación única de la absoluta unicidad de Dios. Esta es la esencia de la revelación de la era mesiánica, tal como está escrito: «Porque la tierra se llenará del conocimiento de Dios como el agua cubre el fondo del mar»[121]. Así acercamos el mundo a la llegada del *Mashiaj*,[122] que hará que toda la humanidad sirva junta a Dios y domine sobre todas las criaturas del mundo elevándolas a un estado de conciencia Divina.

En Shabat experimentamos el «sabor del mundo venidero»[123]. Tal como dijimos, aunque Dios ordenó a Adán que procrease el día en que fue creado, el sexto día de la semana primordial, Su intención era que debía esperar hasta el Shabat para observar su mandamiento. Si lo hubiera hecho así Eva habría dado a luz en el primer Shabat al *Mashiaj*.[124]

De la misma forma, en cada Shabat se nos da la oportunidad de rectificar completamente el pecado original, dar luz al *Mashiaj* y probar el sabor del mundo venidero.[125]

Podemos resumir estos cuatro niveles de *kavaná* de la siguiente manera:[126]

Kavaná	*Mitzvá* observada	Orientación de conciencia
Emular la unión Divina	«Andarás en Sus caminos»	«Dios es todo y todo es Dios»
Ser copartícipes de Dios en la procreación	«Fructificad y multiplicaos»	Conciencia de la recreación Algo que surge de la nada
Alegrar al consorte	«Él no reducirá los derechos conyugales de la esposa»	Sensibilidad emocional para satisfacer al otro
Calmar las pasiones	«Te guardarás de toda cosa mala»	Conciencia de la «caída» existencial

UN CONTINUO DE CONCIENCIA

Previamente, seguimos al alma en desarrollo de un futuro niño a través de sus cuatro «momentos»: las relaciones maritales de sus padres, su propia concepción, formación y nacimiento, en términos de cómo atraviesa el alma el continuo de la conciencia, desde la absoluta unidad con Dios al pensamiento, el habla y finalmente la acción independiente. Un viaje similar ocurre en la conciencia de la pareja de padres.

Como ya explicamos, la intensidad y altura de las relaciones maritales tienden a disminuir durante los días de pureza de la mujer. Una impresión de la serena experiencia de las relaciones maritales permanece en la conciencia de la pareja hasta que su hijo es concebido. Como hemos expuesto, la concepción puede ocurrir simultáneamente con las relaciones maritales o hasta tres días después.[127] De modo que si la esposa concibe en la noche de su inmersión en el baño ritual, la pareja puede realmente experimentar la conciencia de sus relaciones maritales (cuando desciende a unirse con la experiencia del pensamiento) cada vez que entablan las relaciones maritales durante esos tres días.

La concepción conduce a la pareja a la conciencia de procreación en forma completa. La impresión de esta conciencia permanece hasta la formación de su hijo en el útero materno. Durante el período de concepción, ellos pueden experimentar la conciencia de ser copartícipes de Dios en la creación de su hijo.[128]

Desde el momento de la formación hasta el nacimiento, pueden experimentar la conciencia de formación. Nuestros sabios nos enseñan que cuando el marido satisface a su mujer en las relaciones maritales, el desarrollo del feto es mejor.[129] De modo que al satisfacerse mutuamente en las relaciones maritales, la pareja puede experimentar la conciencia de la formación.

En el momento del parto, según la Torá, la sangre lleva a la mujer a un estado de impureza, y las relaciones maritales cesan. Esto, por su parte, impide que la conciencia de la pareja caiga al nivel más bajo de *kavaná*, en el que el motivo primero es satisfacerse a uno mismo. En cambio, ahora, su hijo recién nacido se convierte en su ego común, por así decirlo, rectificado y orientado por la Divinidad.[130]

XV
RECATO Y MISTERIO

EL SIGNIFICADO DEL RECATO

La unión de la pareja matrimonial, verbalizada tan elocuentemente en sus relaciones matrimoniales, se expresa en su forma más completa en su recato.

Nuestros sabios nos enseñan:[1]

> El esplendor de la Torá es sabiduría;
> el esplendor de la sabiduría es humildad;
> el esplendor de la humildad es temor;
> el esplendor del temor es [un] precepto;
> el esplendor de [un] precepto es [su] recato».

La fuente bíblica que respalda la idea de que el recato es la cúspide del servicio Divino es el conocido versículo del profeta Miqueas:[2]

> Se te ha dicho, Oh, hombre, lo que es bueno,
> y qué pide Dios de ti:
> sino que hagas justicia y bondad con amor,
> y que vayas recatadamente con tu Dios.

Comentando este versículo dicen nuestros sabios: «Seiscientos trece preceptos recibimos de Moisés... Llegó Miqueas y los resumió en tres»[3].

¿Por qué el esplendor del precepto es su recato, y por qué el recato es la cúspide del servicio Divino? Para comprenderlo examinemos ante todo tanto el significado de los preceptos como el del recato.

La raíz de la palabra *mitzvá* (precepto) es *tzivá*, que significa «adjuntar» o «conexión»[4]. Hay dos categorías generales de preceptos: deberes hacia Dios y deberes hacia el prójimo. Un precepto entre el hombre y Dios conecta el alma a Dios; un precepto entre un hombre y otro conecta las almas de ambos.[5]

Se suele pensar que el recato (*tzniut*) se refleja únicamente en la forma de vestir. Aunque esto es cierto, es sólo parte del cuadro.

Como hemos señalado, los tres modos de expresión (pensamiento, habla y acción) son llamados «vestimentas» del alma. De modo que el recato se expresa también en cómo uno se «viste» con ellas, sus vestimentas espirituales.[6] El recato en acción significa cuidarse de no moverse[7] de un modo que atraiga excesivamente la atención. En el habla significa cuidarse de no hacer referencia frecuente a uno mismo (tanto en forma arrogante como despectiva). En el pensamiento significa no tener una imagen exagerada de uno mismo en la mente. El «nivel superior» de esta cualidad es el estado de conciencia en el que uno no piensa en absoluto acerca de uno mismo. La suprema expresión de recato se manifiesta en la manera de pensar.

La negación de centrarse en uno mismo que caracteriza el recato no es algo que uno impone deliberadamente a su manera de pensar, hablar, actuar o vestirse. El intento deliberado de anular la orientación personal es un acto de humildad (*anavá*) más que de recato. En otras palabras, la diferencia entre recato y humildad es que mientras que la persona humilde *anula* su ego, la persona recatada lo *trasciende*.[8]

Hay cuatro etapas básicas en la anulación del ego: el sentido de rebajarse a uno mismo, de subordinarse a un superior, de carecer de pretensiones y de autoanulación.[9] El denominador común de estas etapas es que uno está centrado en sí mismo y en su propio yo, aunque sólo sea para anularlo, y son todos niveles de humildad.[10]

Cultivar el recato, por el contrario, significa elevarse por encima del conflicto espiritual que implica el proceso de refinar activamente el yo inferior, expresando en cambio una conexión seria y sincera con Dios.[11] En virtud de esta simple devoción, el cuadro completo de los poderes del alma de la persona se orientan hacia la Divinidad. Este es el significado de trascender el ego propio.[12]

«LA CABEZA INCOGNOSCIBLE»

Trascender el ego y cultivar el recato es, por lo tanto, una expresión del más alto nivel supraconsciente del alma.

Tal como nos enseña la Cábala, el alma posee tres niveles de supraconciencia.[13] Estos son llamados «las tres cabezas» de la *sefirá* de *keter* (la «corona»). Como una corona sobre la cabeza, la mente supraconsciente trasciende la mente consciente.

El nivel más bajo de la supraconsciencia es la voluntad. Ese es el origen de nuestro instinto de autoconservación y de nuestro deseo de mejorar nuestras vidas y realizar todos nuestros potenciales.[14] El primer punto en que el alma se experimenta por primera vez como una entidad independiente es cuando desciende de su origen y se inviste con el cuerpo, con sus propios intereses y conductas.

Siendo que los poderes supraconscientes del alma no están localizados en ninguna parte del cuerpo, éstos controlan a los poderes conscientes. Esto es particularmente observable respecto a la voluntad, que puede dirigir y centrar el intelecto y las emociones, y controlar su expresión. De modo que en la Cábala, este nivel de *keter* es llamado «la cabeza de *Arij*»[15]. Es denominado *Arij*, «largo», porque alcanza y controla todos los aspectos conscientes del alma.[16]

Cuando se permite al alma llegar a su última conclusión, su demanda de autorrealización la conduce paradójicamente a la abnegación. Cuando cobra conciencia de que todos sus deseos e impulsos trascendentes se reducen a la simple voluntad de ser y que la única verdadera existencia es Dios, uno renuncia voluntariamente a su yo independiente con el fin de ser absorbido por la realidad mayor de la Divinidad.[17]

El nivel siguiente y superior de la superconciencia es llamado «la cabeza de la Nada»[18]. Esta es la percepción de que Dios es todo, mientras que el yo es existencialmente nada. Liberado del «peso» del yo y su sumisión al materialismo, uno experimenta en este nivel una «carencia de peso» espiritual.[19] Esta nada serena es una experiencia de deleite infinito, contentamiento y realización suprema.[20]

Nuevamente, si esta sensación de renunciación se lleva a su última conclusión, será completamente reemplazada por la conciencia de Dios.[21] Este es el nivel más alto de superconciencia que posee el alma como entidad separada de Dios Mismo. Por supuesto, mientras el alma mantiene su identidad, no puede automáticamente «conocer» a Dios directamente sino solamente creer en Su existencia.[22] Dios es infinito e ilimitado, mientras que el intelecto es finito y limitado. Por eso se dice que «la cumbre del saber es saber que no podemos saber»[23].

Y sin embargo, de esta conciencia radical de nuestra incapacidad de conocer a Dios intelectualmente, surge un verdadero reconocimiento vivencial de Él. Una vez que ha agotado su intelecto meditando acerca de la esencia de la Divinidad, uno puede saber con certeza que su intelecto es y permanecerá por siempre incapaz de aprehender a Dios.[24] Habiéndose desprendido de la noción de que su mente consciente logrará alguna vez conectarlo con Dios, uno puede someterse a Dios voluntaria e incondicionalmente.

Esto permite que la realidad axiomática del ser de Dios se vuelva en su conciencia operativa.[25] Su concienciación de Dios creando constantemente el mundo de la nada, sustentándolo y dirigiéndolo, así como Su omnipresencia y trascendencia, se hace tan clara y absoluta que se sobrepone enteramente a su conciencia.

Por eso está escrito «Tú eres un Dios que Se oculta»[26]. La esencia de Dios es absolutamente inaccesible a nuestras mentes conscientes y sólo puede ser sentida, percibida o aprehendida cuando nos desprendemos de nuestro yo y damos el ontológico salto de someternos a Dios.

Este nivel supremo de la supraconciencia es llamado «la cabeza que no conoce y no se puede conocer»[27]. Aquí la esencia del alma es «no conoce» porque no puede conocer el verdadero objeto de la conciencia, Dios, y «no se puede conocer» porque nuestro ser completo no está centrado en sí mismo[28] y por lo tanto no hay nadie a quien conocer para nadie.[29]

Como dijimos, este es el nivel mas alto de la supraconciencia del alma. Hay un aspecto más elevado del alma, sin embargo, que es desde todo punto de vista una parte de Dios Mismo[30] y como tal no posee ninguna conciencia independiente (ni supraconsciente) *per se*.[31] En este punto, la dicotomía sujeto-objeto desaparece.

Aquí nos enfrentamos con la paradoja suprema: el alma está centrada en Dios, en quien sólo puede creer aunque no conocer directamente, pero al mismo tiempo, ella misma es parte de Dios.[32] En otras palabras, se extiende más allá de sí misma, pero el objeto que intenta alcanzar y que existencialmente lo elude es en realidad ella misma. La verdadera esencia es su propio misterio irresoluble.

De aquí que la búsqueda de Dios por parte del individuo lo conduce a su propia esencia inasequible. No puede conocer a Dios a menos que conozca a su propio ser interno. Pero como su propio ser interno es parte de Dios, nunca lo conocerá.

Por lo tanto, a este nivel el alma no puede conocerse a sí misma ni ser conocida por nadie más; un enigma eterno cuya verdadera esencia está escondida para siempre. Esta es la esencia del recato.

De modo que la raíz del recato, el más alto de los tres preceptos de Miqueas, es la fe en Dios.[33] Y así dicen nuestros sabios, siguiendo el enunciado arriba citado: «Vino Habacuc y las estableció [resumió] en una, como está escrito: "Mas el justo por su fe vivirá"».[34]

Por otro lado, la experiencia que a este nivel tiene el alma de sí misma, tanto como quien conoce y como lo conocido (o mejor dicho: el que no conoce y lo que no es conocido) significa que justamente en este punto irreducible de esencia absoluta, el alma existe como una dualidad, como una moneda de dos caras. Estas dos caras de la esencia del alma son las dos raíces espirituales de la pareja casada. La experiencia de sí misma del alma como «quien no conoce» es la raíz del esposo, y su experiencia de sí misma como «lo que no es conocido» es la raíz de la esposa.

Ésta es la razón mística de que la verdadera integridad (*shelemut*) es posible solamente en el contexto de la vida matrimonial.[35] El ascenso de nuestra esencia es, como ya mencionamos, el descubrimiento de la raíz espiritual del cónyuge. Por ello es que «ha encontrado» y por ello es que «la esposa es el hogar».[36] Hay un «yo» y un «ella»[37]: el «yo» es lo que uno trasciende (es decir «no puede ser conocido»), y el «ella» es hacia lo que uno trasciende (es decir «trata de conocer pero no puede»). Para encontrar mi verdadero yo, debo trascenderme a mí mismo y encontrar mi cónyuge, porque ella es mi verdadero yo. Pero al mismo tiempo, no puedo conocerla salvo conociendo a mi yo más interno.[38]

Por esta razón el recato es el misterio esencial del matrimonio. Citamos el enunciado de nuestros sabios: «El esplendor de [un] precepto es [su] recato» y explicamos que precepto significa conexión. Las relaciones maritales son, por supuesto, la forma más intensa de conexión y por ello son llamadas «el mas grande de los preceptos (*mitzvot*)»[39]. Por lo tanto, el enunciado anterior: «El esplendor de un precepto es su recato» implica, en particular, que el recato de las relaciones maritales de una pareja crea un lazo aún más fuerte (*mitzvá*) entre ellos que el mismo contacto físico.

Parecería paradójico que el recato pueda fomentar una identificación mutua más profunda que las mismas relaciones maritales. Y, sin embargo, puesto que el hombre y la mujer son de naturaleza opuesta, su verdadera unión sólo puede suceder a través de la paradoja.[40] Mediante el cuidado puesto en guardar el recato incluso en los momentos más íntimos y reveladores, cada cónyuge se conecta con las esferas existenciales más profundas y privadas del otro y es capaz de percibir la belleza más sublime de su alma.

LA FUENTE DE LA BENDICIÓN

El hecho de que la modestia sea la quintaesencia de la expresión de la «cabeza incognoscible» es ilustrado por la historia de las tres bendiciones que Isaac confirió a Jacob la primera vez que lo bendijo.[41]

> Que Dios te dé del rocío del cielo,
> y de la gordura de la tierra,
> y abundancia de grano,
> y vino.
> Pueblos te han de servir,
> y naciones se inclinarán ante ti.
> Sé amo de tu hermano,
> y se inclinarán ante ti los hijos de tu madre.
> Malditos sean quienes te maldigan,
> y benditos los que te bendigan.

La Cábala y el Jasidismo nos enseñan que estas bendiciones son las más elevadas y las mayores de todas las bendiciones de los patriarcas. Son consideradas el «intermediario» Divino entre las diez locuciones de la creación y los Diez Mandamientos de la Torá.[42]

Todo intermediario debe contener dos dimensiones, cada una de las cuales conecta con una de las entidades que está tratando de unir. De esta manera, el intermediario refleja el origen común de las entidades que conecta, quien las trasciende a ambas. En nuestro caso, las bendiciones de Isaac reflejan el origen común en la esencia de Dios de Su poder relativamente inmanente inherente en la creación y Su poder relativamente trascendente manifiesto en la Torá.

En la terminología del Baal Shem Tov,[43] las diez locuciones de la creación reflejan el nivel de los «Mundos», los Diez Mandamientos reflejan el nivel de la «Divinidad» y estas bendiciones reflejan el nivel de las «Almas» (las almas del pueblo de Israel), que unen «Divinidad» con «Mundos»[44].

Pero Isaac confirió estas bendiciones a Jacob ¡pensando que era Esaú! En las palabras de la Torá:

> Y [Isaac] no lo reconoció,
> porque sus manos eran vellosas como las manos de Esaú,
> y lo bendijo.[45]

Rebeca sabía que el poder investido en estas bendiciones era demasiado sublime como para ser recibido directamente. Sólo elevando a Jacob al nivel de la «cabeza incognoscible», negando su conciencia de sí mismo como tal, sería capaz de recibirlas.[46]

Ella, por lo tanto, vistió a Jacob con las vestimentas de Esaú,[47] porque nada puede ocultar más que cubrirse con la vestimenta del *opuesto* a uno.[48] Al cubrirse con la vestimenta física de Esaú, Jacob está hasta cierto punto invistiéndose en la personalidad de Esaú y es capaz de identificarse con él y decirle a su padre ciego: «Yo soy Esaú tu primogénito»[49].

De aquí vemos que al esconder la verdadera identidad en la modestia existencial, uno se hace merecedor de la mayor de las bendiciones: «la cabeza incognoscible», la morada, por así decirlo, de la esencia de Dios. Y, efectivamente es el recato innato de las almas de Israel lo que les permite unir, como en matrimonio, al nivel relativamente femenino de «Mundos» con el nivel relativamente masculino de «Divinidad».

En resumen:

Divinidad	Los Diez Mandamientos	El novio Divino de la Torá
Almas	Las diez bendiciones de Isaac a Jacob	El poder unificador del recato
Mundos	Las diez locuciones de la creación	La novia existencial

FINAL DEL OCULTAMIENTO

El verdadero propósito del recato no es ocultar sino revelar la dimensión escondida de la esencia interior del cónyuge. Esta paradoja esencial del recato será finalmente resuelta y revelada sólo en el futuro mesiánico.

Si Eva lo hubiese merecido, habría sido el epítome del atributo del recato. Pero inocentemente ella creyó que si Dios había creado desnudos a ella y su marido, significaba que no había nada malo en desnudarse abiertamente. Olvidando que Dios los había puesto en el jardín para *perfeccionar* la realidad, ella[50] cayó en la trampa ideológica de aspirar solamente a aunarse con la creación de Dios tal como era.[51] Ella comprendió superficialmente la directiva de Dios: «Aferraos y sed una sola carne»; por lo tanto, aunque deseaba unirse con su marido, olvidó la necesidad del recato como un reconocimiento de sus propias individualidades esenciales e incognoscibles, su unidad trascendente. Ella y Adán, por lo tanto, cohabitaban abiertamente,[52] eran conscientes de ser observados por los animales[53] pero no creían que hubiera algo malo en ello.

La caída de Eva continuó con su irrecatada conversación con la serpiente, quien la convenció para que tocara el árbol del conocimiento, un descenso a una inmodestia aún mayor (la de la acción), hasta que finalmente comió el fruto prohibido. Con el poder de su libre albedrío, ella pudo haber detenido su caída en ese momento pidiendo a Dios, el Omnipotente, que la «sostuviera» en medio de la caída y no la dejara «estrellarse»[54].

El comienzo de la rectificación del pecado original sucedió cuando Dios vistió a Adán y Eva, indicando que debían aprender a ser recatados. Inmediatamente después de comer el fruto prohibido «se abrieron sus ojos y supieron que estaban desnudos, entonces cosieron hojas de higuera y se hicieron delantales».[55] Después de enunciar su castigo, Dios Mismo los vistió: «Y Dios hizo para Adán y su mujer túnicas de pieles y los vistió»[56].

Una etapa posterior de rectificación del pecado sucedió cuando Dios apareció ante Moisés y Él se «ocultó» en la zarza ardiente. Moisés tuvo entonces la posibilidad de contemplar a la Presencia Divina, fascinantemente velada tras una capa de recato. Moisés respondió cubriendo su propia cara, para no ver a la Presencia Divina.[57] Según cierta corriente de opinión, esto era lo apropiado, y él no cometió el mismo error que Eva y supo que mirar irrecatadamente el rostro Divino sería rechazar el saber más elevado, que se expresa con recato.[58]

Según otra opinión, Dios habría preferido que Moisés Lo contemplase.[59] Siendo que la Redención estaba comenzando, Él le insinuó a Moisés que el pecado original estaba en proceso de ser rectificado y era tiempo de dejar a un lado el recato externo. Él quiso que Moisés diera fin al ocultamiento.

Moisés no entendió esta insinuación hasta después del pecado del becerro de oro, cuando oró: «Te ruego que me muestres Tu gloria»[60]. Pero entonces ya era tarde, el pueblo había caído espiritualmente y ya no era capaz de recibir la revelación directa de Dios.[61] Dios replicó: «No puedes contemplar Mi rostro, porque nadie [ahora] puede contemplar Mi rostro y vivir»[62]. En las palabras de nuestros sabios: «Cuando Yo quise, tú no quisiste, ahora que tú quieres Yo ya no quiero»[63]. Dios escondió Su «rostro» y reveló solamente Su «espalda» a Moisés. Esto es una imagen de la paradoja de revelación y ocultamiento simultáneos, el secreto del recato.

Nuestra «espalda» es la parte del cuerpo que uno no puede ver. Por lo tanto, alude a nuestro ser supraconsciente, o al origen del consorte. Por supuesto que Dios carece de supraconsciente, pero Él tiene un deseo supra-racional por Su «esposa», el pueblo de Israel; es decir Su «espalda».

Al decirle a Moisés «tú verás Mi espalda», Dios le estaba diciendo: «debes relacionarte con mi deseo más íntimo, que eres tú. Debes comprender que para ver Mi rostro, debes mirar tu espalda, tu más íntimo deseo supraconsciente. Allí me verás a Mí».

La suprema rectificación del pecado será en el futuro mesiánico, cuando «tu Maestro ya no se cubrirá, y tus ojos contemplarán a tu Maestro»[64]. La paradoja del futuro es que aunque el recato permanecerá, revelará además de ocultar.

BOAZ Y RUT

La paradoja íntima de lo que se puede conocer y lo que no se puede conocer, y su resolución mesiánica, se refleja en la historia de Rut. Cuando llegó a recoger espigas en el campo de Boaz,

191

éste le prestó particular atención. Ella le preguntó: «¿Por qué he hallado gracia ante tus ojos para que me reconozcas, siendo que soy extranjera?»[65].

En hebreo, la palabra «extranjero» –*nojrí*– y la palabra «reconocimiento» –*hakará*–[66], comparten la misma raíz –*nejer*–[67]. Racionalmente uno no puede reconocer a un extranjero, ya que un extranjero es por definición una persona que no conocemos. Por lo tanto podemos interpretar las palabras de Rut como una expresión de asombro: «¿Cómo puedes conocerme si por naturaleza soy irreconocible? ¿Cómo has logrado resolver la paradoja de mi existencia?»

Sólo a nivel supra-racional de la «cabeza incognoscible», «reconocimiento» y «extranjería» comparten una raíz común. En este nivel, la paradoja, si bien permanece como tal, se resuelve. Incluso en su estado existencial como «extranjera», su recato innato,[68] el alma verdadera, hebrea y Divina[69] de Rut, fue visible para Boaz.

Rut fue la antepasada del rey David.[70] Resolver la paradoja de la verdadera identidad alcanzando la Divina identidad suprema y esencial del alma judía, es la esencia del Mesías.[71]

RECATO Y ROMANCE

Cuando uno no es consciente de sí mismo tampoco es consciente de sus méritos o pecados.[72] Sus defectos y fallos, generalmente «expuestos», están «cubiertos» por la capa de su recato. Y puesto que su conciencia de sí mismo se ha disuelto en Dios, ve a los demás, especialmente a aquellos cercanos a él, como parte del mismo ser colectivo. De modo que al «cubrirse», también «cubre» y olvida los pecados de los demás.[73]

Al mismo tiempo deviene altamente altruista. Cuando el yo deja de ocupar lugar alguno en la conciencia, existe sólo el otro.

El único deleite es asegurar el placer del otro. Cada miembro de una pareja verdaderamente unida buscará maneras de gratificar y satisfacer al otro en todas las áreas de la vida marital.[74]

Paradójicamente, es precisamente en ese punto de abnegación total, cuando el verdadero yo emerge reluciente. Lo que generalmente solemos identificar como nuestro «yo», es meramente el rostro del alma animal no rectificada. Una vez que todos los aspectos superficiales del yo han sido neutralizados, el verdadero yo Divino, la esencia espiritual, puede ser revelada.

Por supuesto, el yo Divino no puede expresarse de la misma manera que su contraparte inferior, ya que carece de la conciencia de existir como algo que no sea parte de Dios.[75] Por lo tanto permanece en la posición paradójica de representar tanto la negación de la habilidad del hombre de ser conocido y una afirmación del único «yo» verdadero que puede ser conocido.

En este estado retiene para siempre su pureza esencial.

Aquí yace la lección que la Torá nos enseña respecto a la conducta modesta, especialmente en lo que concierne a marido y mujer, tanto dentro como fuera del contexto de las relaciones maritales.[76] Si uno asume que puede «conocer» a su esposa, su relación automáticamente queda reducida a una familiaridad superficial y mundana.[77] Pero si uno entiende que por más que conozca a su esposa siempre quedan aspectos de ella que jamás logrará tocar, que son facetas y profundidades de su alma que él aún debe sondear, su relación se mantiene eternamente fresca y nueva. La sensación de asombro y maravilla en su matrimonio no se agotará jamás.

Aunque, como hemos explicado ya, el matrimonio tiene un aspecto racional, es su aspecto supra-racional el que le confiere su profundidad infinita. Basta reconocer que el matrimonio es un milagro urdido por Dios por Sus propias razones inescrutables, para infundir a la relación marital un profundo significado misterioso.

La noción de romanticismo secular es la tensión que precede y conduce a la consumación del amor. Una vez que esta tensión está resuelta, el aburrimiento cunde, e incluso la hostilidad;[78] por lo tanto se buscan medios artificiales para recobrar la tensión y renovar el reto. Como ya dijimos, el matrimonio inspirado en la Torá no necesita estos medios al tener las leyes de Pureza Familiar. La dinámica romántica de tensión y satisfacción está incluida en la observancia de estas leyes, que constantemente refrescan el amor romántico de la pareja en el plano físico. En el plano metafísico, la intensidad del romance es preservada por el recato de la pareja.

Al reconocer ambos que sus esencias no pueden ser conocidas, permanecen vírgenes el uno para el otro. No importa cuan bien se conocen, hay siempre una dimensión del alma del otro a la que uno no ha accedido, y en este nivel, cada encuentro compartido es el primero.[79]

EL RECATO ATRAE

Por eso el recato atrae. El lado desconocido del cónyuge llama e invita a revelarlo y conocerlo.

Cuando uno de los ángeles que visitó a Abraham le preguntó «¿Dónde está Sara tu esposa?» el respondió: «Mira, allí está, en la tienda»[80]. Nuestros sabios nos enseñan que la pregunta del ángel tenía como propósito llamar la atención de Abraham a la modestia de Sara[81] y hacerla más atractiva a sus ojos.

En general el misterio atrae. Algo es protegido y guardado en secreto porque es considerado demasiado singular y precioso como para ser divulgado públicamente: es reservado para beneficio de personas selectas y privilegiadas. El secreto comunica el valor intrínseco de aquello oculto y representa un desafío que atrae al que está fuera a hacerse merecedor de ser incluido. Por esta razón los modales reservados y las vestimentas recatadas son en realidad atractivas y seductoras. También por esto se puede engañar a la gente rodeando algo de un aura de falso misterio para que lo crean valioso. Lo opuesto también es correcto: si algo posee un valor intrínseco, tratarlo con respeto y temor genera sensibilidad hacia este aspecto de él.

Es cierto que la noción popular es que uno se viste recatadamente con el fin de no ser atractivo y seductor. Pero si la vestimenta modesta de una mujer es un reflejo de su recato interior, que se expresa en la manera en que ella piensa, habla y se mueve, esa ropa no será atractiva para ningún hombre salvo para su marido. Esta es otra de las paradojas del recato: al mismo tiempo hace que la mujer sea atractiva (para su marido) y no atractiva (para los demás).[82]

En el matrimonio, debe lograrse un equilibrio delicado entre la franqueza que demuestran como mejores amigos uno del otro y el misterio que deben preservar mediante el recato que rodea incluso su contacto más íntimo. Incluso cuando es necesario abrirse, siempre debe haber una concienciación subyacente del misterio esencial del otro. Esto se logra con la creciente sensibilidad de la pareja a «lo que no conoce y lo incognoscible». En la medida en que internalizan la paradoja inherente de su esencia supraconsciente pueden ser francos y recatados, sabiendo y no sabiendo, conocibles e incognoscibles.[83]

EL MISTERIO DE LA CONCEPCIÓN

La creencia de que hay un Dios que creó el mundo con un propósito y una promesa para su futuro, reorienta nuestra sensación de deleite desde la serenidad flotante del presente eterno hacia el gran placer de la futura consumación. Más aún, junto al sentido del propósito de Dios en la creación viene el conocimiento del papel único que cada uno desempeña en ayudar a su realización, el «recuerdo» de que fue la visión que tuvo Dios de Su pueblo manifestando Su presencia en el mundo, lo que Lo inspiró a crearlo.[84]

Una vez que se ha ascendido al plano en el que uno pierde toda conciencia de sí mismo y se centra únicamente en la Divinidad, uno deviene un conducto transparente de la Divinidad en el mundo. Al carecer de todo ego que se interponga entre Dios y la realidad inferior, el individuo «no conocido e incognoscible» sirve para establecer una simpatía perfecta entre Dios y su creación.

Como tal, uno deviene verdaderamente «copartícipe de Dios en la labor de la creación». El deseo de tener hijos es la expresión seminal del impulso del alma reforzado por el deleite inspirado por la fe de participar con Dios en la creación e infundir Divinidad a la realidad.[85]

En el corazón del secreto que rodea la unión de la pareja está el misterio de la concepción. Aunque la concepción ocurre en los momentos más íntimos de la pareja, realmente sucede en el lugar más recóndito del útero. Aunque la procreación es la razón principal para entablar relaciones maritales, la concepción física ocurre sin la intención consciente de la pareja. La concepción es entonces una expresión concreta de la paradoja conocimiento –misterio de la «cabeza incognoscible».

Por más que el misterio de la concepción sea un reflejo del recato de la pareja, el momento en el que Dios consagra la unión de una pareja con una vida nueva es un momento intrínsecamente ligado al grado de recato que demuestran los cónyuges. Hemos señalado que la intención –*kavaná*– de una pareja durante las relaciones maritales influye en la naturaleza de sus hijos. A ello debemos añadir que la conducta recatada facilita la concepción en general y en particular es un prerrequisito para el descenso de un alma elevada.

Dar a luz a un hijo significa, en un sentido, dar a luz al verdadero yo. Tener un hijo es participar con Dios en el acto de creación, y tal como Dios creó al hombre «a Su imagen y semejanza», así los rasgos latentes del carácter de uno se manifiestan en su progenie.[86] En este sentido el hijo es una revelación más genuina de uno mismo que lo que uno podría alcanzar. Esta es la paradoja suprema de la procreación, la de la unión de marido y mujer en recato.

La primera pareja del pueblo de Israel, Abraham y Sara, representan al máximo el atributo de recato –*tzeniut*.[87] Por esta razón merecieron ser progenitores del pueblo, es decir, tener hijos como ellos, que personificaban la esencia Divina escondida en la «cabeza incognoscible».

La Cábala nos enseña que en estas últimas generaciones no es tan grande la relación espiritual entre las almas de los padres y sus hijos. Efectivamente, en nuestros días las almas de padres e hijos pueden derivar de raíces espirituales completamente diferentes.[88] De todas formas cuanto mayor sea el recato de los padres en la unión marital, mayor es la posibilidad de que el hijo refleje sus personalidades verdaderas, su «cabeza incognoscible».

Había una vez una mujer llamada Kimjit que tenía siete hijos, todos los cuales servían como altos sacerdotes en el Santo Templo. Los sabios le preguntaron: «¿Qué has hecho para merecer esto?» y ella replicó: «Las vigas de mi casa no han visto mis cabellos ni el reverso de mi vestido en toda mi vida». Por eso aplicaron a ella el versículo «El honor de una princesa está en su interior»[89].

MISTERIOS DE LA TORÁ

Contraer matrimonio y tener hijos revela entonces una dimensión de la realidad que antes estaba oculta, tanto en el esposo como en su esposa y sus hijos.

En este sentido, el misterio de las relaciones maritales es similar al misterio de desentrañar los secretos de la Torá. Por esta razón, de acuerdo con algunas autoridades, uno no debería comenzar el estudio de la Cábala hasta casarse.[90] Antes del matrimonio uno debería dedicarse ante todo al estudio de la dimensión revelada de la Torá, la ley, que enseña cómo rectificar la dimensión revelada de la realidad mediante nuestros actos. Sólo después del matrimonio uno puede experimentar el misterio Divino y la intención que subyace en la creación, el deseo de Dios de la unión (o «matrimonio») de Su esencia trascendente con Su Presencia inmanente tal como se manifiesta en Su pueblo elegido, Israel.

La próxima etapa de la vida, después del matrimonio, es ganarse el sustento.[91] Aquí uno intenta reconciliar la vida física y las demandas espirituales, elevando aquélla hacia éstas, preparando de esta forma el reino material para recibir los secretos Divinos que uno ha sido capaz de revelar. De este modo uno cumple el propósito de la creación haciendo del mundo físico «una morada» para Dios»[92] y facilitando la «armonía marital» suprema, entre Dios e Israel, en el contexto de nuestro mundo físico.

Al estudiar la dimensión interna de la Torá, uno desarrolla la sensibilidad hacia el misterio y la santidad de la vida, que a su vez lo inspira a buscar la esencia interna de su propia alma, su relación con Dios y el mundo, particularmente con su cónyuge. Al relacionarse con recato, reflejando el aspecto supraracional de su raíz espiritual común, y dedicando sus vidas a consumar la voluntad de Dios, el esposo y la esposa se fusionan en una única identidad verdadera.

Ésta es la esencia del misterio del matrimonio.

NOTAS

I. AMOR VERDADERO

1. *Ievamot* 63b

2. 18:22

3. 7:26

4. Como es evidente en el contexto en el que ambos versículos son analizados en el Talmud, la solución simple y básica de la contradicción es que el primero se refiere a una buena esposa y el segundo a una mala. Sin embargo, en un nivel más profundo, describen las diferentes maneras en las que la esposa de un hombre refleja su nivel de refinamiento personal.

5. *Zohar* 3:43b, 1:85b, *Sefer HaGuilgulim* 24, *Mishnat Jasidim, Seder Nashim, Masejet Zivug HaNeshamot* 1, *Vaikra Raba* 29:8.
   El valor total de la frase: «Quien halló mujer halló bien» es 585. Este número es 585=45x13. Por otra parte 45=«hombre» (*adam*); 13=»uno» (*ejad*) y «amor» (*ahavá*). De aquí entendemos que el hombre y la mujer fueron creados para unirse (en amor) y devenir en «un hombre», como está escrito «Varón y hembra Él los creó, y Él los bendijo y los llamó "hombre" (*adam*) el día que Dios los creó» (Génesis 5:2).

6. *Sotá* 2a

7. «Uno debería comer y beber por menos de lo que sus medios le permiten, vestirse de acuerdo a sus medios y honrar a su esposa e hijos por encima de sus medios», *Julín* 84b.

8. Como si el sujeto del verbo fuese también su objeto primario.

9. Nuestros sabios dicen que uno debería «bajar un escalón para casarse con una mujer» (*Ievamot* 63a). El significado simplista de esta frase es que uno debería contraer matrimonio con una mujer de nivel social más bajo para que ella no lo denigre. Sin embargo, y en este contexto, puede ser interpretado como que el requisito previo para un matrimonio de éxito es disminuir la autoestima.

10. Esta buena voluntad se refiere a la revelación de la raíz espiritual común de la pareja. Véase más adelante.

11. El valor numérico de la frase «el que es bueno ante Dios huirá de ella» es igual al de «la Divina Presencia [mora] entre ellos», es decir, 502, (véase más adelante, cap.5). Esto indica que cuando «el que es bueno ante Dios huirá de ella», encontrará su verdadero consorte espiritual y merecerá que «la Divina Presencia [more] entre ellos».

12. Génesis 2:18-20

13. Más aún, esta es la primera aparición de la raíz «hallar» (*matzá*) en la Torá, y «todo es según el comienzo» (*Pirkei d'Rabi Eliezer* 41). Esta es entonces una clara indicación de la relación esencial entre la realidad de la mujer y el concepto de «hallar».

   Aquí, como en el versículo «quien halló mujer halló bien», la raíz aparece en tiempo pasado. La primera instancia en la Torá de esta raíz en tiempo presente es en referencia al castigo de Caín por matar a su hermano Abel (Génesis 4:14-15).

14. Génesis 2:23. «De este versículo surge que el mundo fue creado en el lenguaje sagrado (es decir hebreo)», véase Rashi,

Bereshit Raba 18:4. Hablar y pensar en hebreo es el vehículo para reconocer a la verdadera consorte espiritual. El lenguaje es generalmente asociado con la mujer, y el hebreo corresponde al nivel más alto de la mujer: la profetisa (*Likutei Moharan* 1:19).

15. De acuerdo con los sabios (*Eiruvin* 18a, Rashi acerca del Génesis 5:2) Adán y Eva estaban originalmente unidos, espalda con espalda. En esta situación Adán y Eva eran «uno» pero Adán no podía verla, y era consciente de ella sólo como un apéndice (una «costilla» adicional). Con el fin de hacer de Eva la esposa de Adán, Dios la «separó». Sólo cuando Adán pudo verla por vez primera como un ser independiente, pudieron unirse cara a cara, como marido y mujer.

Se puede decir que los dos tipos opuestos de unidad aquí descritos corresponden a la condición de Adán y Eva antes y después de su separación. Antes, marido y mujer son uno, pero no se pueden unir, ya que el marido considera a su mujer como una mera parte de sí mismo. Después de la separación, si continúa viéndola de la misma manera, nada se ha logrado. Para unirse a ella, debe centrarse en la unidad que precedió a su creación física, es decir, la de su raíz espiritual común.

De acuerdo con la Cábala (*Etz Jaim* 29) en el proceso de separación (*nesirá*) el varón retiene los estados de *jesed* (benevolencia, generosidad) mientras que los estados de *din* (juicio o discriminación basada en mérito y gratitud al recibir) son pasados a la mujer. Psicológicamente esto significa que el marido pierde conciencia de sí mismo como objeto de atención y el único objeto de su atención pasa a ser su esposa. Él queda únicamente como dador de atención y cuidado.

De aquí que la *nesirá* conduce del egocentrismo al reconocimiento de la independencia objetiva del «otro». En otras palabras, la relación pasa de «yo-eso» a «yo-tú».

16. *Kidushín* 2b

17. *Bereshit Raba* 17:6; *Berajot* 62a.

18. La afirmación de nuestros sabios: «¿Quién es una esposa adecuada? Aquella que *hace* la voluntad de su marido» (*Tana d'vei Eliahu Raba* 9) es interpretada en el Jasidismo como «aquella que *rectifica* la voluntad de su marido» (nuestros sabios a menudo interpretan la palabra *hacer* como rectificar). La voluntad es la expresión primaria del ámbito más profundo y subconsciente del alma.

19. El valor numérico de la palabra hebrea «halló» es 131 que es igual al valor de la palabra «humildad», reforzando la idea de que ser humilde y anularse son requisitos previos para tener éxito para encontrar el consorte espiritual verdadero.

20. Génesis 2:9, 16-18

21. Los dos extremos del bien y del mal son denominados en el *Sefer Ietzira* (2:4) «placer» y «plaga»: «No hay bien mayor que el placer ni mal más bajo que la plaga». Las palabras en hebreo para «placer» –*oneg*– y «plaga» –*nega*– son en realidad permutaciones de las mismas tres letras, lo cual señala que la elección entre el bien y el mal (o bien puro y bien adulterado con mal) es esencialmente una cuestión de orientación.

22. Génesis 41:1-7

23. El estado de la tierra al comienzo de la creación: «sin forma, vacía y tinieblas sobre el abismo» (Génesis 1:2), no es explícitamente calificada de «no buena», aunque después de la creación de la luz «Dios vio que la luz era buena y separó Dios la luz de las tinieblas» (ibíd 1:4).

24. Véanse los discursos de apertura del *Sefer HaMaamarim* 5670, donde se indica que la variedad de luz cuyo simple propósito es brillar e iluminar la oscuridad es considerada oscuridad en relación a la luz verdadera.

25. «Soledad existencial» hace referencia al «ocultamiento del semblante Divino». Estar solo es estar «de espaldas» a Dios, al consorte o al mentor espiritual. Estar juntos es estar «cara a cara» (véase *Halom* 22 Iyar).

26. En hebreo *or makif rajok, or makif karov* y *or pnimi*, respectivamente.

27. El Midrash (*Bereshit Raba* 14:11) expone que hay cinco términos para el alma usados en la Biblia. En la Cábala (*Shaar HaGuilgulim*, introducción 1) se explica que éstos se refieren a los cinco niveles de conciencia del alma.

28. «Cerca» implica una dinámica de «entrar y salir de la mente» a la que se hace referencia como «tocar y no tocar»; véase más adelante.

29. Malaquías 2:10. En la Cábala, *jojmá* y *jaiá* están asociadas con la imagen del padre (el Rostro –*partzuf*– de *Aba*), *Tania* cap. 32.

30. *Jaia*, como nombre propio, es la rectificación de *Java*. Eva es la primera mujer que recibió ese nombre (en lugar de *Jaia*) a causa del pecado original. *Jaia* es, pues, un nombre genérico de la verdadera consorte espiritual en su estado más rectificado.

31. Benevolencia es la emoción primaria del corazón y se dice de ella que «acompaña» a las demás (*Etz Jaim* 25:2, *Pri Etz Jaim, Shaar Jag HaSukot* 1, véase *Zohar* 3:103ab, 191b).

32. *Likutei Torá* 2:34c

33. La rectificación de este nivel del alma depende de buenas acciones *en constante aumento*. Uno de los significados de *nefesh* es «aumentar» (*lafush*).

34. La *neshamá* puede verse tanto como un nivel de conciencia interno como circundante: es interno al ser consciente y circundante al referirse a la acción. El intelecto es solamente el motivador indirecto de la acción, relativo a la emoción, que es el motivador directo (*Tania*, cap.16 [22ab]). También desde el punto de vista físico, la cabeza es considerada tanto una parte del cuerpo como una entidad separada, hablamos de cabeza y cuerpo.

35. Ésta es la esencia de las enseñanzas del Jasidismo en general y del Jasidismo de Jabad en particular, ya que éste mantiene que el servicio divino comienza con meditación concentrada, al nivel de la *neshamá*.

36. El proceso psicológico involucrado en la elección del consorte espiritual es el tema de un estudio separado, *El desarrollo de la conciencia*.

37. *Bereshit Raba* 14:7

38. También podemos considerar que la razón interna por la que *Rosh Hashaná* es festejado durante dos días, es porque cada día es uno de los aniversarios de la humanidad. El primer día, en el que se manifiesta el aspecto riguroso del juicio de Dios (*Zohar* 3:231a), refleja el nacimiento colectivo de la humanidad; el segundo día, en el que se manifiesta el aspecto más apacible del juicio de Dios refleja el aniversario del matrimonio colectivo de la humanidad. En ciertos contextos de la ley judía, los dos días de *Rosh Hashaná* son considerados como un solo día prolongado (*Beitza* 4b, Rabeinu Nisim, *Comentario del Sefer HaHalajot*, *Veldaj*, Rashi, *Asura Beze*)

39. Véase *Tania*, cap. 2, las parábolas del Baal Shem Tov y Rabi Itzjak de Berditchev (*Torat Shmuel, VeKaja* 5637, 70) respecto a tocar el *shofar*.

40. Véase el Talmud de Jerusalén, *Rosh Hashaná* 3:8, *Korban HaEyda*. Fuentes respecto a la celebración de cumpleaños han sido compiladas en *Iom Malkeinu*.

41. Respecto a la celebración del aniversario de matrimonio, véase la prédica del Rabí de Lubavitch el 14 de *Kislev*, 5739.

42. *Taanit* 26b.

43. Y para distinguir entre amor verdadero y falsedades profanas. De los dos días el quince de *Av* es superior en este aspecto, pese a la mayor santidad de *Iom Kipur*.

44. Deuteronomio 30:19

45. El hombre, en particular, experimentará discretas instancias de sensación que le indican que la elección es correcta, mientras que la mujer experimentará una sensación general de potencial dinámico, que le hará sentir que la pareja está «bien fundamentada».

46. En la terminología de la Cábala, la «memoria» presente es el *reshimu* (impresión) del pasado, es decir, la luz infinita de Dios que llenaba toda la realidad antes del *tzimtzum* (contracción), cuando el origen del alma es uno con Dios. El *kav* (rayo de luz), que entra en el vacío creado por el *tzimtzum* y procede a formar mundos de la materia prima del *reshimu*, diseña el sendero divino hacia la meta final del futuro.

47. Los primeros ejemplos de este fenómeno en la Torá serán analizados a continuación.

48. Véase *Bereshit Raba* 8:7, *Zohar Jadash* 121c. véase *Or Torá* 1, donde se compara la inspiración que el pueblo judío confirió a Dios a causa de la cual Él contrajo Su luz con el fin de crear el mundo, al amor de un padre por su hijo, que le hace pretender que está a su mismo nivel intelectual (es decir, descender a su mundo) para relacionarse con él. Siendo que el amor entre marido y mujer es más ardiente que el amor entre padre e hijo, la *intensidad* de la inspiración divina que resultó en el mundo es más adecuadamente comparada al amor a primera vista.

La intensidad del amor a primera vista es la fuente del incentivo de crear una nueva realidad, sea un mundo o una familia. El surgimiento de la fuerza provocada por el amor a primera vista es ilustrada por la historia del primer encuentro entre Jacob y Rajel.

La expresión del amor *progresivo* de Dios por el pueblo judío (que no provoca un ímpetu creativo inmediato) puede considerarse como respuesta a la pregunta planteada en el comienzo de *Etz Jaim*: ¿Por qué Dios no creó el mundo antes?

49. Como mencionamos anteriormente, el Jasidismo interpreta la afirmación de nuestros sabios (*Tana d'vei Eliahu Raba* 9) «¿Quién es una esposa apropiada? Aquella que hace la voluntad de su marido» como «la que rectifica». La lectura literal del verbo hebreo «*osé*» es «hacer», implicando que la esposa apropiada no solamente rectifica la voluntad de su marido sino que en realidad la produce. Antes de la creación, el mero pensamiento en la «esposa apropiada» era suficiente para producir la voluntad de crear realidad.

50. Esto es especialmente cierto en nuestros días, ya que muchos de nosotros hemos pasado por varias reencarnaciones y la persona corriente evidencia madurez de *Tikún* (multiplicidad de recipientes) más que *Tohu* (intensidad de luces). Por ende nuestro sentido de identidad interna es más complejo, haciendo más difícil identificar espontáneamente a nuestro consorte espiritual predestinado.

51. *Sifra*, introducción.

52. Si una excepción no es pertinente a la regla, no puede ser considerada válida, y la tentación de considerarla tal es un engaño que la imaginación no rectificada (como será explicado) nos intenta imponer.

53. En la terminología de la Cábala, amor a primera vista involucra «luces ilimitadas de *Tohu*». Con esfuerzos de devoción y ayuda divina, estas luces pueden ser recogidas con éxito dentro de los maduros

límites de los «recipientes de *Tikún*». El esfuerzo comienza con la adquisición de paciencia, que será explicada en el capítulo 9.

54. Siendo que el amor a primera vista es una anticipación de la intensidad del amor maduro, su misma experiencia puede enseñar humildad a la pareja que lo experimenta, ya que les hará entender que la divina providencia «sabía» que carecían de la paciencia necesaria para dedicarse a toda una vida de amor progresivo. Es verdad que es un precepto y una bendición probar los platos del Shabat antes del Shabat, pero esto en sí puede verse como una concesión divina, destinada a quienes de otra forma serían incapaces de prepararse para el Shabat solamente basándose en su fe. Y sin embargo, el sabor completo de la comida del Shabat sólo puede sentirse en el mismo Shabat (*Shabat* 119a), así como la consumación del amor progresivo excede al sabor anticipado experimentado en el amor a primera vista. Como trataremos más adelante, cada Shabat particular es tanto la consumación del Shabat anterior como el comienzo de un proceso que concluye con el Shabat próximo. El saboreo anticipado del Shabat, considerado un anticipo del segundo Shabat (que se relaciona con el advenimiento del Mesías) no debe ser comprendido como una concesión divina a la debilidad humana, sino como una manifestación de nuestra capacidad de apresurar la llegada del Mesías.

55. Amor es la emoción asociada con la *sefirá* de *jesed*.

56. La vista (especialmente primera vista y percepción) es el sentido asociado con la *sefirá* de *jojmá*. *Jojmá*, la primera *sefirá* de la mente, es la fuente de *jesed*, la primera *sefirá* del corazón, razón por la que *jesed* aparece directamente bajo *jojmá* en el eje derecho del árbol de las *sefirot*. *Aba* (padre) es el Rostro, el *partzuf,* identificado con la *sefirá* de *jojmá*.

57. Meditación (*hitbonenut*) es el proceso mental asociado con (y etimológicamente derivado de) la *sefirá* de *biná*, que es identificada con el Rostro, *partzuf,* de *Ima* (madre).

58. En la terminología de la Cábala esta es la experiencia pura de *mojin d'Aba* cuando no se une con *mojin d'Ima*. Es a este sentido al que alude la frase «grande en santidad» (Éxodo 15:11). En este nivel de conciencia, pasado, presente y futuro existen simultáneamente, las ramificaciones futuras de la percepción seminal (el amor) ocurren junto con la misma percepción (la primera vista).

59. En contraste con el fenómeno previo, esta experiencia es la unión refinada de *mojin d'Aba* y *mojin d'Ima*.

60. La interpretación que dan nuestros sabios a la frase «la mujer preñada junto a la mujer dando a luz» (Jeremías 31:7) es que «la mujer está destinada en el futuro a dar a luz a diario» (*Shabat* 30b).

 La gestación es el resultado del pecado de comer el fruto del árbol del conocimiento del bien y del mal (Génesis 4:1). Rashi dice: «En la hora octava [del sexto día, cuando fueron creados], dos [Adán y Eva] entraron en la cama y salieron cuatro [ellos y sus hijos Caín y Abel] (*Sanhedrín* 38b). Por lo tanto cuando se enmiende el pecado, las cosas volverán a su estado anterior. Como lo explicamos, el pecado original es sinónimo de egocentrismo. Por ende es el egocentrismo el que hace que todo lleve tiempo y deba transcurrir un proceso de desarrollo. En su ausencia la vida se hace espontánea, afín a un constante estado de amor a primera vista.

 De la misma manera, a causa del pecado de los espías, el pueblo de Israel debió sufrir un proceso de preparación de cuarenta años para entrar en la tierra de Israel en lugar de entrar directamente después del éxodo de Egipto (Números 14:34). Este período de cuarenta años es análogo a los cuarenta días que el feto requiere para formarse en el útero (*Nidá* 30a).

61. En general, la era mesiánica es vista como una restauración del estado de cosas tal como era antes de la destrucción del Templo o del pecado original, es decir, «renueva nuestros días como antaño» (Lamentaciones 5:21). Así, que en el futuro, el amor a primera vista se convierta en regla más que en excepción, sugiere que éste era el caso originalmente. Vimos que el amor a primera vista

caracteriza las relaciones de la mayoría de los patriarcas y matriarcas, así como las del rey David, el ancestro del Mesías. Finalmente, indicamos anteriormente que amor a primera vista es actualmente una excepción más que una regla, parcialmente por la compleja estructura psicológica que poseemos a causa de nuestra historia de encarnaciones previas. Obviamente, antes de ser así, el amor a primera vista era más regla que excepción, y volverá a serlo cuando se corrija esta condición en el futuro.

62. *Berajot* 57b, *Ialkut Shimoni, Ki Tisa* 390, *Tamid* 7:4, *Midrash Ele Ezkera* (citado en *Otzar HaMidrashim*).

63. *Jojmá*

64. En la Cábala, el Shabat se identifica con el poder de visión espiritual, siendo ésta una manifestación de *mojin d'Aba*.

   La palabra *shabat* en sí alude al ojo (*Zohar* 2:20a): la letra *shin* de Shabat posee tres cabezas que aluden a los tres colores del ojo, el blanco, el rojo de los vasos sanguíneos sobre el blanco y el color del iris (sea marrón, azul, verde, etc.). Las otras dos letras de Shabat (*bet* y *tav*: *bat*) significan «hija» en hebreo, que es el término en hebreo para designar la pupila negra (*bat ain*).

65. Ésta es la manifestación de la experiencia amorosa en el mundo primordial del *Tohu* (caos), el estado inestable del ser cuyos recipientes inmaduros son incapaces de contener sus luces y se rompen.

66. «Si el pueblo judío observase adecuadamente dos Shabat, sería inmediatamente redimido» (*Shabat* 118b). En otro lugar del Talmud de Jerusalén (*Taanit* 1:1) esto se afirma respecto a un Shabat, de modo que la interpretación de la primera frase es que el pueblo judío sería redimido si observase ambos aspectos de un solo Shabat (*Zohar* 1:5b, *Likutei Torá* 2:41a).

67. La primera está asociada a *Mashiaj ben Iosef* y la segunda a *Mashiaj ben David*. Las tres plegarias diarias (*Shajarit, Minjá* y *Arvit*)

corresponden a los patriarcas (Abraham, Isaac y Jacob, respectivamente). La única plegaria adicional de Shabat, *Musaf*, corresponde a Iosef (tanto *Musaf* como *Iosef* derivan de la raíz «sumar»); el *Arvit* de *Motzaei Shabat* y la comida *melave malka* que constituyen la conexión entre el Shabat saliente y la semana entrante corresponden al rey David. La influencia del rey David se extiende a toda la semana siguiente preparando a las almas de Israel para el advenimiento del segundo Shabat, que representa el epítome de la era mesiánica, cuando el orden natural sea reemplazado.

Alternativamente (de acuerdo con la interpretación citada en la nota anterior) los dos tipos de amor a primera vista se reflejan en los dos niveles espirituales de cada Shabat: el Shabat por la noche es la celebración de la mujer, que en la terminología de la Cábala está compenetrada con la conciencia de la unión refinada de *mojin d'Aba* y *mojin d'Ima*. El día del Shabat es una conciencia masculina más elevada del puro *mojin d'Aba*. La noche del Shabat es el nivel del rey David, que representa a *maljut*, a la mujer; el día del Shabat es el nivel de Iosef, que representa al *iesod*, el hombre. En el futuro, cuando sea manifiesto que «la mujer de valor es la corona de su marido» (Proverbios 12:4), el nivel del rey David se elevará sobre el de Iosef.

68. Génesis 24:64-65

69. Ibíd 29

70. 1 Samuel 25, *Meguilá* 14b

71. 2 Samuel 11-12

72. Según nuestros sabios (*Bereshit Raba* 18:4) las palabras «ésta es ahora» aluden a que cuando Dios creó a Eva para Adán por vez primera la amputó de él cuando estaba despierto, la vio sangrando y la apartó. La segunda vez Dios la creó cuando Adán dormía. Cuando despertó y la vio en su belleza consumada (adornada por el mismo Dios), exclamó «¡ésta es ahora!». La palabra usada aquí

para indicar tiempo (*paam*) incluye una sensación de exaltación del corazón y el espíritu (*peimá*), como en el versículo «Y el espíritu de Dios comenzó a exaltarlo...» (Jueces 13:25).

Además notemos que el valor numérico de *paam* es 190, que es igual a 10x19, aludiendo a la manifestación de los diez poderes del alma combinados con el número 19, el cual es el valor numérico de Eva. El número 190 también es el valor numérico de la costilla o costado (*tzela*) de Adán del que Dios creó a Eva. El número 19 es el único número cuyo triángulo es igual a 10 veces él mismo (porque 10 es el punto medio de 19).

Notablemente, esta instancia prototípica de amor a primera vista sucede como un contraste a una experiencia anterior decepcionante. Podemos entonces inferir que a menudo hace falta una experiencia rechazada (cita o *shiduj*) para que la experiencia siguiente de amor verdadero sea real. La misma experiencia de la decepción sirve para engendrar el sentido de altruismo necesario para relacionarse con el consorte verdadero como un alma individual que comparte una raíz espiritual común, más que una mera extensión del ego propio, como ya explicamos.

A un nivel más profundo, sin embargo, el mero rechazo (tanto si es de inmediato, como si ha pasado un período de tiempo) de la(s) experiencia(s) decepcionante(s), demuestra que uno, efectivamente, posee cierta conciencia (o memoria) de una raíz espiritual común. Esta conciencia nos permite reconocer todo encuentro diferente al verdadero como un error.

Al rechazar candidatos inadecuados antes de confirmar al verdadero, el hombre de modo inconsciente emula a Dios, a cuya imagen fue creado. Nos enseñan que antes de crear este mundo, Dios «creó y destruyó mundos, hasta que Él creó este mundo, del que dijo: "Éste Me complace, mientras que aquellos Me desagradan"» (*Bereshit Raba* 9:2). Esto no significa que al comienzo Dios no lograra crear un mundo tal como lo deseaba, sino que Él deseaba contrastar y de esta manera aumentar la experiencia de luz con la de oscuridad. Los actos de Dios son una lección para el hombre, para inculcarle un instinto del bien (placentero) y del mal (desagradable).

73. También le dijo a sus padres y hermano que ella se casaría con Isaac incluso en contra de su voluntad (*Bereshit Raba* 60:12, Rashi sobre el Génesis 24:58).

74. La Torá alaba a Rebeca por ser «una virgen a quien ningún hombre conoció» (Génesis 24:16). Guardando su virginidad Rebeca evitó la necesidad de sufrir una experiencia decepcionante antes de encontrar a su verdadero consorte espiritual.

Sin embargo Isaac al principio no estaba seguro de la virginidad de Rebeca (véase en *Pirkei d'Rabi Eliezer* 16, que Isaac sospechaba que Eliezer había tenido relaciones ilícitas con ella) y por lo tanto evitó experimentar amor a primera vista. Sólo después «la llevó a la tienda de su madre Sara... y la amó» (ibíd. 24:67). Una vez seguro de la integridad personal de Rebeca y tras comprobar que era tan justa como su madre Sara (Rashi), se permitió experimentar amor en toda su intensidad.

75. Génesis 29. En la terminología de la Cábala, ellos personifican la unión de los Rostros *Zeir Anpin* y *Maljut*.

76. Significativamente, el valor numérico del versículo que expresa el punto culminante del amor descrito en el Cantar de los Cantares (7:7): «¡Cuán hermoso y grato eres, amor deleitoso!», es 1750, que es idéntico al valor de los dos nombres, Jacob y Raquel, cuando cada una de sus letras se escribe completa. El valor promedio de las 25 letras del versículo es 70 (1750/25=70), el valor de *iain* (vino) y *sod* (secreto). El valor promedio de las siete letras de Jacob Rajel (cuando se escribe el nombre de las letras) es 250 (1750/7=250), el valor de *ner* (vela). El candelabro, la *menorá* del Santo Templo, posee siete velas, que representan los siete niveles generales de las almas de Israel (*Likutei Torá* 3:29). El vino solía vertirse sobre el altar del Santo Templo. De la equivalencia de «vino» y «secreto» dicen nuestros sabios: «Cuando entra el vino sale el secreto» (*Eruvin* 65a). El secreto más recóndito revelado por el servicio en el Templo es el «amor delicioso» de Dios por su pueblo Israel (personificado por Jacob y Raquel).

77. Génesis 28:2. Además «todos decían "Rebeca tiene dos hijos y Laban dos hijas, la hija mayor será del hijo mayor y la menor para el hijo menor"» (*Bereshit Raba* 70:17, 71:2, Rashi sobre Génesis 29:17). Laban prometió a Jacob que Raquel sería de él, mas en la noche de bodas engañó a Jacob dándole a Lea en lugar de Raquel. Le dió a Raquel sólo después. Puede ser que Jacob pudo ser engañado por Laban porque al haber comprado la primogenitura de Esaú, de alguna manera era tanto el hijo menor como el mayor.

78. Rashi sobre el Génesis 29:11

79. En hebreo, la construcción usada para expresar engaño es «robar la mente (*daat*)»

80. Aunque Jacob cuando se casó no había tenido relaciones carnales, (véase *Bereshit Raba* 98:4, Rashi sobre Génesis 49:3) aún así, debía casarse con Lea para ser capaz de contraer matrimonio adecuadamente con su consorte espiritual Raquel, hacia quien había sentido amor a primera vista. Raquel era el consorte espiritual «revelado», mientras que Lea era su consorte espiritual «oculto». Su decepción con Lea no lo condujo a rechazarla (como hizo Adán con la primera creación de Eva) sino que le sirvió para elevarlo a un nivel de conciencia superior, de modo que pudiese apreciar también a su consorte oculta. Esta apreciación de Lea, la madre de seis de sus hijos, también sirvió para salvaguardar la intensidad de su amor por su consorte revelada, Rajel, es decir, para recoger las dispersas luces de *Tohu* en los recipientes maduros de *Tikún*.

81. 1 Samuel, 25:3

82. Es decir hasta que Naval muriese y ella fuese libre. Véase Talmud de Jerusalén, *Sanhedrín* 2:3, *Midrash Shmuel* 23:12.

83. *Meguilá* 14b.

84. El poder del alma de esperar es una función de su *daat* (como manifiesta su origen en *keter*). Como se explicará, en este incidente David demostró el nivel más bajo de *daat* (y por lo tanto fue incapaz de esperar).

85. *Sanhedrín* 107a, *Shabat* 56a, *Zohar* 1:8b, 3:78b.

II. EL PODER DE LA IMAGINACIÓN

1. En la terminología de la Cábala, «rectificar» significa «confinar» un aspecto de las «luces» dispersas del mundo del *Tohu* (caos) en los «recipientes» limitantes del mundo del *Tikún* (rectificación). Considerando que el Nombre de Dios *Havaiá* comienza con una letra *iud* (la forma de la cual, un punto, denota contracción o concentración –*tzimtzum*), significa que la limitación es la condición imperativa para comenzar todo proceso de rectificación. El desafío de la vida espiritual es retener la energía descontrolada e inocente de *Tohu* incluso después de haberlos confinado en los recipientes de *Tikún* (véase *Torá Or*, pág. 24-25).

En cierto pasaje (Deuteronomio 22:5), el Targum traduce al arameo el verbo hebreo «vestir» y los términos usados para «vestimenta» como tres formas de la raíz *takan*, cuyo significado básico en hebreo es «rectificar» (enmendar). Esto sucede porque la vestimenta sirve para definir y dirigir a la persona que la usa.

En adición, tanto la palabra hebrea como la aramea para «recipiente» también se refieren a «vestimenta» (como en la frase del versículo citado). Los preceptos se suelen describir como la «vestimenta» del alma Divina (véase *Tania* cap.4).

2. El poder de la imaginación puede facilitar en sí mismo la realización de nuestros sueños y objetivos, como en la frase de los rabinos de Jabad: «Piensa bien, y estará bien» (*Igrot Kodesh Admor Rayatz*, vol.2, pág. 537; vol.7, pág.197).

3. *Likutei Moharan* 1:54. Se expresa ante todo como el «mal ojo», una expresión de celos o paranoia, que degenera en la «mala lengua», que se manifiesta en chismes y calumnias.

4. *Tania* cap. 26, *Maamarei Admor HaZaken* 5562, pág. 52.

5. Este mundo es conocido en la Cábala como el «mundo de la mentira», (véase *Zohar* 1:192b), significando que las cosas aparecen falsamente conectadas y dependientes unas de otras. La palabra hebrea para mentira (*sheker*), al permutar sus letras, resulta en la palabra hebrea para conexión (*kesher*), lo que indica que la rectificación de este mundo se efectúa mediante el uso adecuado de las facultades asociativas de la imaginación.

Como se explica en el Jasidismo (*Torá Or* 28c), toda interpretación exacta de un sueño depende de la capacidad de «coser» en orden correcto las asociaciones desordenadas e incorrectamente conectadas de la imaginación. La palabra para «interpretador de sueños» (*poter*, véase Génesis 40) se permuta por «costurero» (*tofer*). Este término es usado en referencia a José, el interpretador de sueños arquetípico, y la palabra usada para describirlo como «atrayente» (porat, ibíd. 49:22) es otra permutación de las dos palabras anteriores.

Nuestros sabios nos enseñan que Adán soñó a Eva antes que ella fuese creada de él (*Bereshit Raba* 18:4). Siendo que el tema del primer sueño fue la mujer, resulta que la esencia del sueño refleja el anhelo por un consorte espiritual (véase *Zohar* 1:149a). En el alma no rectificada, este anhelo tiende a aparecer en forma de fantasías sexuales degeneradas. No es sorprendente, entonces, que José, que es conocido como «el justo» (*tzadik*) porque cuidaba tenazmente la pureza de su sexualidad, es también el intérprete arquetípico de los sueños. La pureza sexual purifica el poder de percepción, la capacidad de introducirse en los motivos inconscientes expresados en los sueños, de «desatar» los «nudos» inconscientes de la psique y «coser», en forma rectificada, la urdimbre de la consciencia.

6. En la Torá, cada estado espiritual y psicológico es tipificado como una figura humana, un objeto físico o un evento temporal. La tipificación primaria del poder imaginativo innato, no rectificado en general y de lo idílico en particular, es el becerro de oro. De hecho, la expresión que indica el poder de imaginación (*koaj hamedame*) es numéricamente equivalente a «el becerro de oro» (*egel zahav*, 122).

En hebreo la palabra «becerro» (*egel*) es análoga a la palabra «círculo» (*agol*). En la Cábala se explica que la imaginación no rectificada deriva de la consciencia de la revelación «circular» de la Divinidad, en la que todas las imágenes y asociaciones son igualmente legítimas, de la misma manera que todos los puntos de la circunferencia son equidistantes del centro. La rectificación de la imaginación se efectúa mediante la concienciación de la revelación «recta» de la Divinidad, que ordena y orienta correctamente los conceptos, excluyendo de esta forma asociaciones falsas y estableciendo verdaderas (véase *Torá Or*, anterior).

El becerro era idolatrado por los egipcios. La nación egipcia en sí misma es descrita como «tierra de lascivia» (literalmente «la desnudez de la tierra», véase Génesis 42:9,12; Isaías 20:4;) y como el «bello becerro» (Jeremías 46:20). Lascivia, por supuesto, es la falsa indulgencia y las asociaciones sexuales ilusorias. De los diez sueños mencionados en la Torá, cuatro son comunicaciones explícitas de Dios o de Su ángel dirigidas al hombre que sueña y seis deben ser interpretados. Cada uno de estos seis está relacionado de alguna forma con Egipto.

7. Es teóricamente posible que dos consortes espirituales no sean compatibles. Por ejemplo, puede ser que en lo alto se haya decidido que dos personas incompatibles se casen con el fin de rectificar encarnaciones anteriores o tengan hijos que solamente ellos pueden producir con su unión. Hay en efecto ejemplos de sabios talmúdicos que tenían esposas difíciles (véase *Ievamot* 63b), así como mujeres justas que tenían maridos problemáticos. Tales casos, sin embargo, son excepciones.

8. Esto concuerda con el principio general de «aléjate del mal y haz el bien» (Salmos 34:15). Notemos sin embargo, que según el Baal Shem Tov, de acuerdo con el temperamento de nuestra generación, la interpretación de este versículo es que es mejor «darle la espalda al mal (simplemente) haciendo (más) bien» (*Likutei Sijot*, vol. 1, pág. 124; vol. 2, pág. 474). Esto concuerda con el principio «alcanza una pequeña luz para disipar una gran oscuridad» (*Jovot HaLevavot* 5:5; *Tania* cap. 12 [17a], basado en Eclesiastés 2:13).

En realidad, el Baal Shem Tov habla de «darle la espalda al mal» revelando el núcleo de bien inherente al mismo mal, que de esta forma se transforma en bien (*Keter Shem Tov* 41, 69, 89). Sin embargo esta es una empresa sumamente delicada, generalmente reservada para los justos. El Rabí de Lubavitch, sin embargo, (*Likutei Sijot*, anterior) aplica el principio «darle la espalda al mal haciendo bien» al hombre común diciendo que «darle la espalda al mal» significa «ignorar el mal» y estar dedicado solamente a «hacer el bien». Incluso así, es necesario tener conciencia de las etapas sucesivas, de acuerdo a la lectura simple del versículo.

9. Incluso más insidioso es cuando uno está condicionado a servir los propósitos de otro, incluso cuando esto es en detrimento de uno mismo. En general, tanto la propaganda consciente como la subliminal, promovida por los varios medios de comunicación, da por sentado el egocentrismo y simplemente aspira a convencernos o «programarnos» para que sintamos que suscribiéndonos a su programa (o estilo de vida, o preferencias de consumo, etc.) nos satisfará.

10. Es cierto que uno puede permanecer externamente ávido de estímulo, como afirman nuestros sabios: «Posee el hombre un pequeño miembro, cuanto más lo alimenta, más hambriento está...» (*Suka* 52b). Pero este apetito externo esconde apatía e incredulidad internas tras una apariencia de espiritualidad y amor verdadero. De aquí la importancia que la Torá atribuye a la virginidad física y emocional (de ambos sexos) hasta el matri-

monio, fidelidad en el matrimonio y de ahí también todas las leyes y prácticas sociales del estilo de vida de la Torá, destinadas a limitar las interacciones fútiles entre los sexos. El propósito de todas éstas, es preservar la inocencia del amor y evitar la promiscuidad y el desgaste del aspecto romántico del individuo. Y decididamente «nada debe interponerse en el camino del retorno –la *teshuvá*» (*I. Peah* 1:1; *Zohar Jadash* 19:4), y como lo afirmamos anteriormente, una renovada y firme dedicación y orientación hacia Dios y la Torá, pueden conferirnos una segunda inocencia. Pero uno debería intentar evitar esta necesidad.

11. Eventualmente, dicha persona perderá incluso su deseo de toda forma de estímulo, incluyendo las relaciones sexuales.

12. *Halom Iom*, 16 *Sivan, Igrot Kodesh Admor Ha Rayatz*, vol. 4, pág. 354, vol.9, págs. 194-5.

13. «La luz interna en ella lo restituirá al camino correcto» (*Eija Raba*, Introducción 2; *I. Jaguiga* 1:7).

14. Por supuesto que debemos buscar la ayuda de Dios en todo momento. En las palabras de nuestros sabios: «Que ese ore todo el día» (*Berajot* 21a). Cuanto más abierto está nuestro corazón, más espontáneas y fluidas son nuestras plegarias. La Torá denomina a un corazón «abierto» un corazón «puro». (véase *Tania* cap. 26). La pureza de corazón (*tahara*) es función de la rectificación de la imaginación. Una alusión a esto puede encontrarse en el hecho de que las palabras «imaginación« (*koaj medamé*) y «sangre» (*dam*) están etimológicamente relacionadas. En la ley la sangre es una indicación primaria de impureza. La plegaria es ofrecida «por la sangre» (véase *Berajot* 10b). Las plegarias de un corazón puro no reemplazan la acción sino que la motivan (véase *Tania* anterior). Le inspiran a uno a cumplir todo lo que pueda mediante acción directa y sólo después respaldarse en la plegaria. En este contexto, la máxima popular «Dios ayuda a quien se ayuda a sí mismo» significa que quien actúa dinámicamente con

la ayuda continua e implícita de Dios, es asistido por Él para lograr mucho más de lo que lograría de cualquier otra forma.

Contaminación ritual (*tumá*), por otra parte, es una condición espiritual resultante de cualquier contacto con la muerte o con un nexo vida-muerte. Psicológicamente «muerte» es la languidez que resulta de melancolía o pesimismo, que a su vez son resultado de una imaginación no rectificada. (Incluso en idioma vernáculo usamos la palabra «muerto» o «mortal» para referirnos a insensibilidad o inclemencia). De la misma manera que la Torá describe varios rituales de purificación para los diversos niveles de contaminación, hay técnicas correspondientes para desembarazarnos de la contaminación psicológica o «mortalidad». Aunque por supuesto todo esto depende de la ayuda Divina, alguien tan carente de inspiración que se siente totalmente incapaz de motivarse a sí mismo, debe confiar enteramente en la compasión de Dios. Estando espiritualmente «muerto», necesita ser espiritualmente resucitado. Esta resurrección ocurre mediante la compasión Divina, tal como lo indica la liturgia: «Quien con abundante compasión resucita a los muertos». En las palabras del profeta Amós (5:2): «La virgen de Israel ha caído y ya no puede levantarse». Esto puede comprenderse como una referencia a un estado de conciencia en el que la inocencia innata del pueblo de Israel ha caído a un nivel del que ya no puede levantarse con sus propias fuerzas. Sólo la compasión divina puede levantarlo, purificarlo y reintegrarlo a su nivel ideal.

Todo lo que uno puede hacer en esta situación es encaminar todas sus acciones y plegarias a despertar la compasión de Dios (para él y para todo Su pueblo) y confiar en Él con simple fe.

15. El objetivo principal de la plegaria es despertar la compasión de Dios (véase *Likutei Torá* 3:78c), que es la razón por la que nuestros sabios se refieren a la plegaria como «compasión» (*rajmei*).

16. Estas incluyen: camaradería y buscar la ayuda de amigos o ancianos sabios; melodía y danza; actos de bondad, caridad y filantropía; recitar salmos o pasajes del *Zohar* y textos jasídicos

clásicos (aunque uno no comprenda enteramente su contenido) y la inmersión en la *mikve*.

17. La sensación de inspiración sólo puede ser tan pura como su fuente. Siendo que la Torá es la única fuente pura de inspiración Divina, sólo ella puede inspirar de manera totalmente potente y pura.

18. Practicar estas actividades con el fin de revivir la inspiración es un ejemplo de la enseñanza de nuestros sabios: «Uno debe siempre ocuparse de la Torá y las buenas acciones, aunque sea no por ellas mismas, porque quien lo hace no por ellas mismas, acabará haciéndolo por ellas mismas» (*Pesajim* 50b).

Ocuparse de la Torá y los preceptos «no por sí mismo» (*lo lishmá*) puede referirse a muchos y diversos estados e intenciones. En el pensamiento jasídico, el más elevado de estos niveles es cuando uno intenta que su estudio de la Torá y su observación de los preceptos sea con el fin de rectificarse espiritualmente. Esta actitud linda con ocuparse de la Torá «por sí misma», que es puramente por cumplir la voluntad de Dios en la creación.

El jasidismo nos enseña que con respecto a este nivel superior nuestros sabios dicen (y prometen): «Uno debe siempre ocuparse de la Torá y las buenas acciones, aunque sea no por sí mismas, porque quien lo hace no por ellas mismas, acabará haciéndolo por ellas mismas».

De acuerdo con otra interpretación, sólo cuando uno *sabe* que su estado actual de servicio a Dios no es «por sí mismo» y esta situación le preocupa, merecerá servir a Dios «por Él mismo». Abandonar el autoengaño es el primer paso hacia la rectificación de la imaginación, como ya hemos dicho.

19. ¿Porque dónde (*meain*) se encuentra la *jojmá*? (Job 28:12) se interpreta como «la *jojmá* aparece de la nada (*ain*)».

20. La palabra *biná* es derivada de la raíz *bein* que, como preposición, significa «entre»: la *biná* ve tanto las asociaciones «entre» las entidades como distingue «entre» ellas.

21. *Berajot* 19a; *Mishne Torá, Talmud Torá* 1:11; *Shuljan Aruj HaRav, Talmud Torá* 2:2.

22. El término hebreo para «poder imaginativo» (*koaj hamedamé*) significa más literalmente «el poder [nato] asociativo [de la mente]», porque la palabra *medamé* proviene de la palabra *dmut* (semejanza), como en las palabras de Dios al crear al hombre (Génesis 1:26): «Hagamos un hombre a nuestra imagen y semejanza».

La misma palabra «hombre» en hebreo –*adam*– es análoga a la palabra «semejanza» –*dmut*– razón por la que «hombre», *adam*, aunque creado de la tierra, *adamá*, puede decir «me asemejaré al Altísimo» –*adamé* (Isaías 14:14), como diciendo que la esencia del hombre es tierra que se imagina en el cielo.

En el relato de la creación, la palabra «hombre», *adam*, significa tanto hombre (Adam) como mujer (Eva), como se dice en forma explícita: «... y Él *los* llamó Adam el día que los creó» (Génesis 5:2, *Ievamot* 63a). El componente masculino de la imaginación es la característica de ascensión al cielo, mientras que su componente femenino es la característica de no perder el contacto con la realidad.

Es significativo notar que el término vernáculo «imaginación» deriva de «a nuestra imagen». Para establecer asociaciones («a nuestra semejanza») uno debe comenzar por poseer el poder de imaginar («a nuestra imagen»).

23. El ejemplo primario de esto son las inconsistencias comunes en los sueños.

24. Están enumeradas en la introducción al *Sifra*, y se recitan como parte de la plegaria matinal diaria.

25. Esta es la «analogía verbal» (*gzerá shavá*) entre dos versículos que usan la misma terminología en contextos diferentes. En base a la analogía, uno aplica las leyes correspondientes a un contexto también en el otro.

26. A veces parece que un sabio talmúdico introduce una innovación en una analogía verbal. En ese caso, él la recibe mediante la cadena de la tradición desde Moisés, sólo que aquí se transmite de generación en generación a través de los niveles de la conciencia superior en las almas de los sabios. Este es el significado de «inspiración». Para que sea genuina, el sabio innovador debe realmente anular su ego ante las grandes almas que lo preceden y observar la consistencia de la cadena de la tradición, desde el tiempo de Moisés hasta el suyo. Este auténtico *bitul*, anulación, consigue que la Torá sea nuevamente entregada en ese momento presente, como se manifiesta en la «nueva» analogía verbal. Esta analogía, como un matrimonio, da a luz a nuevas dimensiones de comprensión.

La imaginación rectificada recibe de esta forma su inspiración de las grandes almas y de los sabios anteriores.

27. El ejemplo primario de este tipo de razonamiento es el primero de los trece métodos exegéticos talmúdicos, inferencia *a fortiori* (*kal vajomer*, deducción de lo complejo de lo simple o *din*, juicio).

28. O el estudio de otras partes de la Torá que utilizan metodología talmúdica.

29. Como señala Rabí Itzjak de Homil (*Jana Ariel* 2:47b), la lógica del Talmud, a diferencia de la lógica puramente racional, es un método único de razonamiento afín a la psique del pueblo de Israel.

30. Véase *Shabat* 31a, Rashi sobre Éxodo 31:2, *Mishné Torá y Shuljan Aruj HaRav*, anterior, véase *Teshuvat HaShana*, cap. 21.

31. La asociación es análoga al «universo en expansión», mientras que la inducción es como atravesar el punto de singularidad («agujero negro») de un universo existente con el fin de entrar en otro nuevo.

Por esta razón, la frase «una cosa desde dentro de otra» equivale a 878, que a su vez equivale a las palabras: *Mashiaj* (deletreada) y *Oscuridad* (deletreada). Los tres niveles de oscuridad presentes en el momento de entrega de la Torá: «tinieblas, nube, bruma» (Deuteronomio 4:11). Estos tres («tinieblas, nube, bruma»), corresponden al pasado, presente y futuro. Del pasado se dice: «y la tierra *era* informe y vacía y las tinieblas...» (Génesis 1:2). Del presente está escrito: «Este asunto que *sucede* en la tierra» (Eclesiastés 8:16). (El término *inian* es análogo a *anán*, y esta palabra aparece exclusivamente en el Eclesiastés y siempre en referencia a una realidad presente mala y oscura. El mago que selecciona tiempos propicios (de acuerdo a ciertos comentarios mediante la contemplación de las nubes) es llamado un *meonen*, análogo a *anan*. Se dice del futuro: «*Finalmente* todo ha sido escuchado...», (Eclesiastés 12:13, el *fin* del libro del Eclesiastés, cuyas letras *finales* deletrean *arafel*).

«La ventaja de la luz [que surge de las tinieblas]» (Eclesiastés 2:13).

«Y vi un mundo invertido» (*Pesajim* 50a; *Bava Batra* 10b). Esto se dice del «mundo de la verdad», los «nuevos cielos y la nueva tierra» (Isaías 66:22), que aparece invertido en relación a nuestra realidad presente: «el mundo de la falsedad».

Esta serie de equivalencias nos enseñan que el *Mashiaj* revelará un universo totalmente nuevo desde la profunda oscuridad del existente.

32. *Biná* es un poder «circundante», relativo tanto a la percepción seminal de *jojmá* (al que circunda y alrededor del cual construye sus estructuras mentales) y a las emociones que genera. Las dos facultades de *biná*, asociación e inducción, expresan los dos significados centrales de la palabra *makif*, «tocar» y «rodear». Asociación corresponde al significado «tocar», ya que es una yuxtaposición de ideas. Inducción corresponde al significado «rodear» ya que se dice que toda causa rodea a su efecto. En inducción el efecto es el concepto actualmente comprendido, que se extiende hacia arriba o hacia bajo en busca del arquetipo depurado que es su causa.

En la terminología de la Cábala y el jasidismo, la imaginación es la manifestación más externa y superficial del Rostro de *Ima*.

Esta dimensión de la mente se hace consciente cuando las dimensiones más interiores retroceden (como al dormir, los sueños son la expresión primaria de la imaginación [véase nota 5 y *Duermo, mas mi corazón está despierto*, notas 1-3]). La imaginación está arraigada en el *gulgalta* (el makif de *Arij Anpin*), mientras que la intuición está arraigada en la *mojá stimahá* (el pnimí de *Arij Anpin*).

33. El término talmúdico para intuición es «la verdad es reconocible» (*Sotá* 9b, etc.). La intuición proporciona el sentido de cuán lejos uno puede llegar de modo legítimo en el proceso de inducción.

34. Esto incluye el estudio del Talmud pero, como se explicará a continuación, es el estudio de la Cábala y el jasidismo lo que refina más adecuadamente este aspecto de la imaginación.

35. La prohibición de darle un mal uso a la imaginación para predecir el futuro en base a extrapolaciones falsas del presente es «no adivinarás» (Levítico 19:26). Iosef, que usa su imaginación rectificada para interpretar los sueños correctamente, dice: «¿No sabéis que un hombre como yo puede adivinar?» (Génesis 44:15). El verbo adivinar (*najash*) significa también «serpiente». Pero también es el equivalente numérico del rectificador de la serpiente primordial y de la imaginación caída y corrupta, *Mashiaj* (358).

36. El hombre fue originalmente creado con una imaginación pura y rectificada, como está escrito: «Dios hizo al hombre recto, pero ellos han buscado muchas perversiones» (Eclesiastés 7:29).

37. Joel 3:1

38. Esto sucede porque el amor es la emoción primaria de la que se derivan todas las demás. Véase nota 32.

39. De aquí que rectificar los conceptos de amor e idilio es la clave para rectificar la imaginación, que a su vez permiten experimentar verdadero amor e idilio en la vida de cada uno.

40. En las palabras de Rabí Shneur Zalman de Liadi: «El verdadero amor a Dios se expresa totalmente sólo en el amor a sus correligionarios, porque al amar a sus correligionarios, está amando a Sus amados» (*Haiom Iom*, 28 Nisan).

41. Estas tres etapas son paralelas a la dinámica tripartita de «sumisión, separación y endulzamiento». Las últimas dos etapas son paralelas a la doble dinámica de «correr y regresar».

Abandonar las falsas concepciones de amor e idilio	Sumisión	Separación	Endulzamiento
Abstracción del amor e idilio mundanos del amor Divino	Separación	Correr	Abstracción
Manifestación de la unión Divina en el amor mundano	Dulcificación	Regresar	Investir

III. LAS TRES ETAPAS DEL AMOR

1. Génesis 2:18

2. Esta es la primera aparición de la raíz «aferrarse» en la Torá.

3. ibíd. 2:24

4. Véase cap.1

5. Véase Najmánides sobre Génesis 2:24

6. *Ioma* 2a.

7. *Ibn Ezra* sobre Génesis 2:23

8. *Rashi* sobre ibíd. 2:24.

9. Como sustantivo, la raíz hebrea *debek* (aferrarse) significa «pegamento». Las dos palabras «bien» y «pegamento» se yuxtaponen en el versículo de Isaías en la expresión: «Dice que este pegamento es bueno (41:7).

El valor numérico de esta expresión (123) equivale al de la palabra hebrea *oneg* –«placer». A esto alude el *Sefer Ietzirá* (2:4): «No hay *bien más elevado que el* placer». Las letras iniciales de las dos palabras *tov* y *debek* equivalen a *ejad*, «uno», 13.

Cuando las tres letras de *debek* se unen a las tres letras de *tov* en una correspondencia de una a una y se multiplican, tenemos que 4x9=36, 2x6=12, 100x2=200. La suma de estos productos (36+12+200) es 248, el número de «miembros del cuerpo humano y el número de preceptos positivos de la Torá (*Makot* 23b, *Ohalot* 1:8). La interpretación de estos resultados puede ser que todos los 248 mandamientos positivos sirven de «buen pegamento» que conecta al hombre con Dios (como la palabra *mitzvá*, precepto, significa «unir»).

El hombre fue creado «a la imagen de Dios» (Génesis 1:27) y el valor numérico de esta frase es también 248, así como el valor del nombre del primer integrante del pueblo de Israel, Abraham. El hombre, al observar los 248 mandamientos positivos se «aferra» a Dios y se hace «uno» con Él (de Abraham se dice que: «Abraham fue uno» [Ezequiel 33:24]). Esta unión de Dios y hombre en la tierra es la razón suprema por la que Él lo creó.

El bien es tanto el principio de la relación de pareja como su fin, de acuerdo al fundamento: «El fin está incluido en el principio y el principio en el fin» (*Sefer Ietzirá* 1:7).

En la terminología cabalística, estas tres etapas están identificadas con la sefirá de *jojmá* (véase *Tania*, cap. 35 en nota, citando al Maguid de Mezerij), «bien» con la sefirá de *biná* (la revelación de *Atik* en *biná*» [véase *Zohar* 3:178b]; Atik es sinónimo de placer y «aferrarse» con la sefirá de *daat*.

10. En base a la terminología del *Sefer Ietzirá* 3:3. La palabra aquí usada para «espacio» es «mundo» (*olam*), la palabra usada para «tiempo» es «año» (*shaná*). La palabra «alma» (*nefesh*) es usada

aquí en el sentido de un cuerpo humano viviente (creado a la «imagen de Dios») que es una reflexión física del alma espiritual del hombre.

«Espacio» incluye las tres dimensiones convencionales de longitud, amplitud y profundidad. Si consideramos al tiempo, que es la cuarta dimensión, entonces el alma (o la moralidad, la ética) sería la quinta dimensión.

11. La palabra en hebreo para «uno» (*ejad*) aparece tres veces en el relato de la creación, respecto a cada uno de los marcos de referencia: «un día» (Génesis 1:5, tiempo), «un lugar» (ibid 1:9, lugar), «una carne» (ibíd. 2:24, alma).

Notablemente, cada uno de estos versículos tiene 13 (*ejad*, «uno») palabras. El primer versículo contiene 49 (=7^2) letras. Los tres juntos contienen 144 (=12^2) letras. El versículo más importante que contiene la palabra «uno» es el Shemá (Deuteronomio 6:4), que en sí contiene 25 (=5^2) letras. El número total de letras en estos cuatro versículos es así $12^2+5^2=169=13^2$, es decir la palabra *ejad* al cuadrado.

12. Dicho amor puede ser descrito como «impotente» ya que no produce nada duradero.

13. En la Cábala, los seis atributos emocionales (de *jesed* a *iesod*) son el origen de las tres dimensiones del espacio, correspondiendo cada atributo a una de las seis direcciones de las tres coordenadas espaciales.

14. Véase nota 7.

15. En la dimensión temporal, dos puntos que existen simultáneamente son considerados coincidentes aunque sus coordenadas espaciales estén físicamente distantes.

16. La transición de la segunda a la tercera etapa de concienciación la provee el precepto de la procreación. La procreación es la cul-

minación de la proximidad y la consumación de la experiencia temporal mutua más importante, el ciclo menstrual de la mujer, como lo explicaremos en el cap. 11.

17. Los tres términos hebreos que indican estas etapas: *iajas* (relación), *iajad* (juntos), y *ejad* (uno), están claramente relacionados fonéticamente. Las consonantes comunes a estas palabras forman jesed y estos son los tres niveles del amor.

Más específicamente, la *samej* de *iajas* se transforma en la *dalet* de *iajad* mediante el método de sustituciones de *albam*, y la *iud* de *iajad* se transforma en la *alef* de *ejad* por virtud de ser ambas vocales y mediante el método de sustituciones de *aik bejer*.

Usando la metáfora de la música, la primera etapa corresponde a la pareja cantando en contrapunto, la segunda en armonía y la tercera al unísono.

18. Al hacerlo, uno en efecto procrea un nuevo yo. Este autorrenacimiento es una expresión refinada de la consumación de la unidad de la pareja, la procreación de hijos.

De aquí es evidente que una transformación verdadera es posible solamente si uno está casado.

19. En la terminología de la Cábala, la relación espacial se asocia al Rostro de Zeir Anpin. En la relación temporal, la conciencia asciende al Rostro de Ima y, por ejemplo, la pareja se concibe a sí misma como existiendo en un útero común. A nivel del alma, la conciencia asciende más allá, al Rostro del Aba, es decir, que los consortes se conciben a sí mismos como existiendo en una semilla común.

20. A esto alude el hecho que las palabras hebreas «uno» (*ejad*) y «bien» (*tov*) se interpermutan en *atbaj*.

21. Capítulo 14, «Unión marital: el misterio del Shabat», se centra en la dimensión del tiempo que se eleva y se une con la del alma, sirviendo de nexo entre ambas dimensiones.

IV. LA RELACIÓN

1. Nuestros sabios nos enseñan (*Avot* 3:10): «Quien es amable con los hombres es amable con Dios, y quien no es amable con los hombres no lo es con Dios». El Baal Shem Tov se esmeró en inculcar este pensamiento a sus discípulos. La relación que uno tiene con la humanidad en general comienza con la más intensa y concentrada relación interpersonal (que es también la primera relación existente), la que comparte con su esposa.

2. Proverbios 27:17

3. Esto es aún más cierto cuando la pareja mora en la tierra de Israel, donde la Divina Providencia se manifiesta más, como está escrito: «Es la tierra que los ojos de Dios siempre miran» (Deuteronomio 11:12). La pregunta citada al comienzo de este libro: «¿Has *hallado* o *hallas*?» solía ser planteada, según las fuentes, en el antiguo Israel (y en Babilonia, el otro centro de vida judía de la época).

4. Donde marido y esposa se asocian con Dios en el acto de creación.

5. El Targum traduce la palabra hebrea *ezer* (ayuda) como *smaj* (apoyo, véase nota 9). Servir de ayuda y apoyo son conceptos complementarios: «ayuda» implica involucrarse en forma más activa, mientras que «apoyo» implica una actitud más pasiva. La esposa ayuda a su marido reforzando su autoestima, «proyectando» en él su propia fe y confianza en sus ambiciones y en su capacidad de conseguirlas.

   Esto sirve de ejemplo al principio según el cual el texto hebreo de la Torá y su traducción aramea tienen una relación masculina-femenina, activa-pasiva (aquí en referencia a la mujer, es decir, a sus propios aspectos femeninos y masculinos).

6. El sentido más profundo de la frase «la Divina Presencia que mora entre ellos» es que tanto el marido como la esposa estable-

cen una identificación tan completa con la Divina Presencia que cada uno percibe al otro como el único individuo que necesita atención.

A esto alude el versículo (Levítico 19:18): «Y amarás a tu prójimo como a ti mismo, *Yo soy Dios*». Para amar verdaderamente al prójimo como a uno mismo, uno debe primero anular su sentido de sí mismo hasta el punto de someterse completamente a Dios, que entonces actúa a través de su conciencia.

7. Proverbios 27:19

8. Génesis 2:9, 16-18

9. El Targum traduce la expresión «ayuda frente a él» como «un soporte paralelo a él». De modo que podemos entender «frente a él» como «complementándolo». En realidad, como trataremos más adelante, si el marido interpreta correctamente el empecinamiento de su esposa, les servirá a ambos para mejorarse y mejorar su relación.

10. La palabra hebrea *zajá*, «merecedor», también significa «refinado» o «puro». De modo que la medida de conformidad con la esposa dependerá de la medida de pureza y refinamiento que él haya alcanzado.

De la misma manera que el aceite de oliva puro (*zaj*) usado en el Templo debía ser «prensado para convertirse en una fuente de luz» (Éxodo 27:20), así debe el marido, para purificarse y refinarse (y así convertirse en una «fuente de luz»), «prensar» o «aplastar» su ego. El Rabí de Lubavitch explica que para nuestra generación esto se logra sintiendo ansiedad porque el Mesías aún no se ha revelado (*Sefer Hamaaamarim Melukat*, vol.6, pág. 134). El aceite de oliva puro traerá consigo, como «fuente de luz», la revelación del Mesías. (El estado perfectamente rectificado de armonía marital es verdaderamente una revelación mesiánica).

11. Rashi. *Ievamot* 63b.

12. Nuestros sabios interpretan la palabra *lo*, «para él», en otro versículo como referencia a la esposa, en base al uso de la palabra *lo* en nuestro versículo (*Ketubot* 67b, Rashi sobre el Deuteronomio 15:8).

Esta interpretación resulta de una «analogía verbal» (*gzerá shavá*) y esto alude a la relación intrínseca entre el nivel de *lo* y el significado interno de *gzerá shavá*. Literalmente la expresión *gzerá shavá* significa «corte igual». Adán y Eva fueron creados inicialmente «espalda a espalda». Eva entonces fue «recortada» de Adán y le fue presentada «cara a cara» para aferrarse a él y aunarse (igualarse) con él.

Según el Jasidismo el hecho que Adán y Eva fueran creados «espalda a espalda» significa que inicialmente cada uno actuaba y pensaba solamente según sus propios intereses. El estado rectificado de estar «cara a cara» es un estado de devoción verdadera y altruista de uno a otro.

El estado rectificado de existir «cara a cara» es también un estado de modestia, porque (como se explicará más adelante) la modestia expresa superación de la orientación hacia uno mismo.

Por esta razón, el mismo hecho que la palabra «lo» se refiera al nivel de «esposa» es «desconocido» (es decir «modesto») en el primer versículo y sólo se revela en comparación con otro versículo.

13. Como su «corona». (Véase nota 18).

14. Véase nota 13.

15. Numéricamente a esto alude el hecho de que el valor promedio de las dos palabras «no halló» (162) equivale a «para sí mismo» (81) indicando que ese es el nivel en el que Adán no lograba hallar.

16. Sobre la clasificación de las almas en *tzadik, beinoní* y *rashá*, véase *Tania*. Allí se enseña que muchos de nosotros, mediante

nuestros propios esfuerzos, podemos alcanzar como máximo el nivel de *beinoní*, y la metamorfosis de un *beinoní* en un *tzadik* es prerrogativa de Dios (véase *Mishne Torá*, *Iesodei HaTorá* 6:5, acerca del profeta).

Sin embargo «todos los hombres son responsables uno de otro» (*Shvuot* 39a), lo que según el jasidismo significa que «todos los hombres están presentes uno dentro de otro» y también «todos los hombres son amables uno con otro».

En forma similar, la palabra *tzivur* («congregación» o «público») es interpretada por el jasidismo como un acrónimo de *tzadikim*, *beinonim* y *rasháim*. Se supone que cada hombre posee su propio *tzivur*, una entidad interna conteniendo cada uno de los tres niveles. De esta manera, todo lo que se dice respecto a cada uno de estos niveles es aplicable en forma relativa a todas las personas de todos los tiempos.

17. Siendo que el *tzadik* percibe a todas las almas como «partes reales de Dios» (*Tania*, cap.2), su devoción a Dios se refleja en su devoción al pueblo de Dios.

18. *Avot* 3:7

19. Por esta razón, se refiere a un *tzadik* con la palabra *lo*, literalmente «a Él», ya que su misma existencia está dedicada a Dios y porque adscribe las emociones positivas que experimenta y las buenas acciones que hace «a Él».

20. El Baal Shem Tov (*Keter Shem Tov* 193) interpreta el versículo (Salmos 62:13) «y Tuya, Señor, es la misericordia, porque Tú pagas a cada uno conforme a su obra», así: «En Tu misericordia, recompensas al hombre *como si* la obra fuese suya». En el caso del *beinoní*, Dios computa todo lo que hace como si lo hubiese hecho él, aunque en realidad fue Dios quien lo hizo todo. En el caso del *tzadik*, Dios hace aún más y considera incluso lo que Él mismo ha hecho como hecho por el *tzadik*. *Berajot* 17b: »El mundo entero se sostiene por el mérito de Mi hijo Janina...»

21. Véase pág. 23.

22. Por lo tanto este nivel puede ser considerado como un retorno del alma a la conciencia que poseía antes del *tzimtzum*, cuando era uno con Dios.

Así como «vuestro pueblo son todos justos» (Isaías 60:21), esto se aplica en esencia a cada hombre.

La palabra *lo*, alude en sí misma al nivel de *tzadik*, porque su valor numérico, 36, es el número de *tzadikim* que viven en cada generación (*Suka* 45b). En la Cábala se enseña que en cada generación hay 36 *tzadikim* revelados así como 36 *tzadikim* ocultos, dos niveles (complementarios) de *lo* (véanse las notas 12 y 19). El apelativo corriente de uno de estos *tzadikim* es un «*lamed-vavnik*» enfatizando las dos letras que componen la palabra *lo*. La importancia del número 36 es que es el cuadrado de 6, indicando la inclusión (y perfección) de todos los seis atributos emocionales y de conducta (*midot*). Por esta razón el *tzadik* suele asociarse con la sexta *midá* de *iesod* y esta misma *sefirá* es designada por la palabra «todo» (en 1 Crónicas 29:11).

Las dos palabras siguientes, «ezer kenegdó» suman 360 o 10x36. Esto implica que la esencia (la décima parte) de estos dos modos contrarios de relación existen a nivel de *lo*. Como se procederá a analizar, el *beinoní* y el *rashá* (un arrepentido –*baal teshuvá*– potencial) reflejan su fuente esencial, el *tzadik*, como está escrito: «vuestro pueblo son todos justos (*tzadikim*)» (Isaías 60:21).

23. Deuteronomio 7:11. Este es el versículo que concluye la sección de la Torá denominada *parashát VeEtjanan*, que continúa la narración de la entrega de la Torá y la porción del *Shemá*.

Parashát VeEtjanan se lee siempre el Shabat que sigue a *Tisha BeAv*, Shabat *Najamu*, así llamada por su *haftará*, que comienza con las palabras «consolad, consolad...» (Isaías 40:1). Así, las dos palabras idénticas del principio de la *haftará* son la continuación directa de las últimas palabras de la Torá que dicen «hoy para cumplirlas».

Como se explicará más adelante, la frase «hoy para cumplirlas» tiene dos interpretaciones, una para el *beinoní* y una para el *tzadik*. Cada uno de esos niveles pueden considerarse correspondientes a uno de los niveles de consuelo del pueblo judío:

El consuelo del *beinoní* es la clara revelación a su alma que al afianzarse a Dios (mediante el estudio de la Torá y la observación de los preceptos) a través de las pruebas y tribulaciones de este mundo, seguramente merecerá el mundo venidero. El consuelo del *tzadik*, por otra parte, es que al afianzarse a Dios a través de las pruebas y tribulaciones de este mundo, merecerá la revelación de la esencia de Dios en *este* mundo.

24. *Eruvin* 22a, *Avodá Zará* 3a.

25. *Avot* 4:17.

26. *Maamarei Admor HaZaken HaKetzarim*, pág. 461.

27. *Shir HaShirim Raba* 1:31

28. Cantar de los Cantares 8:2

29. Salmos 73:25

30. Véase también *HaIom Iom*, 18 de *Kislev*.

31. Isaías 53:10. Este versículo se refiere al Mesías, y esclarece que este nivel de servicio Divino, «¿A quién tengo en el cielo? y nada deseo salvo a Ti en la tierra», es un nivel de conciencia mesiánica y da luz a la chispa del Mesías en el alma de cada hombre que merece servir a Dios en este nivel.

32. Hay muchos niveles de *reshaim* (véase *Tania*, cap.11). Aquí nos referimos al caso más extremo, el *rashá* que «conoce a su Creador y deliberadamente se rebela contra Él» (*Midrash Tanjuma* [ed. Buber], *BeJukotai* 26:14), sinónimo del *rashá* que

sufre, en forma consciente o inconsciente, todas las formas del mal. Alguien que no hace la voluntad de Dios por falta de fe (no conoce a su Creador) o ignorancia (no conoce la voluntad de su Creador) es análogo a alguien que no sabe que está casado o que no sabe qué implica estarlo. Aunque es responsabilidad de cada uno conocer a su Divino novio con el fin de servirlo, si de todas formas actualmente no es consciente del hecho, no puede ser *totalmente* responsable de no cumplir con sus deberes matrimoniales. Es función del consorte o de la comunidad abrir sus ojos.

Así como el *tzadik* de nivel más alto se refleja en las almas de todos los *tzadikim* y todos los hombres (porque «Tu pueblo son todos *tzadikim*»), así es el *rashá* de nivel más bajo que se refleja en las almas de todos los *reshaim* y por asociación en las almas de todos los hombres (siendo cada uno el *tzivur* completo, como explicamos en la nota 16).

Uno de los grandes discípulos del Baal Shem Tov, Rabí Pinjas de Koretz, dijo una vez: «¿Quién es un *tzadik* consumado? Aquel que ama a un *rashá* consumado. ¿Quién es un *tzadik* incompleto? Aquel que ama a un *rashá* incompleto».

En el *tzivur* interno del alma, el nivel más alto de *tzadik* se inclina con amor para elevar al más bajo nivel de *rashá*. La bondad inherente del *tzadik* consumado endulza el sufrimiento existencial del *rashá* consumado.

Y es así que el nivel más bajo de relación entre marido y esposa, *kenegdó*, tiene potencial de elevarse al nivel más alto, el de *lo*.

Es el nivel del *beinoní*, mencionado en *Tania (*cap.14) como «el nivel de todos los hombres», que sirve de espejo espiritual reflejando tanto el nivel del *tzadik* que se inclina hacia el *rashá* como el nivel de *rashá* que se eleva hacia el *tzadik*.

33. Por supuesto que todo lo que nos sucede en nuestras vidas es finalmente de la Divina providencia. La misma existencia de «fuerzas del mal» es resultado del libre albedrío del hombre, que a su vez es «supervisado» por la Divina providencia.

34. Y por lo tanto puede ser expresado también por el *beinoní* y el *tzadik*, aunque de una forma más refinada: ellos no asumen que Dios es realmente maligno, sino que simplemente no comprenden Su «mal» comportamiento hacia ellos (y hacia el mundo), ya que saben que Él es benevolente y que actúa para su bien.

En un nivel más profundo, cada hombre debe asumir en su relación con Dios la conciencia de los tres niveles. Por ejemplo, el *tzadik* debe adoptar el papel del *rashá* cuando contiende con Dios sobre Su aparente «mala» conducta respecto a Su pueblo. El *Zohar* (3:153b) incluso afirma que «el Mesías está destinado a hacer que los justos se arrepientan». Esto puede significar que el Mesías hará que los justos, felices con su parte, sientan la angustia del mundo entero con tanta intensidad que no podrán sino contender contra Dios por Su conducta. Esto eventualmente «urgirá» a Dios (es una forma de decir) a aceptar redimirnos, a abrir nuestros ojos para ver su infinita bondad, que hasta entonces era totalmente el ámbito de la fe del *tzadik* y el *beinoní*.

Una alusión posterior a estas tres actitudes ante Dios puede encontrarse en la manera en que Rashi (sobre Génesis 18:23) describe el diálogo de Abraham con Dios acerca del destino de Sodoma y Gomorra. Interpreta la frase de apertura del versículo «Abraham se acercó [a Dios]»:

> Hemos visto la palabra «acercarse» [*hagasha*) en referencia a la «guerra»... en referencia a la «reconciliación»... o en referencia a la «plegaria»... Abraham se acerca a Dios de todas estas maneras para hablar duramente, para reconciliarse y para orar.

«Hablar duramente» se refiere al nivel del *rashá* en el *tzadik*. «Reconciliarse» (como dos consortes) se refiere al nivel del *beinoní* en el *tzadik*, y «orar» (en devoción y unión pura) se refiere al nivel del *tzadik* en el *tzadik*, la esencia más íntima del *tzadik*.

35. Como está escrito: «Verdaderamente Tú eres Dios que te encubres» (Isaías 45:15).

36. Uno debe ante todo comprender verdaderamente la consecuencia del pecado antes de ser capaz de confesar sinceramente y regresar a Dios, como está escrito: «Su corazón comprenderá y [entonces] regresará y será curado» (Isaías 6:10).

37. Entonces comienza a reconocer el bien oculto inherente a la aparente «mala» conducta de Dios. Este bien oculto se manifiesta en tres niveles:

1) Dios quiere ser bueno hacia mí, pero yo no se Lo permito;

2) en el aparente «mal» que me acontece hay, efectivamente, una «buena» intención: despertarme a la introspección y al arrepentimiento, la *teshuvá*;

3) en el «mal» aparente que me ocurre, hay un núcleo de bien esencial, un «fruto apetitoso» escondido tras una «cáscara áspera».

38. En las palabras del profeta: «La mano de Dios no es demasiado corta para salvar, ni se ha agravado Su oído para oír, pero vuestras iniquidades os han separado de vuestro Dios, y vuestros pecados han causado que Él escondiese su rostro de vosotros» (Isaías 59:1-2).

39. Así dicen nuestros sabios: «Uno debería considerarse a sí mismo y al mundo igualmente equilibrados entre méritos y faltas. Así, al cometer un pecado inclina su balanza y la del mundo, condenándose a sí mismo y al mundo al castigo; y si hace una acción meritoria, inclina tanto su balanza como la del mundo hacia el lado del mérito, acercándose y acercando al mundo hacia la salvación». (*Mishné Torá, Teshuvá* 3:4, *Kidushin* 40b).

40. Dios incluso admite Su culpa, como lo dice el Talmud (*Suká* 52b): «Hay cuatro cosas que el Santo, Bendito Sea, lamenta

haber creado: el exilio...» Y «El Santo, Bendito Sea, dijo: "Traed una ofrenda expiatoria para Mí en la luna nueva, por haber disminuido la luna» (Rashi sobre Génesis 1:16 y Números 28:15; *Shevuot* 9a, *Julin* 60b). La disminución de la luna significa el exilio de la presencia de Dios en la tierra. Al santificar la luna, oramos: «Que sea Tu voluntad completar la luna, que no disminuya más y que la luz de la luna sea como la del sol, como la luz de los siete días de la creación era antes de ser reducida».

Puesto que la luna representa también a la mujer, la disminución de su luz, así como el fenómeno del exilio, que está relacionado, corresponde a una esposa cuyo espíritu decae al sentir que declina el interés de su marido por ella. Nuestro deseo que la luz de la luna recobre su intensidad original, junto con la del sol, como «dos reyes compartiendo una corona», refleja nuestro deseo de recobrar la armonía matrimonial, con una esposa investida de dignidad esencial y esplendor junto a su marido. Esto añade sentido a la costumbre de las mujeres judías de observar prácticas adicionales en la celebración del *Rosh Jodesh,* el Comienzo del Mes (*Shuljan Aruj, Oraj Jaim* 417:1), el día en el que la luz de la luna, después de haber desaparecido, es renovada.

41. Dios y el pueblo de Israel son descritos discutiendo acerca de quién debe tomar la iniciativa de restaurar las buenas relaciones: «La congregación de Israel dijo al Santo, Bendito Sea: "Depende de Ti, como está escrito (Lamentaciones 5:21): Vuélvenos, Dios, a Ti, y [entonces] volveremos". Pero Dios les respondió: "Depende de vosotros, como está escrito (Zacarías 1:3): "Volved a Mí, y [entonces] Yo volveré a vosotros"» (*Eija Raba* 5:21).

42. Véase nota 2.

43. «Ni los totalmente justos pueden ocupar el lugar que ocupa el arrepentimiento» (*Berajot* 34b, *Sanhedrín* 99a), porque «luchan con un anhelo mucho mayor, con mayor firmeza por acercarse al Rey» (*Zohar* 1:129b). Véase *Tania*, cap.7; *Igueret HaTeshuvá*, cap. 8.

44. *Ioma* 86b; *Bava Metzia* 33b.

45. Esta «segunda naturaleza», después de todo, un regreso a su verdadera naturaleza, que fuera temporalmente eclipsada por su así llamada «primera naturaleza», producto de la tendencia al mal y de la imaginación no rectificada. Esto es confirmado por el hecho que la frase «segunda naturaleza» (*teva sheini*) equivale numéricamente a la palabra «verdad» (*emet*, 441).

46. Éste es el significado adicional de la descripción de la mujer como «ayuda frente a él»: al enfrentarse a él, la mujer puede en forma no intencional ayudarlo a templar su ego.

Una mujer puede ayudar a su marido mejor que nadie a rectificar su imaginación. «Por mérito de mujeres justas Israel fue redimida de Egipto» (*Sotá* 11b). Siendo que Egipto simboliza obscenidad y lascivia (Levítico 18:3; *Sifra, Ajarei* 18; *Vayikra Raba* 23:7; *Tana Devei Eliahu Raba* 7; *Shaar Haijud VehaEmuna*, introducción; nota 6), esto significa que la esposa de un hombre puede ayudarlo a liberarse de su imaginación no rectificada. La primera plaga que llegó a Egipto fue la transformación del agua en sangre (*dam*), que alude a la imaginación (*koaj hamedamé*). Es el repetido pasaje a través de las imágenes de vida, vida potencial y muerte, asociadas a su sangre menstrual que le confiere esta capacidad única (véase cap.12).

En adición, la rectificación de la imaginación depende en gran medida de su «vuelta» a, y absorción en la última fuente en el alma, fe, y la fe de la mujer está más profundamente arraigada en su alma que la del hombre.

47. Este es un ejemplo de la enseñanza jasídica: «Piensa bien y estará bien» a la que nos referimos anteriormente. Confianza optimista (*bitajón*) es particularmente pertinente cuando uno ya se ha casado, a diferencia de la mera fe (*emuná*), que es más necesaria antes del matrimonio.

48. El tema recurrente del perdón que aparece en este nivel del arrepentido, *baal teshuvá,* es el corazón mismo del pacto de

matrimonio. La esencia del pacto de matrimonio es el compromiso de perdonar siempre, este compromiso trasciende los límites naturales de las relaciones comunes entre individuos y eleva a la pareja a un plano Divino de existencia.

Al perdonar, especialmente al perdonar al consorte, uno emula al Creador. Dios perdona constantemente las malas acciones de Su consorte amado, Su pueblo Israel. En nuestras plegarias, pedimos tres veces al día el perdón de Dios, y estamos seguros de que Él nos perdona (véase *Igueret HaTeshuva* cap.11). Esta bendición en la *Amidá*: «Perdónanos, Padre nuestro, porque hemos pecado...» corresponde en la Cábala a la *Sefirá* de *Jesed*, «misericordia», porque el perdonar (constantemente) al otro es la mayor expresión de amor por él.

De acuerdo con el principio general de que el despertar de arriba requiere un despertar de abajo, cuanto más expresemos nuestro perdón el uno al otro (especialmente entre consortes), más mereceremos experimentar el perdón de Dios.

El perdón es más necesario respecto al «defecto del pacto» (*pgam habrit*, véase en extensión en *Igueret HaTeshuva*). Su manifestación esencial es la resolución de la pelea marital (*pius*, una permutación de *Iosef*, Josef, el alma arquetípica de *Tikún habrit*, «la rectificación del pacto»), cuyo fin es el refuerzo constante del pacto de matrimonio.

49. En general uno debe hacer lo posible por conservar el matrimonio, aunque esto implique soportar una esposa ruda mientras uno trabaja sobre la actitud propia (véase *Pele Ioetz, Ahavat Ish VeIsha*, basado en *Ievamot* 63ab).

50. Véase el comentario jasídico *Ramataim Tzofim*, acerca del comienzo de *Tana Devei Eliahu Raba*. Claramente, la situación inversa también es posible: un marido puede estar esclavizado a su esposa; dado este caso, el divorcio (si es requerido por la Torá) es su liberación de la esclavitud.

51. *Guitin* 90b.

52. *Sotá* 2a.

53. *Likutei Diburim* 87a (véase *Sefer Ietzira* 6:2 [6:4 en la versión del Ari] y comentarios).

54. Una alusión a la singularidad del «primer amor» puede hallarse en el precepto de la Torá que determina que los sacerdotes, que encarnan y expresan el atributo de amor de Dios, se casen solamente con mujeres que no han pasado el trauma del divorcio. El sumo sacerdote tampoco puede casarse con una viuda y tiene permitido solamente contraer matrimonio con una virgen (Levítico 21:7, 13).

55. Por lo tanto, incluso en los casos más extremos, cuando el divorcio es necesario «el altar llora cuando uno se divorcia de su primera esposa». El intento de rectificar un matrimonio al borde del colapso refinándose uno mismo, es acorde (metafóricamente hablando) a la preferencia de nuestros sabios (*Vayikra Raba* 34:14) que sería volver a casarse con la esposa divorciada (salvo que ella entretanto se haya casado con otro).

    Por supuesto sucede que uno debe casarse por segunda vez porque ha enviudado. Esto no cuestionará en forma alguna la calidad del primer matrimonio, sino que significa que la pareja ha finalizado todo lo que debía cumplir en la tierra como pareja y el consorte fallecido ha completado lo que estaba destinado a hacer como individuo.

56. Nuestros sabios aconsejan *intentar* casarse con la hija de un estudioso de la Torá (*Pesajim* 49a). Esto implica que uno debería hacer esfuerzos por merecer el mejor partido posible.

57. Esta es entonces una instancia de contener las «luces del *Tohu*» en los «recipientes de *Tikún*», arriba explicada (nota 54).

58. Tratado ya anteriormente.

59. Génesis 6:8. Estas frases complementarias son las dos únicas de la primera parte de la Torá, *Bereshit,* en las que el verbo «hallar» aparece en pasado.

El valor numérico combinado de estas frases es 1024, que es 32^2. 32 es el valor numérico de la palabra «corazón» (*lev*). Estas dos frases juntas reflejan la suma total de las emociones del corazón.

32 es también el número del «sendero de sabiduría» que brilla en el corazón (*Sefer Ietzira* 1:1), como está escrito: «Mi corazón ha visto mucho saber» (Eclesiastés 1:16). Este número deriva de lo siguiente: en el *Zohar* (*Tikunei Zohar* 21 [51b]) el intelecto se identifica como el «doble canto«, la unión de los dos poderes primarios del intelecto, *jojmá* y *biná*. De manera que toda «medida linear» del intelecto es 2. En particular hay cuatro (22) «cerebros» o sedes de la inteligencia (*jojmá, biná* y las dos caras de *daat*), que dan vida a las emociones del corazón. Cada una de esas cuatro existe en tres dimensiones (y puede ser visto como un «cubo»), resultando en $4x2^3=32$.

Además de ser 32^2, 1024, el valor numérico combinado de esas frases, es 2^{10}. Esto indica que estas dos frases juntas aluden a la pareja casada (2) cuando juntos desarrollan los diez poderes (cada uno de los cuales se manifiesta como una dimensión única) de sus almas.

1024 es también el número de letras en el texto hebreo completo del *Shemá*. (Los tres párrafos bíblicos en sí, contienen 1000 letras, y la frase «Bendito sea el Nombre de la gloria de Su reino para siempre» contiene 24 letras. Esta frase, recitada entre el primer y segundo versículo, fue agregada por nuestros sabios de acuerdo con la tradición según la cual nuestro antepasado Jacob la dijo en respuesta a la enunciación del primer versículo por sus hijos). De aquí que las dos frases que se refieren a los matrimonios arquetípicos «primero» y «segundo», aluden a la pareja que se convierte en una expresión de la unicidad de Dios en el mundo, así como su compromiso con Su Torá y sus preceptos, siendo éstos el tema del *Shemá*.

60. Al nombrar a todas las criaturas, Adán entendió que no tenía compañera, pero esto no lo ayudó a encontrar una. Sin embargo, esta comprensión en sí misma fue suficiente para «inducir» a Dios a darle a Eva. Noé, por otra parte, fue capaz de encontrar compañera por sí mismo, y a través de ella a su propia raíz espiritual. Por esto está escrito que «halló gracia ante los ojos de Dios», lo que no se dice de Adán.

Cada revelación comprende una oscura versión preliminar, que es seguida por la misma revelación completa y abierta. A esto alude la frase: «Y fue la *tarde*, y fue la *mañana*, un *día* [es decir "revelación"] (Génesis 1:5; véase *Shabat* 77b). En el presente contexto, Adán fue la versión «oscura» de emparejarse que precedió y preparó el camino para la versión «completa», encarnada en Noé y su esposa.

61. *Meguilá*, 6b.

62. Rashi acerca de Génesis 4:22. La palabra *Naamá* significa «agradable»: «¿Por qué fue llamada Naamá? Porque sus acciones fueron agradables» (*Bereshit Raba* 23:3, *Zohar Jadash* 19b).

63. El versículo «Y Noé halló gracia en los ojos de Dios» es la primera aparición en la Biblia de la expresión «hallar gracia en los ojos de...». El nombre Noé en hebreo (*Noaj*) es la palabra «gracia» (*jen*) invertida. De modo que «hallar gracia en los ojos de...» significa en efecto contemplar la propia reflexión en los ojos de alguien, lo que puede ser solamente si uno está directamente frente al otro, en relación de comunicación espiritual completa.

En el Cantar de los Cantares, hallar gracia en los ojos del consorte es descrito mediante la imagen de una paloma: «Mi paloma en los riscos» (2:14), «Mi hermana, mi amada, mi paloma, mi inmaculada» (6:9); «Tus ojos son palomas» (1:15, 4:1, 5:12), ya que las palomas suelen mirarse a los ojos (véase *Likutei Torá* 5:39a).

Noé envió una paloma desde el arca para comprobar si efectivamente había hallado gracia en los ojos de Dios, es decir, si la tierra estaba seca. La paloma representa los ojos de Noé buscando gracia (su propia reflexión) en los ojos de Dios.

En general la «gracia» en la Torá se personifica en lo femenino. En la Cábala, se identifica con la *sefirá* de *maljut*, el ámbito femenino. Está escrito (Proverbios 11:16): «La mujer agraciada mantendrá el honor». «Mantener el honor» es interpretado como «mantener el estudio de la Torá de marido e hijos» porque «no hay otro honor que la Torá» (*Avot* 6:3). El valor numérico de la frase «el honor [o gloria] de Dios» (*kvod Hashem*, 58) es igual al de «gracia» (*jen*).

En adición, a lo largo de los escritos cabalísticos, la palabra *jen* aparece como un acrónimo de *jojma nisteret*, «sabiduría oculta» (es decir el saber interno de la Torá o la misma Cábala). Esta expresión es 788=*shlom bait* (armonía conyugal). De modo que podemos inferir que la «mujer agraciada» impulsa a su marido a estudiar la dimensión interna de la Torá en particular, y esto a su vez aporta una verdadera armonía conyugal.

64. *Bereshit Raba* 17:7.

65. En este capítulo hemos ilustrado cómo la conducta de la esposa es un reflejo del nivel de refinamiento del marido y por lo tanto está en sus manos determinar la actitud y conducta de su esposa. Sin embargo hemos comentado esta afirmación diciendo que éste es el caso respecto a las relaciones dentro de la pareja (y por extensión a todas las relaciones interpersonales). En otras palabras, la conducta de la mujer hacia el marido puede significar para él un aliciente para su propio refinamiento, y puede tener expectativas razonables de influir sobre ella. Si ella generalmente se opone a él o es malvada, él debería cuidarse de la lección que implica este *midrash*. Efectivamente la Torá prescribe el divorcio «si él encuentra en ella alguna cosa *inmoral*» (Deuteronomio 24:1).

Pero incluso en tal caso, el marido debe intentar reformar a su esposa antes de considerar la posibilidad de divorcio. «En Dios el atributo de bondad es mayor que Su atributo de castigo» (*Sanhedrín* 100b), lo que significa que la bondad es más poderosa que el mal, e invirtiendo suficiente esfuerzo, se puede triunfar. En el caso registrado en este *midrash*, podemos suponer que el marido no era suficientemente justo para convencer a su esposa o que no logró conectarse con su raíz espiritual común y por ello no compartió su rectitud con ella.

En idish, el término para una persona justa en forma privada es *tazdik in pelts*, «un justo envuelto en pieles». La imagen es la de una persona que en una habitación fría y llena de gente, se cubre de pieles en vez de encender una hoguera, que calentaría a todos (*Likukei Sijot*, vol.3).

Esto recuerda una enseñanza jasídica basada en el versículo: «Así eran las [ovejas] más desapasionadas para Laban y las más apasionadas para Jacob» (Génesis 30:42). La palabra usada aquí para «desapasionadas» significa según Rashi, que «estaban bien cubiertas de piel y lana y no querían ser calentadas por los machos». En contraste, la palabra «apasionada», significa literalmente «atada» o «conectada», es decir, siempre buscando la compañía de una pareja (véase Najmánides al respecto). En base a esto, el Rabí Shneur Zalaman de Liadi dijo que si uno no logra conectarse con solicitud al prójimo (siendo esta la característica de Jacob que personifica la bondad y la santidad), eventualmente se volverá «desapasionado» y será «propiedad» de Labán que personifica el mal.

V. VIVIR CON LA DIVINA PRESENCIA

1. *Sotá* 17a. Significativamente esto lo dijo Rabí Akiva, que también dijo que el precepto de amar al prójimo como a sí mismo (Levítico 19:18) es «el principio fundamental de la Torá» (*I. Nedarim* 9:4; *Shabat* 31a). Amar al prójimo comienza con amar al propio consorte.

Como lo explicaremos más adelante, de acuerdo a la Cábala, la *iud* significa la *sefirá* de *jojmá*, mientras que la *hei* significa la *sefirá* de *biná*. En contraste a las *sefirot* inferiores, cuya unión es intermitente, estas dos están en constante estado de unión (*Zohar* 3:4a, 120a, 290b). Su presencia en la pareja (como la *iud* y la *hei* en los nombres *ish* e *isha*) indican por lo tanto que la unión de la pareja refleja algo de la unión de esas dos *sefirot*, que emana de las alturas.

2. La raíz *zaja* significa tanto «merecer» como «refinar», véase nota 10.

3. El amor intenso entre esposo y esposa es «fuerte como la muerte, los celos son duros como la tumba. Sus brasas son brasas ardientes con la llama de Dios. Agua abundante no puede apagar el amor...» (Cantar de los Cantares 8:6). En *Kidushin* 56b (citando al Deuteronomio 22:9), la palabra «sagrado» es vista como una contracción de «fuego ardiente». La primera revelación de Dios a Moisés, en la que Él expresó verbalmente Su amor y preocupación por el pueblo de Israel, fue en «una zarza que ardía pero no se consumía» (Éxodo 3:2). El fuego del amor Divino arde y no puede ser extinguido.

En el jasidismo nos enseñan que el amor marital manifiesta el elemento espiritual del fuego, en contraste al amor fraternal, que manifiesta el elemento espiritual del agua. El amor marital, como el fuego, tiene el poder de fusionarlos y hacerlos uno. Este es el secreto de la equivalencia numérica de «amor» y «uno» (13), como está escrito en la historia de la creación «y él se aferrará a su esposa y serán *una* sola carne» (Génesis 2:24).

4. Nuestros sabios nos enseñan (*Ioma* 21b) que hay tres niveles de fuego, siendo el más bajo el fuego físico y el más alto el fuego de la *Shejiná*. Este fuego supremo es denominado «el fuego que consume a todos los otros fuegos». Cuando el esposo y la esposa merecen este fuego sagrado (cuando «la Divina Presencia mora entre ellos»), todos los otros fuegos son consumidos.

Como se explica en otro lugar, este fuego supremo corresponde al rayo (o «línea», *kav*) de la luz infinita de Dios que permea el vacío creado por la contracción inicial –*tzimtzum*– y

hace que todos los mundos y almas existan, los sostiene y finalmente les otorga la conciencia Divina.

Así como el *kav* entra al vacío, la *Shejiná* entra al hogar y al
corazón del esposo y la esposa, quienes negando su propio egocentrismo hacen «lugar» para que la *Shejiná* entre y cree vida
nueva en ellos mismos.

5. La Torá suele compararse al fuego, como en: «¿No son mis palabras como el fuego?» (Jeremías 23:29) y «De Su mano derecha
Él [dio a Israel] una ley de fuego» (Deuteronomio 33:2). Para
entender más profundamente la expresión *or sijli*, véase *Or
HaSejel* de Rabi Abraham Abulafia.

6. Esto incluye preceptos clasificados como «deberes del corazón»,
tales como el amor y el temor a Dios, que se aplican tanto a
hombres como a mujeres. Estos preceptos están totalmente
dilucidados en la dimensión interna de la Torá, por eso tanto
hombres como mujeres están igualmente obligados a estudiar
aquellos tópicos en la Cábala y el jasidismo (véase la fuente citada en la próxima nota).

7. Véase *Sefer HaSijot* 5750, pág. 456, publicado también en
Shaarei Halajá Uminhag, Iore Dea 63.

8. Representado por la *iud* en la palabra *ish*, que significa la *sefirá*
de *jojmá* (sabiduría y percepción penetrante). La percepción de
la *jojmá* es descrita a menudo como un «destello de relámpago»
que atraviesa la oscura pantalla de la mente.

9. Nuestra perfecta fe en la esencia inescrutable de Dios se refleja
en la prohibición de la Torá contra todo tipo de idolatría. En
este contexto la Torá se refiere a Dios como «fuego consumidor»
(Deuteronomio 4:24). La implicación positiva de esta apelación Divina es que nuestro propio fuego (femenino) de fe en
Dios consume todo nuestro ser, elevándonos a un nivel de existencia más elevado y Divino.

El origen bíblico de la frase «fe perfecta» son las palabras de la mujer sabia a Ioav (Samuel 2, 20:19): «Yo soy de los completamente fieles de Israel». De aquí vemos que fe completa es el atributo esencial de la mujer y que su habilidad de expresar adecuadamente su fe completa depende de la «sabiduría» (Torá) que recibe (directa o indirectamente; consciente o inconscientemente) del alma de su esposo.

En la terminología de la Cábala, basada en el versículo «Dios con sabiduría fundó el mundo» (Proverbios 3:19): «*Aba* fundó a la hija o *maljut*, vía *Zeir Anpin* (*Zohar* 3:248a, 256b, etc.).

10. Esto se manifiesta en la *hei* de la palabra *ishá* que significa la *sefirá* de *maljut*, asociada con la facultad del habla.

Tanto hombres como mujeres están obligados a rezar y constantemente reforzar y expresar su fe en Dios. La mujer, sin embargo, contribuye con la sensación de depender constantemente de la benevolencia de Dios, como lo indica el hecho que la palabra «fe», en hebreo, está relacionada a la palabra aramea «recipiente [vacío]». Así, mediante su influencia, el hogar judío está imbuido de la sensación que la vida es una plegaria permanente. Esto concuerda con el hecho que ella manifiesta la *sefirá* de *maljut*, el asiento del ego, que cuando se rectifica se expresa con el lenguaje de los salmos: «Yo soy una plegaria».

El valor numérico de la palabra *ishá*, «mujer», es 306, que es tres veces el valor de *emuná*, «fe», que es 102. En otras palabras «fe» es el valor promedio de las tres letras de «mujer», lo que es como decir que la mujer en su totalidad es la encarnación de la fe.

Así que mientras la esposa recibe inspiración para estudiar la Torá de la fuente del alma de su esposo, el esposo recibe inspiración para orar de la fuente del alma de su esposa. A esto se alude en Génesis 25:21: «E Isaac oró a Dios en presencia de [inspirado por] su esposa». En la Cábala nos enseñan que el origen del alma de Isaac era «en el mundo femenino» y que la unión entre Isaac —*Itzjjak* (208) y Rebeca —*Rivka* (307) equivale a «plegaria» —*Tefilá* (515). Véase nota 10 y nota 8.

11. Véase, por ejemplo, la historia relatada en la introducción a *Pokeiaj Ivrim* (párrafo 18).

12. Notad que la letra final de la expresión *or sijlli* es la *iud* de *ish*, mientras que la última letra de la expresión *emuna shlema*, fe completa, es la *hei* de *isha*.

13. Véase pág. 27.

14. Véase *Tania*, cap.3; *Igueret HaKodesh* 15.

15. Normalmente hablamos de siete emociones (*midot*). Podríamos suponer que hay siete «proto» emociones en *daat*, que servirían de fuentes de las siete emociones reales que resultan del intelecto. La razón por la que hay sólo cinco es que el contenido emocional de todo proceso dado está realmente contenido en las primeras cinco emociones, Las últimas dos, *iesod* y *maljut*, son, en contraste, funciones de fusión, transmisión y manifestación efectiva de las primeras cinco.

    «*Jesed* es el brazo derecho, *gevurá* es el izquierdo» (*Tikunei Zohar*, introducción [17a]). Hay cinco dedos en cada brazo y no siete, lo que también indica que hay solamente cinco estados de *jesed* y de *gevurá*.

16. *Nidá* 45b, *Bereshit Raba* 18a.

17. Véase en el libro original la nota adicional 1 al fin de este capítulo.

18. La «fe completa» de ella, antes mencionada, le confiere una actitud positiva que todo será para bien, como dice el rey Salomón como elogio a la esposa ideal: «Y se ríe del *por venir*» (Proverbios 31:25). Mayormente es en lo que respecta a los eventos del presente y el futuro inmediato que ella necesita la ayuda de su esposo para desarrollar una actitud positiva.

19. Los aspectos materiales de esta responsabilidad están estipulados en el texto de la *ketubá*, el contrato matrimonial judío.

20. Suele decirse que la línea izquierda, desconectada del resto, representa la dimensión de profundidad, la coordenada perpendicular a la página sobre la que se escribe. Notad que al explicar la función del hombre nos referimos al valor numérico de la letra, mientras que al explicar la de la mujer nos referimos a su forma. Esto concuerda con una diferencia básica entre hombre y mujer, por la que mientras el hombre se relaciona a cosas de naturaleza abstracta (número), la mujer se identifica con la realidad concreta (forma).

A la asociación entre el hombre y la abstracción matemática se alude en el siguiente versículo (Números 23:10): «¿Quién contará? ... el número de la simiente de Israel» El hombre contribuye la simiente amorfa, abstracta, mientras que la mujer la concretiza y le da forma.

21. Como se explica en el jasidismo, la *biná* no sólo expande y desarrolla la percepción inicial de *jojmá* sino que también la purifica, librándola de todo elemento de ilusión que inevitablemente acompaña toda nueva revelación.

22. La *iud* del esposo representa el despliegue de sus diez poderes del alma, que se agrupan en cuatro divisiones de placer supraracional (*keter*), los dos poderes de la mente (*jojmá* y *biná*), las tres emociones primarias (*jesed, gevurá* y *tiferet*) y las cuatro emociones secundarias (*netzaj, hod, iesod* y *maljut*). La *hei* de la esposa (5) sigue esta matriz de 1+2+3+4, extendiéndolos hacia la realidad y la revelación completa.

23. Este poder de la mujer de dar a luz físicamente a sus hijos como también figurativamente a su esposo, está incluido en la expresión de nuestros sabios «se dio a la mujer una medida más de entendimiento que al hombre». Entender algo, tanto un concepto como a otra persona, significa abrazarlo y rodearlo: aprehenderlo, sostenerlo y nutrirlo hasta su completo desarrollo. La mujer entiende tanto a sus hijos como a su esposo. Es una mujer comprensiva por virtud tanto de su útero del que nacen sus hijos,

como por su poder de nutrirlos y criarlos. Pero en adición también posee un «útero» superior, siendo la «mujer comprensiva» de la que nace el potencial latente de su esposo. Dios dio esta medida extra de entendimiento a Eva directamente al crearla mientras su esposo Adán dormía profundamente (porque ese nivel de comprensión era incapaz de pasar a través de su conciencia).

24. *Maljut*, la *sefirá* femenina, representa la autoestima y la auto sensitividad. Es por lo tanto la función de la mujer identificar la condición del ego y saber cómo manejarlo. Ella es el instrumento de Dios para moldear la conciencia de sí mismo del hombre. Esta habilidad de calibrar y saber cuándo rectificar el ego es la cualidad única del rey (*maljut* significa reino), como dice el versículo en Salmos 75:8: «A éste [a quien Él ve arrogante] humilla y a aquél [a quien Él ve humillado] enaltece».

25. En la terminología de la Cábala «*Biná* se extiende hasta *hod*» (véase *Tikunei Zohar*, introducción [7a]). *Hod* es la gratitud sincera nacida de una medida extra de comprensión (*biná*) conferida a la mujer.

26. Deuteronomio 8:18

27. Ibíd. 8:17

28. *Tana devei Eliahu Raba* 9.

29. En línea con la connotación de rectificación, que el verbo «hacer» también tiene (véase Rashi sobre *Bereshit Raba* 11:7). Véase nota 18 y nota 50.

30. En el *Zohar* (176b, principio de *Sifra de Tzeniuta*), el *Tikún* es definido como un estado de equilibrio. Las caderas sirven de centro del equilibrio, sosteniendo a todo el cuerpo. Nuestros sabios notan que la amplitud del cuerpo femenino en la cadera le confiere una mayor estabilidad, permitiéndole cargar con un

feto (Rashi sobre Génesis 2:22). De la misma manera, en el plano espiritual, con su mayor sentido de equilibrio, ayuda al esposo a equilibrar su continuo impulso de desarrollarse con su continua necesidad de ser humilde.

31. Así como esposo y esposa tienen sus respectivos «fuegos» de amor por los respectivos cónyuges, así también Dios, al que suele apelarse «fuego», manifiesta su fuego de amor por ellos.

32. *Kidushin* 30b.

33. En la Cábala, este Nombre se refiere a la *sefirá* de *iesod* (fundamento), que suele asociarse a los órganos reproductores, el fundamento de la continuidad humana.

En particular el nombre *Shakai* («Todopoderoso», denotando el poder Divino de dirigir y canalizar el proceso creativo) está asociado a la *sefira* de *iesod*, y el nombre *Kel*, que también significa «poder», está asociado a la *sefirá* de *jesed* («bondad», de modo que la connotación de este Nombre es «el poder del amor»). Cuando se unen y son usados como un solo Nombre, esto implica que el poder de procreación es motivado por, y es una función de la fuerza del amor.

El Ramban, Najmánides, (sobre Génesis 17:1) explica que mediante Su Nombre «Dios Todopoderoso», Dios hace milagros en la manera de la naturaleza, mientras que mediante Su Nombre *Havaiá* hace milagros investidos en la naturaleza.

Así sucede con esposo y mujer, el «patriarca» y la «matriarca» de su hogar, los milagros que implican construir un hogar juntos, concebir y criar hijos, ver a los nietos crecer, etc. todo como parte de la naturaleza, reflejan el fuego sagrado de la *Shejiná*, Kel Shakai, presente en el hogar.

El nombre divino compuesto por las dos letras *iud* y *hei*, el nivel esencial de «la Divina Presencia mora entre ellos», corresponde a la «llama blanca» (*shalhevet*) sobre el «fuego azul oscuro» (*esh*, véase R. Eliahu de Vilna, *Comentario sobre el Sefer Ietzira*, 1:7).

Ambos niveles de fuego se manifiestan en el Cantar de los Cantares (8:6) con respecto al amor entre el novio y la novia: «Sus brasas [del amor] son brasas de fuego [*esh*], la llama [*shalhevet*] de Dios».

Mediante el poder del Nombre de las letras *iud* y *hei* (las primeras letras del Nombre *Havaiá*, que corresponden a su «unidad suprema»), el milagro manifiesto del «éxodo», que trasciende incluso los confines de la naturaleza refinada, está presente en el hogar del pueblo de Israel. El hogar deviene en un santuario donde Dios revela abiertamente Su presencia a esposo, esposa e hijos (e invitados, véase cap.6). Cuando le dijeron al gran *tzadik*, Rabi Menajem Mendel de Vitebsk, que el Mesías había llegado, tuvo que mirar (y «oler») fuera de su hogar, porque allí la luz (y la «fragancia») del Mesías ya estaba presente.

34. Como Dios le dijo a Moisés antes del Éxodo: «Aparecí ante Abraham, Isaac y Jacob como *Kel Shakai*, pero Mi Nombre *Havaiá* Yo no se los di a conocer» (Éxodo 6:3).

35. Génesis 35:11

36. Véase a Rashi sobre Génesis 4:18.

37. Notad que la permutación «femenina» es la inversa de la «masculina», implicando que la anterior es la «luz reflejada» (*or jozer*) de la última.

38. Según el Rabí Abraham Ibn Ezra (sobre Éxodo 31:18, Esther 3:7), pese a que «Israel está por encima de la influencia y las predicciones de los signos del zodíaco» (*Shabat* 156a), el signo que mejor refleja los rasgos de carácter innatos del pueblo de Israel es Acuario (*dli*, «el cántaro» o «el aguador»). El aguatero también es un símbolo favorito del Baal Shem Tov (*Halom Iom*, 21 *Tevet*), simbolizando la bendición y aparece en el jasidismo como descripción de la forma de la letra *alef* (que alude a la presencia manifiesta del Creador en Su creación).

Siendo que la identidad es determinada por la madre, podemos comprender por qué los atributos innatos del pueblo de Israel derivan del «cántaro de fuego» femenino.

39. Tanto la forma masculina *ieled* como la forma femenina *dli* equivalen a 44, que equivale a la suma de «padre» (*ab*, 3) y madre (*em*, 41), quienes juntos han concebido al «niño» (*ieled*, 44). 44 es también el valor numérico de *dam* («sangre»), las dos letras finales de *adam* («hombre»). La primera letra de *adam*, la *alef*, representa el «aliento de la vida» dado al hombre por el tercer partícipe en el matrimonio, Dios Todopoderoso.

El valor promedio de ambos padres (*ab* y *em*) es 22, correspondiendo a las 22 letras del alfabeto hebreo, cuya manifestación física son los 22 cromosomas que contribuye cada padre a la identidad genética del niño. Dios une un par adicional de cromosomas que determina el sexo del niño (este par corresponde a la *alef* de *adam*, cuya misma forma es interpretada por la Cábala como una descripción de la unidad de la simiente masculina y la femenina).

La palabra *ieled* o *dli* (= 44), cuando se deletrea, equivale a 528 = 44x12 = 22x24 = *ieled* (22x2)+22^2.

40. La *vav*, conjunción copulativa, de «y plegaria», alude a la ley anteriormente mencionada, que dice que las mujeres, con el fin de orar con amor y temor, deben (como los hombres) estudiar aquellas partes de la Torá que despiertan amor y temor a Dios en el corazón.

41. *Shaar Haijud VeHaEmuna*, cap.4 (79a).

42. Las cuatro letras del Nombre *Havaiá* corresponden a los cuatro niveles esenciales de todo ser completo, sea mundo, *Partzuf*, ángel u hombre.

43. *Torá Or* 95b; *Sidur Im Daj* 282a; *Or HaTorá, Shemot*, pag. 1514; *Sefer Ha Maamarim* 5710 pág. 122; *Likutei Sijot*, vol. 8, pág.108; *Sod HaShem Lireiav*, pág. 57.

44. Génesis 1:28.

45. Deuteronomio 6:4

46. Véase *Mishne Torá, Iesodei HaTorá* 6:2, respecto a los siete Nombres de Dios que está prohibido borrar.

47. En hebreo: *shemot etzem,* en oposición a «adjetivos»: *shemot toar.*

48. Los tres Nombres están compuestos solamente por las cuatro letras del alfabeto hebreo que son a la vez consonantes y vocales (*alef, hei, vav* y *iud*). Estas cuatro letras están simétricamente situadas al comienzo, final y los puntos medios de las primeras diez letras del alfabeto: 1 (*alef*), 5 (*hei*), 6 (*vav*), 10 (*iud*). La suma de las cuatro es 22, indicando que estas letras son, efectivamente, alma y esencia de todo el alfabeto de 22 letras.

   Así como consonantes sin vocales son inaudibles (es decir inanimadas), las vocales, en relación a las consonantes (explica la Cábala) son como el alma al cuerpo. Así entendemos que los Nombres esenciales de Dios (constituidos solamente por las cuatro letras del alfabeto que sirven de vocales) son el alma interna de todas las palabras.

49. En realidad, el Nombre *Havaiá* suele asociarse con compasión (*rajamim*). Pero la compasión difiere de los otros atributos emocionales al derivar de la dimensión interna de *keter* (mientras que los otros derivan de la dimensión externa de *keter*) y su despertar depende de *daat* (la capacidad de empatizar realmente con el otro).

50. Lo mismo es cierto de la forma en que las personas experimentan la Divina Presencia en la vida en general. Los hombres tienden a experimentarla principalmente en su visión abstracta e inicial de la realidad, lo que les sirve de inspiración en su vida cotidiana, mientras que las mujeres tienden a experimentarla en la concretización de su revelación en el mundo real.

51. En la Cábala, la mujer en sí (en mente y cuerpo) refleja y simboliza la *Shejiná*, la presencia de Dios y su injerencia en la realidad.

52. En la Cábala este Nombre es el Nombre «secreto» de Dios, ante todo porque no aparece explícitamente en la Torá. Segundo porque corresponde a la *sefirá* de *daat*, que no se manifiesta inicialmente como una de las *sefirot* (cuyo número es «diez y no nueve, diez y no once» [*Sefer Ietzirá* 1:41]). Finalmente su valor numérico es 17, lo mismo que la palabra *tov* –«bien». Está escrito acerca de la luz que fue creada durante la primera semana de la creación: «Y vio Dios que la luz era buena» (Génesis 1:4). La interpretación de nuestros sabios a este versículo es que Dios vio que era «adecuado esconderla» hasta el futuro (*Jaguigá* 12a).

53. Véase nota anterior donde explicamos que el esposo y la esposa están unificados por el Nombre *Ka*, es decir, el aspecto de *jojmá* que se une con *biná*. El Nombre *Akva* es el poder que efectúa esta unión.

54. *Sefer Ietzirá* 1:7.

55. Véase nota adicional 3 al final de este capítulo en el original.

VI. PALABRAS DE AMOR Y CORDIALIDAD

1. Génesis 2:7. El hecho de que la Torá preceda la descripción de la ascendencia del hombre señalando que fue creado «del polvo de la tierra», indica que la *primera* rectificación de conciencia es verse a sí mismo como «polvo de la tierra», para acceder al estado de humildad que se explicará en el próximo capítulo.

2. Si comprendemos «conocimiento» (*daat* o *dea*) como la capacidad de relacionarse al otro, «conocimiento y habla» son simplemente las correlaciones mentales y físicas de uno a otro.

3. En arameo: *ruaj memalela*. En contraste, cuando la expresión «alma viviente» —*nefesh jaiá*— se usa respecto a formas de vida inferiores (Génesis 1:20, 21, 24, 30;2:19), el Targum al arameo lo traduce literalmente «alma viviente». Podemos deducir que el Targum es la fuente en la que Rashi basa su explicación de esta expresión. (Aparentemente, él interpreta la palabra *ruaj* como *dea*, como en Isaías 11:2 , así como en Éxodo 31:3 explica que *dea* es *ruaj hakodesh*, inspiración divina).

4. *Ketubot* 13a.

5. Génesis 4:1. véase *Tania*, cap.3.

6. Véase *Sefer Ietzirá* 1:3

7. Hay muchos preceptos que giran en torno a la santificación del habla. Véase el capítulo denominado *Shemirat Brit HaLashon* en *Maljut Israel*.

8. *Terumot* 3:8. La antítesis del habla rectificada es hablar teniendo «una cosa en la boca y otra [diferente] en el corazón» (*Pesajim* 113b).

El estado ideal del habla está implícito en el nombre de la primera letra del alfabeto hebreo, el origen de todo el habla: *alef*, que como número equivale a uno y como palabra es un acrónimo de «enseña a tu boca [a decir] la verdad» (*Otiot deRabi Akiva*, comienzo) y «uno [e igual] en corazón y boca». Esta última frase es 130 y equivale a 10 veces uno, *ejad* (=13), indicando que cuando la expresión oral refleja las profundidades de su corazón, se unifican los diez poderes del alma.

9. *Berajot* 6b. *Shirat Israel*, pág. 156. En proporción a la intensidad del «corazón de fuego» de quien habla, su llama, (*lehava*) de amor y deseo asciende e inflama el corazón de quien escucha.

El profeta Ovadia (1:18) identifica estos dos niveles de «fuego» (*esh*) y «llama» (*lehava*) con «la casa de Jacob» y «la casa de José»:

«La casa de Jacob será fuego y la casa de José será llama...» Cuando la llama de José encuentra un objeto negativo, no receptivo, lo consume, según la continuación del versículo: «y la casa de Esaú será paja, y ellos los encenderán y devorarán...» Pero cuando encuentra un objeto positivo y receptivo lo inflama e inspira.

10. El amor es la emoción primaria del corazón (la experiencia interna de la *sefirá* de *jesed*), que acompaña y conduce a todas las demás, como se explica arriba. Su alma arquetípica es Abraham, «el más grande [*gadol*] de los gigantes» (es decir, la más grande de las almas arquetípicas de Israel, Josué 14:15). En la Cábala, *jesed* (bondad) y *gedulá* (grandeza) son sinónimos del mismo poder del alma.

Nuestros sabios nos enseñan que el amor más grande y más intenso de todos los amores en el mundo animal ocurre entre el león y la leona (*Sanhedrín* 106a). En la visión de Ezequiel del carruaje Divino, el león está «a la derecha» (Ezequiel 1:10), correspondiendo a la *sefirá* de *jesed*. Además, león (*leib*) en idish deriva de *lev* y aparece en la expresión (tanto en hebreo como en otros idiomas) «corazón de león» que equivale a 248, que a su vez equivale a Abraham.

11. La equivalencia numérica entre la palabra «boca» (85) – «*pe*», y el valor combinado de las palabras «amor» y «bondad» (*ahava* + *jesed* = 13 + 72 =85), implica que el propósito de la boca es expresar las palabras de amor y bondad que provienen del corazón.

El número 85 es el punto medio de 169 = 132 (13 = «amor»). Además, 85 = 5x17; 17=*tov*, «bien». En la Cábala aprendemos que *daat* proyecta cinco poderes de bien en el corazón que después se expresan como habla rectificada (las cinco categorías iniciales de habla rectificada, que examinaremos a continuación).

La suma de los factores primos de 85 (5 x 17) es 22, el número de letras en el alfabeto hebreo y el valor de la palabra *tová*, la forma femenina de «bien» (se agrega la letra *hei* = 5 a la palabra *tov* = 17).

12. Proverbios 27:1

13. En hebreo *panim* (cara, rostro) significa también «conciencia interna «*pnimiut*, porque el rostro expresa la sabiduría del alma (como en Eclesiastés 8:1: »la sabiduría del hombre ilumina su rostro») y las emociones más íntimas del corazón.

14. *Zohar* 2:176b en el *Sifra de Tzeniuta*. La Cábala describe los niveles más bajos de comunicación, cuando uno de los interlocutores o ambos no exponen su yo interno, como «rostro [masculino] a espalda [femenina]», «espalda [masculina] a rostro [femenino]» o «espalda a espalda».

15. *Bejorot* 8a. Las otras dos son la serpiente y el pez, «porque la *Shejiná* habló con ellos», la serpiente en la historia de la creación y el pez en el libro de Jonás.

16. *Zohar* 2:123a.

17. De manera ideal, al purificar los pensamientos, la facultad del habla hará lo consiguiente y uno no deberá concentrarse explícitamente en controlar su habla. Sin embargo, para la mayor parte de las personas es necesario atacar el problema desde ambos lados.

Desde una perspectiva aún más profunda, las letras y las palabras del habla reflejan y expresan los niveles conscientes del alma, que no se manifiestan en los pensamientos. En el jasidismo aprendemos que las «letras del pensamiento» y «las letras del habla» tienen dos fuentes independientes en la esencia misma del alma (véase Rabí Hilel de Paritch, *Commentary on Shaar Haijud* final del cap.3).

Al prestar atención seriamente a lo que uno dice, uno aprende a canalizar el poder consciente del alma a los niveles conscientes de la mente, el corazón y la acción.

18. En general es el marido quien debe expresar amor por su esposa en forma explícita y directa. La expresión de amor de la esposa por su marido es en general más indirecta (e implicada en el tono de su voz).

261

Es interesante notar que la expresión «Te amo», que dice el esposo a su esposa, equivale a 502, que a su vez equivale a «la Presencia Divina [mora] entre ellos».

19. En todas estas expresiones «dentro de» equivale a «expresado como».

20. De los seis días de la creación se dice: «El mundo será edificado con *jesed*» (Salmos 89:3). Nuestros sabios enseñan que toda la creación tuvo lugar durante las 12 horas del día de cada uno de los seis días. 6x12=72=*jesed*. A las horas de *jesed* de la creación alude el versículo: «El mundo será edificado con *jesed*». Así cada uno de los atributos que corresponden a cada uno de los días de la creación debe ser comprendido como el grado interno de *jesed* que brilla en y aparece a través de dicho atributo.

21. Génesis 1:3.

22. «Todo es según el comienzo» (*Pirkei de Rabi Eliezer* 41). Esto también es evidente según el versículo «El principio de tus palabras iluminará» (Salmos 119:130) y la expresión: «Abre tu boca, que tus palabras brillen» (*Berajot* 22a). Según la Cábala, la palabra «dijo» usada en el relato de la creación, *amar*, es un acrónimo de las tres etapas de la creación, «luz», «agua», y «cielo». Véase nota 62.

23. La palabra *ahavá* (amor) puede verse como un acrónimo de «la luz del Santo, Bendito Sea».

24. La palabra *tojejá* (reprimenda) puede separarse en dos sílabas: *toj*, que significa «dentro», «en estado de» y *ja*, que equivale a la palabra *ahava* (amor). De modo que podemos leer *tojeja* como: «en estado de amor».

A esto podemos agregar que la primera aparición de la palabra *tojeja* en la Torá es cuando Abraham reprende a Abimelej, después que los esclavos de este último se apoderan de su pozo de agua (Génesis 21:25). Siendo que Abraham personifica amor y misericordia, podemos deducir que esta reprimenda provenía del amor.

25. Que pueden encontrarse en el *Shuljan Aruj, Oraj Jaim* 156 (en *Shuljan Aruj HaRav*, 156:6-8).

26. Citado en *Meor Einaim*, comienzo de *Juk*á.

27. Véase desarrollado en *Likutei Sijot*, vol. 10, págs. 24-29. La actitud mental que le permite a uno hacer esto se discute más adelante.

28. Génesis 1:6. Acerca del significado de aguas superiores y aguas inferiores, véase *The Hebrew Letters*, pág. 27.

Además, agua significa alegóricamente intelecto (*Zohar* 2:19b): El firmamento en el agua significa la capacidad del intelecto de discriminar, es decir, de reconocer las diferencias entre situaciones y contextos sumamente similares. Esta habilidad es crucial al reprender, ya que es fácil equivocarse respecto a las circunstancias y los motivos ulteriores de una acción, o no encontrar las palabras y el tono adecuados para la represión (Véase *Igrot Kodesh Admor HaRayatz*, vol.4, págs. 14-15, *Halom Iom*, 22 *Elul*).

Esta idea está implícita en el fenómeno del mandamiento «debes reprender a tu prójimo» (Levítico 19:7) que cuando se escribe como un cuadrado perfecto, las letras de las esquinas forman la palabra *jojmá* (sabiduría), como diciendo que toda reprimenda debe suceder en un marco de sabiduría.

Esto agrega un significado adicional al versículo: «Las palabras del sabio dichas con calma son escuchadas» (Eclesiastés 9:17).

29. *ad loc*

30. En hebreo «entre las aguas», ya que el agua representa amor; la expresión puede ser «entre el amor», que a su vez equivale numéricamente a *tojejá*, como se señaló en la nota 25.

31. Véase *inter alia, Derej Mitzvoteja, Shoresh Mitzvat HaTefilá* 9 (págs.118-119).

32. Véase pág. 59.

33. El esposo es responsable de proveer a su esposa «alimento, vestimenta y sus derechos conyugales» (Éxodo 21:10). Sin embargo, si solamente lo hace en el aspecto físico y no la alaba por ello, es cuestionable si realmente ha satisfecho sus necesidades. Parte de su deber, entonces, es alabarla (en forma sensible y apreciativa) por sus éxitos como ama de casa (representados mayormente por su cocina), su buen gusto en ropa y su atractivo físico.

La Torá dice de Rajel que era «de bella figura y bella apariencia» (Génesis 29:17, véase a continuación, nota 46). Aunque ambas expresiones se refieren a la belleza física, «bella figura» se refiere específicamente a la forma y proporción de los miembros, mientras que «bella apariencia» se refiere específicamente a la complexión o el brillo del rostro (véase Rashi, Ibn Ezra, *ad loc*). La belleza que irradia el rostro, nos dicen, depende de su condición espiritual: «La sabiduría de un hombre irradia en su rostro» (Eclesiastés 8:1). En la relación mutua «bella figura» describe belleza física, y «bella apariencia» belleza más espiritual. Aquí vemos, entonces, que la Torá alaba primero las cualidades físicas de Rajel y después sus cualidades espirituales.

Más aún, la *sefirá* de *tiferet* en la Cábala es denominada «el cuerpo» (*Tikunei Zohar*, introducción [17a]), indicando que la alabanza está asociada al cuerpo. Más adelante asociaremos la elegancia de la esposa con la *sefirá* de *tiferet*, sus joyas, etc., que revelan su belleza interna.

Podemos inferir que cuando uno se viste bien se hace digno de la alabanza del versículo que introduce los preceptos respecto a las vestimentas sacerdotales: «Y harás vestimentas sagradas a tu hermano Aarón, para su honor y alabanza» (Éxodo 28:2).

34. En correspondencia a las tres cualidades físicas que el marido debe elogiar en su esposa hay tres cualidades espirituales por las

que debe elogiar: su generosidad, su inteligencia y su buen carácter (*midot*), y la forma en la que cría a sus hijos. Estas son las cualidades principales por las que debería alabarla.

RESPONSABILIDAD DEL MARIDO	ALABANZA FÍSICA	ALABANZA ESPIRITUAL
Derechos conyugales	Atracción, belleza	Cuidado y educación de los niños
Vestimenta	Buen gusto en ropa	Rasgos de carácter e intelecto
Alimento	Cocina, labores domésticas	Actos de generosidad

En su poema de alabanza a la mujer (que cierra el libro de Proverbios y es recitado en el hogar en la noche del Shabat), el rey Salomón escribe: «Falsa es la gracia y vana la hermosura, pero la mujer que teme a Dios debe ser alabada» (Proverbios 31:30). Esto significa que si la mujer no es justa, su gracia y belleza carecen de valor, pero si lo es, también esas cualidades son dignas de alabanza.

La razón simple por la que la belleza femenina no es abiertamente alabada en este poema es que el rey Salomón lo escribió en honor a su madre, Batsheva (véase *Zohar* 3:74b; Rashi e Ibn Ezra sobre Proverbios 31.1) y no es correcto que un hijo alabe la belleza física de su madre.

35. Los hombres también deben ser alabados por su apariencia física, así como la Torá describe a José como a su madre Raquel: «De bella figura y bella apariencia» (Génesis 39:6).

36. Véase *Likutei Moharan* 1:282.

37. La raíz *peer* significa tanto «belleza» como «alabanza». En forma reflexiva significa «alabarse a sí mismo» o «enorgullecerse».

La *sefirá* de *tiferet* comprende tanto «estados revelados de *jesed*» como «estados ocultos de *jesed*». Alabar cualidades físicas corresponde al primero, alabar cualidades espirituales al segundo.

38. Génesis 1:9

39. Ibíd. 1:11

40. Esta serie de «alabanzas» refleja los mismos tres aspectos de alabanza física que hemos descrito anteriormente: cuando Dios alaba a la tierra y como consecuencia la tierra se revela, es como el consorte que alaba la belleza física de su cónyuge. Dios «alabando» la capacidad de la tierra de cubrirse de vegetación es similar al consorte que alaba las hermosas vestimentas de su cónyuge. Dios «alabando» la capacidad de la tierra de producir árboles frutales es como el consorte que alaba la habilidad de su cónyuge de proveer sus necesidades. Y efectivamente, originalmente Dios permitió al hombre comer únicamente el producto del tercer día de la creación, es decir, vegetación (Génesis 1:29).

En la Cábala, la tierra corresponde a la sefirá de *maljut* que corresponde a la mujer. La serie anterior de alabanzas es particularmente aplicable al caso del marido que alaba a su esposa.

Nos enseñan que cada uno de los cuatro reinos (mineral, vegetal, animal y humano) están incluidos en los otros. El aspecto «vegetativo» del hombre es el cabello que crece constantemente (la imagen del cabello como una vestimenta que cubre el cuerpo puede verse en la frase «un ropaje de pelo» [Génesis 25:25]). El elogio anterior a la vegetación de la tierra debe referirse en la pareja, además de a la vestimenta, también a la belleza del cabello.

41. Malaquías 3:12.

42. *Halom Iom*, 17 *Iar*. El potencial latente en cada uno son los poderes del alma que están actualmente dormidos. El Baal Shem Tov dijo que su alma fue enviada del cielo para despertar al pueblo de Israel de su profundo sueño del espíritu. Así como una persona en estado de desmayo (o coma) profundo puede ser revivida susurrándole su nombre hebreo, así el Baal Shem Tov dijo que su propio nombre, Israel, el nombre colectivo del pueblo, es de

hecho ese susurro en los oídos del pueblo. Como se explica en Cábala y el jasidismo, no hay mayor elogio al pueblo que llamarlo por su nombre Israel. El nombre Israel se identifica con la *sefirá* de *tiferet*, como en la frase «la belleza de Israel» (Lamentaciones 2:1). El valor numérico de Israel (541) es el punto medio del valor numérico de *tiferet* (1081).

43. *Igueret HaKodesh* 20 (pág. 132 ab).

44. En la Cábala *tiferet* es el punto de apoyo de las emociones (manifestándose en el amplio espectro de los matices emocionales) y se identifica con el torso, del que salen todos los miembros.

45. Véase *Tania*, fin del capítulo 32 y del 44, basado en el versículo «Jacob, que redimió a Abraham» (Isaías 29:22). Jacob personifica la *sefirá* de *tiferet* y Abraham la *sefirá* de *jesed.*

46. Como ya mencionamos, un nombre alternativo para la *sefirá* de *jesed* es *gedulá* (grandeza). Esto indica una conexión temática entre amar y ser digno de elogio, específicamente en lo que respecta al potencial infinito de expresar bondad.

    Moisés alaba a Dios diciendo que Él es «grande, poderoso y temible» (Deuteronomio 10:17): esta frase es la expresión de la alabanza primera en la plegaria *Amidá*. De modo que la primera y máxima alabanza es a la grandeza de Dios (bondad). En el transcurso de la historia del pueblo de Israel, hubieron tiempos cuando se cuestionó la pertinencia de mencionar «poderoso y temible» en la plegaria, pero nunca se creyó poco apropiado mencionar Su grandeza (*Ioma* 69b).

47. Eclesiastés 9:17.

48. En el árbol de las *sefirot*, *netzaj* está abajo y por lo tanto se considera derivado de *jojmá*. Más aún en la cadena de desarrollo de los Rostros, los *partzufim*, el *netzaj* del *partzuf* superior está investido en la *jojmá* del inferior.

49. En el contexto de la administración de empresas esta idea se elabora en el capítulo 2 de nuestro ensayo *La corporación Dinámica.*

50. Génesis 1:17-18.

51. *Mishné Torá, Iesodei HaTorá 3:9.*

52. *Zohar* 36a.

53. En la Cábala, Moisés está asociado a la *sefirá* de *netzaj.*

54. La palabra hebrea *hod* (gratitud) significa también «reconocimiento». Como lo implica también la etimología de la palabra castellana. Reconocimiento depende de conocimiento, es decir, reconocimiento de haber recibido un don. Sólo después que uno ha realmente reconocido al dador y al don en su mente y corazón, puede expresar su agradecimiento con palabras.

55. En la Cábala, el Nombre Divino que corresponde a las *sefirot* de *netzaj* y *hod* es *Tzvakot* (huestes), de la raíz *tzava* (ejército). *Netzaj* representa al ejército victorioso, *hod* representa al ejército sometido o al poder de someter al ejército contrincante. De aquí entendemos que una parte crucial de nuestro poder de rectificar la creación (es decir «someter» o «conquistar» su materialismo *a priori*) depende de la rectificación de nuestro habla en los niveles de *netzaj* y *hod*. El Éxodo de Egipto, tal como lo explica el jasidismo, es un proceso espiritual y es el arquetipo del éxodo final de todos los exilios. Cuando el pueblo de Israel dejó Egipto, fuimos denominados «las huestes de Dios».

56. De las cinco categorías del habla, el grado más elevado de sinceridad (*tmimut*, la propiedad interna de *hod*) se refleja aquí. Como lo explicamos anteriormente, mediante la alabanza uno revela cualidades dormidas en el alma de la persona elogiada. Estas cualidades son las «luces internas» del alma (tales como sabiduría, miseri-

cordia o compasión). Si la gratitud es sincera, uno revela un aura de esplendor (*hod* significa también esplendor), una luz majestuosa sobre aquel a quien se reconoce. El acto de gratitud es así similar a una coronación, resultando en el total compromiso (otra implicación de *hod*) del que reconoce al reconocido.

57. Véase *Lev LaDaat* págs,1-49 y más adelante cap. 7.

58. *Génesis* 1:20. Tanto los peces como las aves fueron creados de las aguas bajas, a las que la Cábala se refiere como «las profundidades», una apelación de las *sefirot* de *hod* (*Sefer Ietzirá* 1:5, comentario de Rabi Eliahu de Vilna *ad loc.*; *Kehilat Yaakov* 2:22a; *Tikunei Zohar* 70 [125a]). En el alma, «las profundidades» es el estado de sumisión desde el que uno agradece sinceramente a su benefactor.

(En el segundo relato de la creación se determina [Génesis 2:19] que las aves fueron creadas de la tierra. Nuestros sabios resuelven esta aparente contradicción explicando que las aves fueron creadas de los pantanos, que constituyen un estado intermedio entre agua y tierra [*Julin* 27b, Rashi acerca de Génesis 2:19]).

59. Génesis 1:22, Dios continúa bendiciendo la creación en el sexto y séptimo día (ibíd 1:28, 2:3). En este sentido, estos últimos dos días pueden ser considerados extensiones del quinto. Esto refleja el principio según el cual la manifestación de los grados de *jesed* culmina en el quinto atributo emocional, *hod*, y después se extiende e incluye los dos atributos finales, *iesod* y *maljut*.

60. Este es el significado del término «alma viviente», aplicado ante todo al mundo animal (Génesis 1:20). Rashi (*ad loc.*) explica al respecto que los animales poseen «vitalidad», que en la Cábala es sinónimo de conciencia.

61. El Talmud (*Julin* 63a) aplica el versículo (Salmos 36:7) «Tus juicios están en las profundidades» al caso de un ave que atrapa un pez, y afirma que ningún pez es comido sin ser juzgado. Y si el pez es juzgado esto implica que en algún nivel de conciencia

sabe que está siendo juzgado. (Este juicio no implica que los animales sean responsables de sus acciones, porque los animales carecen de libre albedrío. Sin embargo, Dios juzga si cada animal está destinado a ocupar su lugar en la creación muriendo o viviendo, consumiendo –elevando a otro– o siendo consumido –siendo elevado por otro).

62. «Más quiere la vaca amamantar que el becerro mamar» (*Pesajim* 112a).

63. Notad como esto contrasta con la noción popular que no está mal «malgastar simiente». La advertencia de no gastar en vano las energías que Dios nos dio, puede considerarse una extensión de la prohibición contra el desperdicio en general (*bal tashjit*).

64. *Hod* proviene de la palabra *hed* (eco). La emoción de agradecer debe ser el eco del deseo interno del dador de recibir agradecimiento.

65. Esto es lo que indica el hecho que *hod* es el reflejo de *jesed*, ya que uno agradece actos de benevolencia. También nos han enseñado que «*biná* se extiende hasta *hod*» (*Etz Jaim* 29:8), es decir, la etapa final del entendimiento es agradecer.

Este es el significado místico del enunciado: «Quien da un trozo de pan a un niño debe informar a su madre» (*Shabat* 10b). Su madre (*Ima*) es la conciencia. Tomar conciencia de haber recibido un regalo le permite dar las gracias y así recibir más. Esta idea aparece también en el enunciado de nuestros sabios «Amado es el hombre, porque él fue creado a imagen de Dios, y aún es más amado porque se le hizo saber que fue creado a imagen de Dios» (*Avot* 3:14).

66. Aunque también la vegetación puede reproducirse hasta el infinito, esto se debe a la permanente presencia del poder de creación a partir de la nada original, investido en la tierra. Siendo que este poder original se manifiesta menos en los reinos humano y ani-

mal, los animales y el hombre requieren la bendición de Dios para procrear infinitamente.

A medida que progresa el tiempo, son reveladas dimensiones más profundas de la Torá con el fin de contrarrestar el efecto de la disminución de las capacidades espirituales de las generaciones.

Mientras que el *jesed* de *tiferet* despierta cualidades dormidas o latentes, el *jesed* de *hod* las conecta con su fuente en el infinito, ya que al agradecer a una persona uno agradece a Dios, el verdadero origen del don.

67. *Shaar HaKavanot,* primer discurso de *Januka, Mavo Shearim* 3:1:2, 5:1:1. Más que cualquier otro poder del alma, *netzaj* y *hod* actúan como «cónyuges». Se suelen comparar a los pies, que sólo permiten caminar cuando funcionan juntos.

68. «El Santo, Bendito Sea, no encontró recipiente que contenga bendición para Israel salvo paz, como está escrito "Dios dará fuerza a Su pueblo, Dios bendecirá a Su pueblo con paz" [Salmos 29:11]» (*Utzkin* 3:12).

De acuerdo al Talmud (*Berajot* 60b) un hombre debe comenzar su día recitando una serie de bendiciones. Pero como las bendiciones necesitan un «recipiente» de reconocimiento que las contenga, la costumbre del pueblo de Israel es recitar primero la frase «Te agradezco, Rey eterno y viviente, porque Tu me has restituido mi alma, abundante es Tu fe» (*Seder HaIom,* comienzo).

69. Toda empresa humana requiere la bendición de Dios para tener éxito. El esfuerzo humano no es más que el «recipiente» que prepara el hombre para recibir la bendición de Dios.

70. Esto puede ser visto en el relato talmúdico según el cual cuando el impulso sexual fue quitado al mundo, no solamente la gente dejó de procrearse sino también los animales (*Ioma* 69b).

Por contraste, la vegetación se propaga por sí misma y carece de conciencia de apareamiento. Por lo tanto Dios no bendijo (ni necesitó bendecir) a la vegetación diciéndole que fuera fructífera y se multiplicase, ya que su regeneración es asexual o sucede a causa de fuerzas externas a sí misma (polinización, etc.). En dicho relato talmúdico no se menciona que la vegetación dejó de reproducirse cuando se retiró el instinto sexual.

La diferencia entre animales y plantas es también evidente en el relato sobre Noé y el diluvio. Cuando Noé llevó a los animales con el objetivo de recomenzar la vida después del diluvio, llevó un macho y una hembra de cada especie (con excepción de los animales ritualmente puros, de los que llevó siete pares para los sacrificios al salir del arca. [Genesis 7:2, 8:20; Rashi *ad loc.*]). Esto parecería indicar que también en la creación original Dios creó a cada animal como una única pareja de macho y hembra (aunque esto está explícitamente dicho sólo respecto al Leviatán [*Bava Batra* 74b, Rashi acerca de Génesis 1:21]), y Noé siguió su ejemplo. Después de salir del arca, Dios ordenó a las parejas de animales que se reprodujeran (Génesis 8:17). La vegetación, por lo contrario fue inicialmente creada en forma masiva (véase Rashi sobre Génesis 1:11), y Noé no se llevó consigo plantas en el arca, salvo las que usó como alimento.

71. *Jovot HaLevavot* 3, Introducción.

72. El habla es una expresión de proximidad, mientras que el silencio es considerado en la mayoría de los casos como un signo de distancia.

73. Nos enseñan que incluso las narraciones de la Torá unen el alma de quien las estudia con el saber sobrenatural de Dios (véase *Tania cap.4, Kuntres Ajaron* 1). Vemos que los patriarcas (Génesis 31:4-17) y los sabios (*Berajot* 27b) se asesoraban con sus esposas.

74. Véase capítulo 6. La ley requiere que el esposo coma con su esposa (*Shuljan Aruj, Even HaEzer* 70:2, glosa de R. Moshe Isserles).

75. *Iesod* significa «base» o «cimiento». El cimiento de un edificio es esa parte que lo conecta con la tierra. Esta *sefirá* es entonces el

lugar donde tienen lugar la conexión, comunicación e intercambio entre dos partes. La comunicación íntima es el secreto
de las dos partes, de ahí la conexión entre la palabra *iesod* y la
palabra «secreto», *sod*. Otra expresión para comunicación cercana es «conversación secreta», *sod siaj*.

76. Nuestros sabios nos enseñan (*Avot* 1:5): «No converséis excesivamente con mujeres», esto incluye también a la propia esposa, y
menos aún con la mujer de otro. Los sabios han declarado que
quien conversa excesivamente con mujeres «trae mal sobre sí, descuida el estudio de la Torá y terminará heredando el Infierno».
Charla vana es la fuente de los pensamientos ajenos que invaden
la mente cuando uno intenta orar o estudiar Torá (*Torat Or* 102c,
véase el capítulo intitulado *Shemira Brit HaLashon* en *Maljut
Israel*). El caso clásico de pensamiento ajeno es el que concierne a
otras mujeres, de modo que la charla vana con la mujer propia
puede llevarlo a uno a «menos aún con la mujer de otro».

Rashi (en su pasaje de *Avot*, véase también *Beit HaBejira ad
loc.*) señala que aunque la discusión de las experiencias de uno
con su esposa es generalmente saludable, la discusión de asuntos acerca de los cuales no se comparten dedicación o saber
puede ser contraproducente. Ambos extremos son ilustrados en
el caso de la esposa de Koraj y la esposa de On (Números 16;
Sanhedrín 109b). Uno debe entonces considerar cuidadosa-
mente la disposición y/o capacidad de su esposa de comprenderlo antes de comenzar ciertas conversaciones.

De acuerdo con la Cábala, a medida que se acerca la era mesiánica la estatura espiritual de las mujeres aumenta. (Durante el primer período de la era mesiánica, el estado espiritual de hombre y
mujer será igual y durante el segundo, el período eterno, el de las
mujeres será superior al de los hombres). Así que a medida que
nos acercamos a la redención, los maridos pueden confiar en sus
mujeres más de lo que solían hacerlo las generaciones anteriores.

77. Según la Cábala, *iesod* está más cerca de *daat* en esencia, que
cualquiera de las otras emociones. *Daat* es la dimensión interna

de la comunicación, mientras que *iesod* es el mismo acto de comunicación.

78. Génesis 2:17

79. *Or HaJaim* sobre este pasaje.

80. Por esto, por «conversar en exceso» con su mujer, ella le hizo «heredar el Infierno».

81. Como explicaremos más adelante el estudio de la Torá es de hecho una forma sublime de beso.

82. *Tania*, cap. 23 (29a).

83. Ibíd. cap. 5 (9b).

84. La Torá oral se estudia tradicionalmente en parejas, cada individuo poniendo a prueba la comprensión del otro hasta llegar a un acuerdo. Esta contienda amistosa es llamada «la batalla de la Torá» (*Sanhedrín* 111b), en la que cada partícipe actúa el papel de la «ayuda frente a él». La palabra que define este tipo de asociación de estudio es *javruta*, de la palabra *javer* (amigo). Como se explicará en el capítulo 8, el esposo y la esposa deberían ser los mejores amigos uno para el otro.

  El estudio de la Torá escrita, en cambio, es una empresa más privada, en la que el individuo se conecta con el aspecto trascendente de la Divinidad (véase *Torat Or* 57d-58a).

85. *Tikunei Zohar*, introducción (17a). Estas dos áreas de habla, la mundana y la sagrada, son las dos consumaciones de las precedentes cinco rectificaciones del habla. En forma similar, en la Cábala, *iesod* y *maljut* son consideradas los dos «sellos» de las cinco *sefirot* precedentes. Así aprendemos que hay dos aspectos de rectificación (*Tikún*). El primero es el del ámbito físico y mundano, que consiste en separar (*birur*) lo no sagra-

do de lo sagrado, y a ello nos dedicamos esencialmente a lo largo de la semana. El segundo es el del ámbito espiritual y sagrado, que consiste en unificar (*ijud*) las cosas con su fuente, a esto nos dedicamos en el Shabat. Los dos agentes arquetípicos de estos dos tipos de *Tikún* son el Mesías ben (hijo de) Iosef y el Mesías ben (hijo de) David respectivamente. José personifica el leal proveedor de las necesidades de su pueblo; David personifica el anhelo de «morar continuamente en la casa de Dios» (Salmos 27:4). El primer tipo de *Tikún* es el requisito del segundo, como dicen nuestros sabios. «El que se afana antes del Shabat comerá en Shabat» (*Avoda Zara* 50a).

86. Véase *Kuntres Ajaron* 9 (163a).

87. La Torá que se estudia durante los días de semana es la proyección del Shabat sobre esos días. Véase más adelante, nota 13, acerca de cómo las plegarias diarias son la proyección del Shabat sobre la semana.

88. Véase *I. Shabat* 15:3. Aunque señalamos con anterioridad (nota 73) que generalmente no hablar revela hostilidad, aquí nos referimos a formas de comunicación más profundas y sublimes que trascienden al habla.

89. *Midrash Tehilim* 9:2; *Kohelet Raba* 12:10.

90. Véase *Or HaTorá, Bereshit*, pág. 217.

91. Véase *Etz Jaim* 39. Besarse es intrínsecamente un doble fenómeno, ya que es el encuentro simultaneo entre dos alientos (a diferencia de la conversación en la que cada uno habla a su turno). Como se explicará más adelante hay dos dimensiones de beso. El Shabat, que es también un doble fenómeno (nota 9) se asocia con el beso, en contraste a los días de semana, que se asocian con el habla (nota 9).

92. Esta idea aporta un nuevo nivel de comprensión a la directiva de nuestros sabios de no «conversar en exceso» con la esposa que mencionamos antes (nota 77).

93. Cuando más profunda haya sido la comunicación durante la fase de conversación, más profunda será su experiencia de unión y menos necesitarán seguir conversando si siguen besándose, y eventualmente llegarán a relaciones maritales. Así nuestros sabios dicen que el versículo «Él anuncia al hombre cuál es su habla» (Amós 4:13), se refiere a «incluso la conversación innecesaria entre el hombre y su esposa» durante las relaciones maritales, es decir, más allá de lo necesario para establecer la atmósfera apropiada (*Jaguiga* 5b, Rabí Ovadia de Bartenura, *Comentario de la Mishna, Avot* 1:5).

94. Como ya mencionamos, la «boca« (85) equivale al valor combinado de «amor» (13) y «bondad» (72). Cuando las dos palabras «amor» y «bondad» se combinan con la palabra *daat* (474), sus iniciales forman «uno», y su valor numérico total es 559. Este número, multiplicado por dos (reflejando la presencia de amor, bondad y saber en las bocas de ambos cónyuges) equivale a 1118, el valor numérico exacto del *Shemá*: «Oye oh Israel, El Eterno es nuestro Dios, El Eterno es Uno»

En la Cábala y en el jasidismo se explica que el *Shemá* es la afirmación de la «unidad superior», la conciencia que toda la creación existe dentro de Dios. Esta «unidad superior» se expresa en el beso sublime de esposo y esposa. En contraste, la «unidad inferior», la omnipresencia de Dios en Su creación (expresada por el segundo verso del *Shemá*) corresponde a las relaciones maritales.

95. *Tania*, cap.45. El término del *Zohar* para definir esta unión es «la adhesión del espíritu al espíritu». Es claro de las frases finales de este capítulo del *Tania* que estudiar la Torá no es llamado besar a menos que incluya pensamiento concentrado. Para que el estudio de la Torá sea considerado un beso, debe haber un nivel de silencio dentro de la conversación.

Una vez que uno ha alcanzado esa unión con Dios mediante el estudio de la Torá, ésta puede manifestarse en otros aspectos de su vida (véase *Igueret HaTeshuva*, cap. 9).

Las mismas tres personas a través de las cuales fue dada la Torá, Moisés, Aarón y Miriam (*Jidushei Agadot, Meor Einaim* y *Etz Iosef* para *Shabat* 88a; *Julin* 92a) fueron muertos por el beso de Dios (Deuteronomio 34:5; Números 33:38 y Rashi *ad loc.*; *Moed Katan* 28a). Tanto el amor como el estudio de la Torá se comparan a la muerte, ya que ambos comprenden la disolución del ego (Cantar de los Cantares 8:6; Números 19:14; *Berajot* 63b).

De modo similar, cuando el pueblo de Israel recibió la Torá en el Monte Sinaí, todos fallecieron por la experiencia extática y debieron ser resucitados (*Shemot Raba* 29:4; *Shir HaShirim Raba* 6:3).

96. La ventaja y necesidad de observar los preceptos es que sólo de esta forma uno puede santificar su propio cuerpo y una parte del mundo físico y de esta manera contribuir al cumplimiento del propósito de la creación (*Tania*, cap. 38).

97. Véase *Tania*, cap.5.

98. *I. Berajot* 1:2. Rabí Shimón bar Iojai era uno de «aquellos para quienes el estudio de la Torá era su profesión», es decir, que estudian Torá sin interrupción. Dichas personas están exentas de interrumpir sus estudios para orar (*Shabat* 11a), ya que el estudio de la Torá es considerado un valor eterno, mientras que la plegaria responde a las necesidades del momento (ibíd. 10a).

99. Deuteronomio 6:7.

100. *Sifrei ad loc.*

101. Véase nota 7.

102. *Avoda Zara* 19b. La palabra «Torá» es afín a la palabra *horaá* (guía) (*Gur Arie*, comienzo, citando a Rabí David Kimchi; *Zohar* 3:53b).

103. Números 12:8.

104. El epítome de este fenómeno sucedió cuando «la Divina Presencia habló de boca de Moisés» (*Zohar* 3:232a). Esto es aplicable al libro del Deuteronomio que fue recibido durante los últimos 37 días de la vida de Moisés (*Meguila* 31b, *Likutei Torá* 5:20c; *Likutei Sijot*, vol. 4, pág.1087).

Este número (37) es el valor numérico de la palabra *hevel* (aliento), aludiendo al aliento de Dios, que Él sopló en Adán, dando un alma a su cuerpo inanimado. Siendo que en hebreo esta palabra es también el nombre de Abel, la raíz espiritual de Moisés (*Shaar haGuilgulim* 20, etc.), concluimos que el «aliento» que Dios insufló a Adán era de hecho el alma de Moisés.

105. El valor promedio de las tres palabras de la frase «boca a boca» (*pe el pe* =201) es 67, que equivale a la palabra *biná* (entendimiento). Nuestros sabios afirman: «Cincuenta portales de entendimiento fueron creados en este mundo, todos le fueron dados a Moisés salvo uno» (*Rosh HaShana* 21b). Esto, entonces, alude a nuestra interpretación según la que ambas bocas en la expresión «boca a boca» se refieren al mismo Moisés.

106. De aquí que los sabios del Talmud ocasionalmente se llaman «Moisés« uno a otro (*Shabat* 101b; *Suka* 39a; *Beitza* 38b; *Julin* 93a, etc.). Según el jasidismo (*Tania*, cap.42), hay un reflejo del alma de Moisés en el alma de cada integrante del pueblo de Israel, por virtud del cual cada uno puede conocer a Dios mediante la meditación.

107. *Iadaim 3:5.*

108. Cantar de los Cantares 1:2

109. *ad loc.*

110. Aunque la dimensión interna de la Torá fue entregada en el Monte Sinaí junto con el resto de la Torá, fue transmitida crípticamente y el estudio de lo poco que fue revelado fue confinado a la elite espiritual de cada generación. A medida que la historia progresa hacia su realización mesiánica, más y más de esta dimensión de la Torá ha sido revelada y publicada, pero la revelación completa aguarda la llegada del Mesías.

Rabí Shneur Zalman de Liadi dijo que aunque habrá otro éxodo y redención del exilio «no habrá otra entrega de la Torá». La Torá que el Mesías revele está contenida, aunque escondida, en la Torá del presente.

Y sin embargo, dado que la Torá que el Mesías revelará trascenderá todo lo revelado hasta entonces, «la Torá de este mundo es considerada vanidad en relación a la nueva dimensión de la Torá que el Mesías revele» (*Kohelet Raba* 11:8).

A la revelación original y la futura de la Torá alude la palabra «afectos», en plural. La palabra «afecto» en hebreo, en su forma ortográfica completa, es igual a David, y por lo tanto la palabra «afectos» alude a los dos David: el original rey David y su descendiente consumado, el Mesías. Siendo que los cinco libros de Salmos son considerados paralelos y expresan la dimensión espiritual de los cinco libros de Moisés, el rey David representa aquí la revelación original de la Torá, y el Mesías es su revelación futura. Siendo que la revelación futura será infinitamente más sublime que su revelación presente, el rey David es considerado en este contexto un virrey y el Mesías un rey completo (*Sanhedrín* 98b).

111. «Vino» hace referencia a la Torá (*Midrash Tanjuma, Vaieji* 10; *Tana devei Eliahu Zuta* 14; véase *Sifrei, Eikev* 48; *Shir haShirim Raba* 1, *s.v. Ki Tovim Dodeja* 3).

112. *Avoda Zara* 35a; *Vaikra Raba* 31:1, etc. La expresión «el vino de la Torá» es aplicada por Rabí Shneur Zalman de Liadi a los comentarios de Rashi sobre la Torá, que es un compendio de las

enseñanzas de los sabios (*Sefer haSijot* 5696-5700, pág.197; *Halom Iom*, 29 *Shevat*). El valor numérico de la palabra «vino» es 70, lo que alude a las 70 facetas de la interpretación de la Torá (*Bamidbar Raba* 13:15-16).

113. *Eiruvin* 65a; *Midrash Tanjuma, Shemini* 5; *Zohar* 3:39a.

114. El secreto que se expresa es comparado al vino, mientras que el secreto inexpresable se compara al aceite. El aceite de oliva puro simboliza la revelación del Mesías, el beso del futuro (véase nota 10).

115. El secreto del amor de Dios por el pueblo de Israel que se comunica mediante el estudio de la Torá es «un amor condicionado» (*Avot* 5:16), es decir, que su condición es la observancia de Torá y los preceptos. Cuando el hombre estudia Torá y observa los preceptos de Dios, siente ese aspecto del amor de Dios que se basa en esa obediencia.

El «secreto de los secretos», sin embargo, es el «amor incondicional» (ibíd.) de Dios por el pueblo de Israel, es decir que Él y nosotros estamos intrínsecamente y existencialmente unidos y Él, por así decirlo, no puede vivir sin nosotros. Por este motivo Él desea «una morada en los mundos inferiores». Este «secreto de secretos» no puede ser comunicado en este mundo porque sería en detrimento del libre albedrío y la recompensa y castigo resultantes. Las excepciones a esto son los patriarcas «a quienes fue concedido saborear el mundo futuro en sus vidas» (*Bava Batra* 16b-17a), y a quien estudia la dimensión interna de la Torá.

116. Del que dice Rabí Shneur Zalman de Liadi: «Uno no puede cuestionar un deseo» (*Or HaTora, Bamidbar*, pág. 997; *Sefer HaMaamarim 5666*, pág.7).

117. Véase *Shemot Raba* 4:2; *Zohar* 1:253a; *Shaar Hapesukim, Vayeji*. A esto alude el versículo (Eclesiastés 1:9): «Lo que fue es lo que

será», donde el nombre de Moisés aparece en las letras iniciales de las primeras tres palabras. La palabra *ma* (que), se refiere particularmente a Moisés, que dijo acerca de sí mismo y de su hermano Aarón: »¿Qué somos?» (Éxodo 16:7, 8). Cuando nació Moisés (y aún no le había sido asignado un nombre) lo llamaban «él»: «Y ella [su madre Iojeved] vio que él era bueno» (ibíd. 2:2). Así podemos inferir de la frase «Lo que fue es lo que será» que en su primera encarnación Moisés reveló ante todo el nivel de *ma*, mientras que en su encarnación final, como Mesías, él revelará la fuente absoluta de su alma, la «tercera persona» oculta, «él», que relució en el momento de su nacimiento. Véase *Teshuvat HaShana*, cap. 22.

118. *Kohelet Raba* 11:8. Esto según el principio general de la Cábala que todos los niveles de realidad revelada son esencialmente relativos por naturaleza (véase *Rejovot HaNahar*, la introducción de *Nahar Shalom*).

Si aparentemente entidades antitéticas (tales como *Tohu* y *Tikún*, allí explicadas) son relativas entonces entidades no antitéticas (como la Torá de este mundo y la Torá del mundo venidero) son seguramente relativas.

Lo que esto implica es que una vez establecida una relatividad entre dos conceptos, incluso conceptos no antitéticos, éstos pueden considerarse antitéticos. Cada concepto sirve entonces para resaltar al otro conceptualmente, ya que le sirve de negación teórica y abstracta.

119. *Maguen Abraham* a *Shuljan Aruj, Oraj Jaim* 250:1:1; *Shaár HaKavanot* 62b (vol. 2 pág. 26 en edición Brandwein).

120. *Sanhedrín 97a*.

121. Las enseñanzas del jasidismo fueron originalmente concebidas como la forma más potente de apresurar la redención mesiánica (carta del Baal Shem Tov, impresa en *Ben Porat Yosef* 127b; *Keter Shem Tov* 1).

122. Esto concuerda con nuestra comprensión de la instrucción de nuestros sabios de «no conversar excesivamente con la esposa», y «esposa» significa aquí el pueblo de Israel.

VII. HUMILDAD

1. Véase el fin de *Igueret HaTeshuva*.

2. Esta es una enseñanza fundamental del Baal Shem Tov y sus discípulos.

3. Véase *Halom Iom*, 17 *Iyar*, en nombre del Baal Shem Tov, nota 43. En los capítulos de apertura de *Tania*, antes de describir los lineamientos esenciales del servicio del pueblo de Israel a Dios, Rabí Shneur Zalman de Liadi describe los recursos a los que el hombre debe apelar para emprender este servicio: la naturaleza de su alma Divina y sus poderes de intelecto y emoción.

4. Números 12.3.

5. *Likutei Sijot*, vol.1, pág. 278-279.

6. Es importante notar que Moisés razonaba de esta manera porque era humilde por naturaleza. No tuvo necesidad de inculcarse la humildad mediante lógica o racionalidad.

   Respecto a los cuatro niveles generales de humildad: modestia, humildad (los dos primeros atributos de Moisés), sumisión y conciencia de la propia insignificancia (los dos atributos primarios de David), véase nota 9.

7. 2 Samuel 6:22.

8. *Tikunei Zohar* 57 (91b), 70 (122b).

---

9. Véase *Sod HaShem Lireiav*, cap.3.

10. La liturgia de *Iom Kipur*, «Comparezco ante Ti como un recipiente pleno de vergüenza y confusión».

11. El símbolo bíblico para una mente no ocupada por pensamientos sagrados es el pozo al que José fue arrojado por sus hermanos. Este pozo es descrito como «vacío, desprovisto de agua» (Génesis 37:24); nuestros sabios comentan, «estaba vacío de agua, mas estaba lleno de serpientes y escorpiones» (*Shabat* 22a).

12. José y David son las dos figuras mesiánicas de la Torá, y los progenitores del *Mashiaj ben Iosef* y el *Mashiaj ben David* respectivamente. La revelación de la chispa mesiánica en cada uno, que significa identificar y perseguir el único propósito en la vida, incluye la conciencia combinada del valor esencial de uno, por un lado, y por el otro su insignificancia existencial.

13. Este estado de conciencia se refleja en la cuarta y quinta categorías de habla, como ya fue explicado anteriormente.

14. Como aparece en Salmos 16:2: «No me debéis la bondad que reciben». La dádiva de bondad inmerecida que recibimos de Dios se llama *jesed jinam*, cuya traducción literal es bondad gratuita.

    Aunque uno debe acostumbrarse a pedirle a Dios todas su necesidades, reconociendo de esta manera que él es la fuente de toda beneficencia material y espiritual (*Mishne Torá, Tefila,* 1:2), esto debe hacerse como pedido y no como demanda.

    Mientras que uno debería luchar por reconocer que todo lo que recibe en esta vida se debe al *jesed jinam* de Dios, El Eterno, por Su parte, desea que el hombre tenga una sensación de realización para que no experimente la recompensa por sus buenas acciones como «el pan de la vergüenza» (la vergüenza de quien recibe un regalo inmerecido).

15. Génesis 32:11.

16. Rashi *ad loc.* En el transcurso del servicio Divino, ante todo uno toma conciencia del hecho de que la benevolencia hacia él excede infinitamente sus méritos. A esto se añade que todo lo que ha realizado y todos su méritos en sí pueden ser atribuidos a la benevolencia de Dios (véase nota 14), de modo que todo lo que recibe es un don del *jesed jinam* de Dios.

17. «Sois el último de los pueblos» (Deuteronomio 7:7), «porque vosotros [por naturaleza] os disminuís constantemente, como hizo Abraham al decir "Porque soy polvo y cenizas" (Génesis 28:27) y como lo hicieron Moisés y Aarón cuando preguntaron "¿Qué somos nosotros?" (Éxodo 16:7)...» Rashi *ad loc.*

Las letras iniciales de la frase «No me debéis la bondad que reciben», citada arriba, forman la palabra «naturaleza». Es la verdadera naturaleza del hombre sentir que Dios le otorga continuamente bondad inmerecida. Si el ego materialista parece haberse convertido en su verdadera naturaleza, debe trabajar sobre sí mismo hasta recobrar su orientación original.

Más aún, las letras finales de esta frase forman, al revés, la palabra *kli* (recipiente). Esta humildad es el recipiente supremo para recibir bendiciones.

La *Mishna* concluye enunciando que el recipiente para la bendición de Dios es la paz: «El Santo, Bendito Sea, no halló un recipiente capaz de contener su bendición a Israel salvo la paz, como está escrito: "Dios dará poder a Su pueblo, Dios bendecirá a Su pueblo con (en) paz" (Salmos 29:11)».

En el jasidismo nos enseñan que la paz verdadera entre la gente depende de su humildad existencial.

18. Véase *Igueret HaKodesh* 2.

19. Véase *Igueret Ha Teshuva*, cap. 11. Esta actitud complementa nuestra fe básica en la Divina providencia y bondad, que implica que nada «malo» sucede «realmente», ya que finalmente todo es para bien. (véase *Igueret HaKodesh* 11).

20. En hebreo la palabra que significa «insistencia» indignada en los derechos es *hakpadá*. Su valor numérico (194) equivale al de la palabra *tzedek* (justicia), que aquí significa auto justificación.

La auto justificación se origina en la misma raíz del carácter no rectificado del hombre. De hecho deriva del egocentrismo innato, el amor a sí mismo y la preocupación acerca de uno mismo y a él se refiere el jasidismo como «el enemigo disfrazado de aliado».

La raíz de la palabra *hakpadá*, en hebreo bíblico, refiere a un ave de presa, *kapod* (véase Isaías 34:11); en hebreo posterior, un puercoespín. Así como las púas del puercoespín repelen a todo lo que se introduce en su dominio, así el individuo indignado «pincha» a quienes lo rodean (véase *Sefer HaMaamarim 5659*, pág. 56 [*Kuntres Hejaltzu*, cap.4]).

La rectificación y transformación («endulzamiento») de la *hakpajdá* es la reorientación desde ser sensitivo y demandante respecto a los derechos propios, a ser sensitivo y responsable de los derechos de los demás, particularmente de los derechos del cónyuge. La raíz *kapad* así se permuta y forma *pakad* («recordar», generalmente en el sentido de recordar a alguien para redimirlo y específicamente «recordar» los derechos conyugales) y *dafak* («pulso» o «golpe»). «La voz de mi amado golpea» (Cantar de los cantares 5:2), excitándome con la anticipación de su llegada para «redimirme» con amor.

21. Este optimismo no implica, por supuesto, la negación de la gravedad del mal o el sufrimiento. Por lo contrario, es un modo efectivo de atacarlo indirectamente o conservar la confianza al medirse directamente con él.

22. Véase págs. 52-54.

23. Incluso en medio de un ataque de ira (siendo dominado por su tendencia al mal), uno debería intentar recordar este amor innato por Dios. Este es el significado de la afirmación de nues-

tros sabios (*Berajot* 54a), que el precepto de amar a Dios «de todo corazón» (Deuteronomio 6:5) significa «con ambas tendencias». De aquí que uno calmará su ira y comenzará a rectificar sus emociones en general (Maimónides, *Comentario a la Mishna, Berajot* 9).

VIII. AMIGOS FIELES

1. *Mishlei Israel* 588: «Una buena esposa es una buena amiga».

2. Su «cuerpo» extendido. Tal como se explica en *Tania*, cap. 32, para observar correctamente el precepto de amar al prójimo, uno debe aprender a hacer prevalecer al alma sobre el cuerpo, lo que le permite trascender las limitaciones del cuerpo, que separa a las personas. El Rabí de Lubavitch (*Shabat VaIakel Pikudei* 5724, citado en *Tania beTzeiruf Maamarei Mekomot*, vol.2, pág. 612) explica que, en adición al «cuerpo» físico de cada uno, aquí cuerpo significa también imagen.

3. Sin embargo, el marido debe reconocer que su esposa, por virtud de su modestia innata, es naturalmente más reticente en revelar sus sentimientos íntimos.

4. Deuteronomio 8:17

5. El desempeño sexual está arraigado en la *sefirá* de *iesod* («fundamento») y es la fuente principal de todo el poder y la fuerza de una persona.

6. Ibíd 8:18. La expresión «fuerza para lograrlo» (así como la expresión «Mi fuerza... ha logrado todo esto para mí» en el versículo previo) implica desempeño sexual.

7. Génesis 24:50.

8. Véase nota adicional en el texto original al final de este capítulo.

9. Abraham, hasta la edad de ochenta y seis; Sara hasta los noventa años; Isaac y Rebeca durante veinte años y Rajel, seis años.

10. *Ievamot* 64a. La palabra *tefilá* (plegaria), equivale a 515, el valor combinado de Itzjak y Rivka. Véase nota 10, y luego nota 8.

11. Adam y Eva originalmente tuvieron relaciones maritales «y no se avergonzaron» (Génesis 2:25). Una vez que comieron del árbol del saber del bien y del mal, se avergonzaron de su propia desnudez y se cubrieron. Sin embargo, al haber compartido el fruto del árbol del conocimiento del bien y del mal, su conciencia en general y su sensación de vergüenza en particular, se basan en cohibición y egocentrismo. La rectificación del pecado original puede concebirse entonces como la rectificación de la vergüenza, liberando a la vergüenza y el bochorno correctos de su adulteración egocéntrica.

Antes de la entrega de la Torá, el pueblo de Israel poseía los atributos de compasión (*rajamim*) y generosidad (*gmilut jasadim*) pero no vergüenza (*baishanut*). De hecho, eran conocidos como «el más descarado de los pueblos». Sólo cuando la Torá fue dada adquirieron un sentido innato de vergüenza, que moderó su descaro. A esto alude el versículo en el que Moisés describe el propósito de la revelación Divina de la entrega de la Torá (Éxodo 20:17): «Para que el temor a Dios esté ante vuestros rostros». Nuestros sabios enseñan: «Este [temor a Dios] se refiere a la vergüenza» (*Nedarim* 20a). Según el jasidismo, la vergüenza es la forma más interna de miedo, a lo que alude la expresión «ante vuestros rostros», que puede ser leída como «en vuestro fuero interno». El término «temor vergonzoso» es una permutación de la primera palabra de la Torá, lo que indica que adquirir ese tipo de temor es el propósito interno por el que fue dada la Torá.

Más adelante contrapondremos modestia (*tzniut*), el más instintivo y natural estado de altruismo, con humildad (*anavá*), el estado activamente impuesto de altruismo. Vergüenza (*bushá*) es un estado intermedio entre ambos, en el que uno oscila entre conciencia de sí mismo, que requiere humildad, y el verdadero altruismo que caracteriza la modestia. Cuando uno se aleja del altruismo y vuelve a la conciencia de sí mismo, la impresión de conciencia de Dios que experimentó en su estado de verdadero altruismo transforma su sensación de conciencia de sí mismo en una experiencia de embarazo existencial, el estado de «temor vergonzoso» arriba descrito.

12. De aquí la importancia del uso del eufemismo y la metáfora al discutir las relaciones maritales. Evitar lo explícito (en lo posible) sirve para preservar el sentido de trascendencia y santidad del tema y evita rebajarlo.

13. La habilidad de contenerse depende del estado de humildad, como se explicó en el capítulo anterior.

14. *Berajot* 60b.

15. *Taanit* 21a.

16. 3:224a, en *Raaia Mehemana*.

17. Véase *Likutei Torá* 54d.

18. Véase *Beshá'a Shehikdimu*, págs. 90 y 328.

19. *Guía de Perplejos* 2:30. Esto también puede comprenderse del hecho que la *jojmá* suele asociarse al hombre (Eclesiastés 8:1: «La *jojmá* del *hombre* irradia de su cara») y *biná* con la mujer (*Nida* 45b: «Una medida extra de *biná* fue dada a la mujer por encima de lo acordado al hombre») y que *biná* es llamada «el corazón» (*Tikunei Zohar*, introducción [17a]).

20. Génesis 3:16.

21. Esta es otra de las maneras de comprender la frase de nuestros sabios: «Baja un escalón y desposa una mujer» (*Ievamot* 63a). La mente que gobierna el corazón es el nivel del *beinoni*.

22. Es un axioma en el jasidismo que toda maldición es simplemente una bendición de orden tan alto que el bien que contiene no puede ser asimilado en el contexto del nivel espiritual limitado de nuestro mundo caído. Solamente en el futuro, o en momentos de excepcional espiritualidad en el presente, puede ser revelado el bien verdadero de la maldición (*Keter Shem Tov* 87; *Likutei Torá* 2:48a, etc.).

23. Está escrito: «Sirve a Dios con alegría» (Salmos 100:2).

24. Como está escrito (Deuteronomio 16:14): «Y te alegrarás en tus festividades». El término «festividad» se refiere aquí específicamente a la festividad de *Sukot* (que por ello es llamada «el tiempo de nuestra alegría») y por extensión las de *Pesaj*, *Shavuot* y *Shemini Atzeret*.

25. Como está escrito (Salmos 4:8). «Has dado alegría a mi corazón».

26. Eva es «la madre de toda la vida» (Génesis 3:20) y la «madre de los niños es feliz» (Salmos 113:9).

27. Véase pág. 156.

28. En Shabat, además del precepto de experimentar placer (*oneg*), está también el precepto de experimentar alegría (*simjá*). (*Sifrei, Bamidbar* 87).

29. El Árbol de la Vida es la «fuente de la vida» (Salmos 36:10), que es interpretado como la «fuente de todo placer» (*Likutei Torá* 1:1a), el placer del Shabat.

IX. PACIENCIA INFINITA

1. *Avot* 2:4.

2. *Sefat Emet ad loc.* Sólo Dios, de quien se dice «no hay lugar carente de Él» (*Tikunei Zohar* 57 [91b], 70 [122b] «percibe» el lugar verdadero del hombre y es capaz de juzgarlo.

3. Como hemos notado, «lugar» a menudo hace referencia al estado de la psique. En particular se refiere a *biná*, como está escrito: «¿Dónde está el *lugar* del *entendimiento*?» (Job 28:12, 20). De modo que «ponerse en el lugar» de otro es comprenderlo. La comprensión crea un espacio alrededor del alma comprensiva que se expande (por el poder del amor) hasta comprender al otro. Uno nunca alcanza el lugar del otro por sí mismo, sino que expande su propio lugar para incluirlo. En la terminología Cabalística, *biná* es el principio «madre «y es el útero común de todas las almas. Este útero común es el lugar que nos abarca a todos.

Así como uno detesta ser juzgado críticamente por otros, odiará juzgar un alma que comparte con él el útero común; el «amor propio» se ha expandido hasta comprender al prójimo, que está ahora a la par de uno mismo. De la misma manera que ignora sus propios defectos, ignorará los defectos de la persona amada, como está escrito: «El amor cubre todas las transgresiones» (Proverbios 10:12). (Este es el estado de conciencia «madre» respecto al precepto de amar al prójimo como a uno mismo. Véase *Derej Mitzvoteja*).

Ya explicamos que alcanzar este nivel de conciencia indica que el amor ha ascendido de la dimensión del espacio a la del tiempo. Aunque aquí estemos dilucidando la rectificación de las relaciones interpersonales, la dimensión «espacial» del amor, su conciencia «temporal» es lo que permite exhibir infinita paciencia en el «espacio». Cuando uno está junto a otra persona en el tiempo, las discrepancias en su relación «espacial» pierden urgencia, lo que permite la paciencia.

Aquí, en el «útero» común, sea uno consciente de ello o no, la manera de ver al prójimo refleja el estado existencial propio. Tal como lo enseña el Baal Shem Tov (*Likutei Moharan* 1:113, *Biná*

LaItim 63; *Likutei Sijot,* vol.4, en interpretación de *Avot* 3:16), al juzgar al prójimo uno en realidad se juzga a sí mismo, aunque no sea consciente de estar junto con él en el útero común. Nos enseñan que «los juicios surgen de *biná*» (*Zohar* 2:175b).

4. *Avot* 1:6.

5. *Meor Einaim, Jukat,* comienzo; *Toldot Iaakov, Teruma,* fin.

6. «Ciertamente reprenderás a tu prójimo» (Levítico 19:7).

7. El versículo citado en la llamada anterior dice literalmente: «Reprende, reprenderás a tu prójimo», implicando una reprimenda doble: «Repréndete a ti mismo y entonces reprende a tu prójimo».

8. *Bava Batra* 60b. La palabra usada aquí para «rectificar» significa literalmente «adorno». Siendo que «adornar» alude a la relación de marido y mujer (*Ketubot* 59b; *Taanit* 31a), podemos inferir que la enseñanza general «Ante todo rectifícate y después rectifica a los demás» se aplica especialmente al caso de esposo y esposa.

Lo antedicho se respalda también en el hecho que el primer incidente histórico en conexión con el cual este principio es articulado se centra en las relaciones maritales. En el Midrash (*Bereshit Raba* 23:4; Rashi sobre Génesis 4:25) se relata que:

> Lamej [el descendiente de Caín] se dirigió a Adán y se quejó acerca de sus esposas [que se negaban a cohabitar con él por miedo a que sus hijos fuesen borrados por el diluvio inminente]. Adán les dijo: «¿Os comportaréis según los decretos de Dios? Haced lo que se os ha ordenado y Él hará lo que Él desee». Ellas replicaron: «*¡Primero rectifícate tú!* ¿No has estado separado de tu esposa durante ciento treinta años, desde que la humanidad fue condenada a causa de tu transgresión?» Como resultado «Adán nuevamente conoció a su esposa». ¿Por qué dice nuevamente? Para enseñarnos que su pasión por ella era incluso mayor que antes.

Esta misma palabra para «rectificar» y «adornar» también significa «verdad», como en el versículo «Palabras verdaderas son de confianza» (Proverbios 22:21). En arameo, *kushta* es la traducción tanto de «verdad» como de «justicia» (Targum a Deuteronomio 16:20).

9. *Berajot* 5a, basado en Salmos 4:5, véase también *Igueret HaKodesh* 25. Cuando uno ve a otra persona transgrediendo o al borde del pecado, puede fingir ira para impedir que continúe (*Shuljan Aruj HaRav, Oraj Jaim* 156:3).

10. Es un precepto emular los atributos Divinos.

11. Éxodo 34:7. En hebreo: *erej apaim*. La traducción completamente literal de esta expresión es «larga nariz» (véase comentario de Ibn Ezra *ad loc.*). «Largas narices» implica «largo aliento», el poder del alma de calmar la ira y la tensión.

Así como la expresión *erej apaim* significa «paciencia», la expresión *ktzar apaim* significa «ira» o literalmente «nariz corta», es decir, de corto aliento, como en Proverbios 14:17: «El que se enoja fácilmente, resulta en necedad». Este versículo implica que la paciencia es la fuente de la sabiduría (véase *Sefer Ietzira* 4:3). En la terminología Cabalística, el Rostro de *keter, Arij Anpin* (la forma aramea de *erej apaim*) es la fuente del saber, es decir el Rostro de *Aba*, el origen del eje derecho de la estructura de las sefirot, al que denominan (*Tikunei Zohar*, introducción [17a]) el «eje largo» (en contraste con el izquierdo, el «eje corto» y el «eje intermedio».)

12. El verbo «esperar» en hebreo (*lehamtin*), es afín a la palabra *motnaim*, caderas. Así como las caderas dan equilibrio al cuerpo, el poder de esperar refleja la estabilidad interna del alma.

13. Mientras uno continúa trabajando sobre sí mismo, de acuerdo al principio «Ante todo rectifícate» anteriormente citado.

14. Como citamos anteriormente: «No juzguéis al prójimo hasta no estar en su lugar».

15. *Shemot Raba 32:1.*

16. Comer del fruto del árbol del saber implicaba tener relaciones maritales, como lo enseña la Cábala (*Shaar HaKavanot, Derush Rosh HaShana* 1, véase también en Ibn Ezra sobre Génesis 3:6, que el fruto del árbol del saber despertó el deseo sexual).

17. Esto concuerda con el principio general según el cual la «conducta» de Dios hacia el hombre refleja el comportamiento del mismo hombre. La impaciencia del hombre despierta la impaciencia de Dios, por así decir. El decreto Divino de la muerte y el exilio es la expresión de esta impaciencia.

18. *Shemot Raba*, loc. cit.

19. *Avoda Zara* 4b-5a.

20. Véase pág. 29

21. Es interesante notar que la expresión usada para describir esta instancia es «la consumió antes de madurar», una alusión y comparación al fruto del árbol del conocimiento del bien y del mal. Véase *Likutei Moharan* 2:88.

22. *Avoda Zara*, loc. cit.

23. En el capítulo seis hemos visto que la verdadera falta de orgullo es la sensación que uno no se merece (ni merecerá nunca) nada. Por contraste, la paciencia infinita resulta de comprender que uno *aún* no merece lo que desea. Esta conciencia es necesaria con el fin de motivar el perfeccionamiento y evitar que esperemos que la otra persona se perfeccione antes que lo hagamos nosotros.

   La paciencia, sin embargo, no compromete la falta de orgullo existencial, ya que creer que uno eventualmente realizará sus deseos puede estar basado en la fe en la predestinación (*mazal*) más que en la esperanza de merecer algo en base a nuestros propios méritos. Uno puede sentir que no se merece nada y al mismo tiempo creer que Dios tiene algún bien predestinado para él por el que debe esperar pacientemente. El perfeccionamiento que esto provoca no es un medio de conseguir o merecer la realización de nuestros deseos, sino la forma de crear un recipiente adecuado para el bien predestinado.

De modo que la falta de orgullo es el fundamento de la paciencia. Uno debe ante todo entender que no se merece nada, y esto implica que todo bien que le sobrevenga es consecuencia de su *mazal*. Para recibir este bien debe perfeccionarse, pero entretanto espera pacientemente, sabiendo que todo bien que reciba es un don inmerecido más que consecuencia de sus pedidos.

En la terminología Cabalística, falta de orgullo es la propiedad interna de *maljut*, mientras que paciencia se asocia con *keter*. En *keter* «el resultado depende del *mazal* (predestinación) más que del mérito» (*Moed Katan* 28a). *Maljut* y *keter* son «fin» y «principio» del árbol de las sefirot respectivamente; su interdependencia es una expresión del principio cabalístico: «Su fin está incluido en su principio y su principio en su fin» (*Sefer Ietzira*).

24. *Shabat 133b;* véase *Mishne Torá, Deiot*, 1:6.

25. Números 12:3.

26. En ese orden, porque la carencia de orgullo es el requisito previo para ser paciente. Estas dos expresiones, «carente de orgullo» y «paciente», se refieren a dos estados de conciencia que al unirse forman la humildad, como se describió en la nota 23.

27. *Likutei Moharan* 1:155.

28. Éxodo 3:8 ss.

29. «Leche y miel» en hebreo es numéricamente igual a «paciencia infinita» (352). Las iniciales de las palabras tierra, leche, y miel,

forman la palabra «uno». La palabra miel, *devash*, puede verse como un acrónimo de los nombres de David y Batsheva, la pareja arquetípica cuya rectificación depende de «infinita paciencia» y cuyos nombres unidos equivalen a *shlom bait* (paz doméstica). Más aún, la palabra leche, puede verse como un acrónimo de «Mi corazón está vacío dentro de mí», la declaración de arrepentimiento consumada respecto a su pecado con Batsheva (*Likutei Moharan* 2:1:4).

En la Cábala la leche significa los cinco estados de *jesed* en *daat* (correspondientes al varón) y miel los cinco estados de *gevurá* (correspondientes a la mujer).

30. Esto se dice en particular de la cueva de la Majpelá en Jevrón (*Jesed leAbraham* 3:13, véase también 3:3). Los patriarcas y las matriarcas, enterrados en la cueva de la Majpela, son la rectificación de Adán y Eva, quienes, de acuerdo con nuestros sabios (*Sotá* 13a) también están enterrados allí. Los sabios se refieren a los patriarcas y las matriarcas como «los rectos» (*Avoda Zara* 25a). Rectitud implica paciencia. (*Torat Shalom*, pág. 178).

31. El tercer Rabí de Lubavitch, conocido (después de su labor sobre la responsa halájica) como el *Tzemaj Tzedek*.

32. *Igrot Kodesh Admor HaRaiatz*, vol.1, pág. 485; *Likutei Sijot*, vol.2, pág. 621.

33. La tierra de Israel es llamada «una amplia tierra» (Éxodo 3:8). El arquetipo de la Diáspora es la tierra de Egipto, cuyo nombre en hebreo, *mitzraim*, significa «estrecho». La tierra de Israel en el espacio es entonces la analogía de la paciencia en el tiempo.

34. *Keter Shem Tov*, agregado 169, *Sefer HaSijot 5700*.

35. Eclesiastés 9:17.

X. EL HOGAR

1. *Ioma* 2a. Véase también *Shabat* 118b.

2. Como está escrito: «El corazón de su marido confía en ella» (Proverbios 31:11). Este versículo es el segundo en el poema alfabético «Una mujer de valor» que se recita en el hogar en Shabat y comienza con la letra *bet*. La palabra *bet* significa «casa», por lo que este versículo epitomiza cómo «el hogar es la esposa». Notablemente, la única letra común a todas las palabras de esta frase es la *bet*.

3. *Tania*, cap. 36, basado en *Midrash Tanjuma, Naso* 16, ed. Buber 24.

4. La *Iejidá* el más alto de los cinco niveles del alma, *Likutei Torá* 4:98d-100b).

   En la Cábala, los cinco niveles del alma y los cinco mundos se manifiestan en las cinco etapas de raíz, alma, cuerpo, vestimenta, y cámara (*heijal*) (*Etz Jaim* 42:2; *Mavo Shearim, Derush P'nimi uMakif* 1:2). Tal como lo vimos antes respecto a los cinco niveles del alma, estos cinco niveles se interrelacionan a la inversa: la raíz se manifiesta en la cámara y el alma en la vestimenta, mientras que el cuerpo queda como núcleo central de la estructura. En nuestro contexto, vemos aquí que la raíz del alma, la *Iejidá*, se manifiesta en la cámara o en el hogar de cada uno.

5. *Bamidbar Raba* 14:8, *Zohar* 1:154a.

6. La pareja santifica al hogar mediante los preceptos Divinos que realizan en él (como decimos en la bendición antes de realizar cada precepto, «que nos ha santificado con Sus preceptos...»). La palabra «santificar» es la misma que se usa para comprometerse (en matrimonio), véase *Tania*, cap. 49.

7. De la misma manera que uno debe honrar a su esposa «por encima de sus medios» (véase nota 7).

8. Generalmente, respetar a alguien o a algo es una forma más baja y mundana de relación que considerarlo sagrado. La palabra hebrea *kavod* (respeto), se usa a menudo en el sentido de «vestimentas» (que ganan respeto por virtud de su apariencia exterior), y en particular en el sentido de «limpiar» la casa (*Semajot* 11:9, *Derej Eretz* 1:7).

Sin embargo, nuestros sabios nos enseñan que el «buen comportamiento precede a la Torá» (*Vaykra Raba* 9:3; *Tana devei Eliahu* 1). En otras palabras, la conducta respetuosa en el reino de lo mundano es un requisito para una conciencia integrada de la santidad, el respeto precede a la santidad.

El valor numérico de esta frase (*derej eretz kadma latora* 1305) equivale a la palabra –«mujer», dándole a la letra *alef* el valor 1000, de lo que podemos inferir que este principio se aplica en particular a la mujer (y por extensión al hogar, ya que «el hogar es la esposa»). Primero uno debe aprender a respetar a su esposa (y hogar) y entonces será capaz de santificar su relación con ella (esposa y hogar) en forma totalmente consciente.

Por contraste, «dignidad» en este contexto significa mostrar respeto o exhibir auto respeto basado en santidad. Una persona noble despierta respeto por virtud de su noble y santo carácter. El respeto que uno muestra a una persona importante que carece de nobleza o santidad intrínseca, es artificial.

En la terminología de la Cábala, el respeto intrínseco es una función de *jojmá*, mientras que el respeto artificial es una manifestación de *maljut* descendiendo a los mundos inferiores de *Beriá*, *Ietzirá* y *Asiá*.

9. La santidad del hogar se ve reducida por libros (u otros medios de comunicación) que contienen ideas heréticas o temas inmorales. Su mera presencia puede tener un efecto adverso palpable en el «hogar», es decir en la esposa (su habilidad física y espiritual de ser pura) y su familia. Dichos libros deben ser sacados del hogar, con el fin de proteger la pureza del medio ambiente y el desarrollo espiritual y la inmunidad de la familia.

10. Cada una de las cuatro esposas de Jacob tenía su tienda propia, pero aquella en la que Jacob residía principalmente era la de Rajel (Rashi sobre Génesis 31:33) porque la amaba más que a las otras.

   Sin embargo la Cábala explica que la relación de Jacob y Rajel refleja la unión de los atributos de Dios en el «mundo revelado», mientras que su relación con Lea refleja la naturaleza de su unión en el «mundo oculto». Así que mientras la tienda de Rajel era el «hogar revelado», la de Lea era su «hogar oculto». De hecho la misma palabra *ohel,* «tienda», es una permutación de la palabra «Lea». De aquí que cada una de las tiendas de las esposas de Jacob estuviera rodeada por la presencia escondida de Lea, el «hogar oculto» de Jacob.

11. *Etz Jaim,* comienzo.

12. Según fuentes determinadas la raíz de la palabra *bait* (casa) es *bana* (construir). La opción alternativa es que la raíz es *bo* (venir) véase nota 21.

13. Salmos 89:3. Literalmente este versículo dice: «el mundo será construido mediante bondad». Siendo que cada individuo es un «mundo pequeño» (*Midrash Tanjuma, Pekudei* 3), este versículo también significa que la vida de cada persona será construida, es decir, creada nuevamente, al casarse y durante la vida matrimonial, mediante la bondad. La esencia de esa misericordia comienza con el amor entre los cónyuges.

   La Torá comienza con la letra *beit,* que significa «casa». La primera palabra de la Torá (*bereshit*) puede permutarse para formar *beit osher:* «casa de felicidad». En el versículo paralelo que comienza el segundo relato de la creación (Génesis 2:4) «Estas son las generaciones del cielo y la tierra cuando fueron creados», la palabra *behivaram* puede ser permutada para formar *veabraham* (con Abraham). Este versículo puede entonces leerse: «Estos son los orígenes del cielo y la tierra, que fueron creados con [el atributo] de Abraham» que es el amor (*Bereshit Raba* 12.9).

14. Véase nota 32

15. El término «hombre» se refiere al complejo hombre-mujer (véase nota 22, cap.2).

16. Véase *Ievamot* 63a, *Tosefot ad loc., s.v. sheein: Vaikra Raba* 22:1, «Uno no puede vivir sin casa ni por un momento» (*Likutei Torá* 4:99b).

17. «Una casa se construye con sabiduría, se establece con entendimiento, las habitaciones se llenan de saber, con todas las riquezas agradables y preciosas» (Proverbios 24:3-4). Según la Cábala y el jasidismo, estos dos versículos se refieren a toda la estructura de los poderes espirituales conscientes del hombre (*Zohar* 3:291a). De modo que todo el potencial del hombre se expresa a través de su casa.

   Más adelante se explica que el supremo deleite del alma y la expresión de la voluntad básica de vivir se expresa en el deseo de tener un hogar (véase *Beshaa Shehikdimu*, pág. 1096-1130; *Sidur Im Daj*, pág. 183a-184b, 199b-202b, 204b-205a, *Biurei HaZohar* (*Tzemaj Tzedek*), vol. 2, pág. 788 (citado en *Sefer HaLikutim, Miluim,* pág. 438).

18. *Shir haShirim Raba* 5:1, *Bereshit Raba* 19:7.

19. Y las transgresiones siguientes de las generaciones posteriores (como lo relatan las fuentes citadas en la nota anterior).

20. Génesis 22:14.

21. Ibíd 24:63.

22. Ibíd 28:19.

23. *Pesajim* 88a. En el contexto presente, «el hogar del hombre es su esposa» significaría que el objetivo del servicio Divino debe

ser que la Divina Presencia se manifieste en la conciencia de su esposa. De la misma manera, nos enseñan que el término «la casa de Jacob» (Éxodo 19:3) se refiere a las mujeres de Israel en general (*Mejilta* y Rashi *ad loc.*) y «la casa de Israel» (Salmos 98:3) se refiere a las mujeres justas por cuyos méritos Israel será redimida (*Ialkut Shimoni, Ruth* 606). El valor numérico combinado de estas dos frases (*Beit Iaakov* y *Beit Israel,* 1547) es igual al de «Bienaventurados los que moran en Tu Casa, por siempre Te alabarán» (Salmos 84:5).

Abraham significa amor (véase nota 13). En el contexto presente, esto significaría que el objetivo supremo del amor es manifestarse en el hogar.

24. Por eso las ventanas del Templo se construyeron angostas por dentro y anchas por fuera, para que la luz de la *Shejiná* reluciera hacia afuera (1Reyes, 6:4; *Menajot* 86b, Rashi *Shekufim; Vaikra Raba* 31:7; *Likutei Sijot,* vol. 2, pág. 315).

25. Éxodo 25:8.

26. *Reishit Jojma, Ahava* 6; *Shnei Lujot HaBrit, Shaar HaOtiot, Lamed, Taanit, MeInian Ha Avoda,* etc.; *Likutei Torá* 3:20b, etc.

27. En otras palabras, el Santo Templo es el lugar donde se consuma la unión entre el novio celestial y su novia, Dios e Israel. En la cámara más interna, el Sancta Sanctorum, se alojaba el arca del pacto, sobre la que se cernían dos querubines simbolizando y expresando el amor entre Dios y el pueblo de Israel. Por ello, la cámara interna del Templo se denomina «el dormitorio» (*Shir HaShirim Raba* 1:2; Rashi sobre Reyes 2, 11:2, Cantar de los Cantares 1:16, Crónicas 2, 22:11).

Nos enseñan que «desde la destrucción del Santo Templo, la alegría de las relaciones maritales ha sido suprimida y entregada a los pecadores» (*Sanhedrín* 75a). Sin la expresión física del amor Divino, la intensidad de la experiencia amorosa a nivel personal ha disminuido proporcionalmente.

Junto a nuestras suposiciones acerca del cambio de la realidad en dirección al estado rectificado al aproximarnos a la era mesiánica, podemos asimismo asumir que a medida que uno cultiva más una conciencia mesiánica, más experimentará «el deleite de las relaciones maritales» que fue suprimida del mundo como resultado del exilio.

28. *Tana devei Eliahu Raba* 28.

29. Ezequiel 11:16, *Meguila* 29a.

30. Véase *Bereshit Raba* 63:6.

31. De aquí la yuxtaposición del rey Salomón al construir el Templo (la casa de Dios) y su propia casa (1 Reyes, 6:37-7:1, 9:10). La construcción de la casa de Dios está íntimamente conectada con la construcción de la propia. Por eso es que fue específicamente el rey Salomón, constructor del Templo, quien escribió el Cantar de los Cantares, la expresión máxima de amor conyugal.

Más aún, se supone que cada persona hará que su hogar se asemeje al Templo, practicando en el mismo los «tres pilares que sostienen al mundo» (*Avot* 1:2): estudio de la Torá, plegaria y caridad (*Likutei Sijot*, vol. 25, pág. 297).

Habiendo emulado al Templo con la función de revelar la presencia de Dios sobre la tierra, las sinagogas de la Diáspora serán trasladadas a Jerusalén con el advenimiento del Mesías y serán parte de la reconstrucción del tercer Templo (*Meguila* 29a, *Jidushei Hagadot, ad loc.; Sefer Ha Sijot 5748*, pág. 464, nota 77). Si hogares particulares han alcanzado este nivel, también serán trasladados y serán parte del tercer Templo (*Sefer HaSijot 5752*, vol.1, pág. 154).

32. El término cabalísitico *zeir anpin* (en forma reducida) corresponde a la *vav* del Nombre *Havaiá*.

33. *Shabat* 127a. Aprendemos este notable principio de nuestro primer antepasado Abraham, que interrumpió la revelación de

Dios con el fin de recibir visitantes (Génesis 18:13 y Rashi *ad loc.*).

34. La *Shejiná* se compara al fuego.

35. Así el anhelo y la pasión característicos del exilio son superiores en su intensidad que la realización consumada de la redención, ejemplificada en las relaciones íntimas normales entre los cónyuges. Según el Baal Shem Tov el versículo de Salmos 63:3 significa «que sustente el anhelo por Ti que siento en el exilio cuando el Templo sea reconstruido» (*Likutei Torá* 4:92b, 5:50; *Sefer HaMaamarim 5689*, pág.122 y fuentes citadas allí, llamada 63, *Likutei Sijot*, vol. 4, pág. 1331).

36. Como Rabí Dovber, el Maguid de Mezeritch dijo a Rabí Shneur Zalman de Liadi, que la hospitalidad facilita la fertilidad, como está escrito: «¿Cómo merecerá un joven su camino?» (Salmos 119:9), que puede ser leído: «¿Cómo puede uno merecer un hijo?» Recibiendo invitados».

37. Esta es la continuación de la historia de la nota 33 de este capítulo.

38. La «mujer de valor» es elogiada como quien «supervisa los caminos de su hogar» (Proverbios 31:27). Esto implica que no importa quien finalmente hace las labores domésticas, ya que es la esposa quien personifica el hogar, quien por su propia naturaleza sentirá el peso de la responsabilidad y la obligación.

XI. VIVIENDO ACORDE AL TIEMPO

1. En la representación matemática del tiempo-espacio en cuatro dimensiones, las tres coordinadas espaciales son «reales» mientras que la cuarta, el tiempo, es «imaginaria».

2. Concebimos los eventos del tiempo ocurriendo en la escena del espacio.

3. Concebimos la vida del alma transcurriendo en el contexto del tiempo.

4. La interpretación corriente de esta expresión de Rabí Shneur Zalman de Liadi es que uno debería analizar su experiencia de vida de acuerdo a la porción semanal de la Torá (*Sefer haSijot* 5702, pág. 29). Aquí se interpreta en su forma más literal.

5. La raíz *java*, tal como aparece en la Torá, denota expresión personal, como lo vemos en Salmos 19:3: «...y de noche a noche expresa saber». La experiencia y la expresión personales están íntimamente ligadas. Como funciones de la vida interna de la persona, sirven para caracterizar a la mujer como una criatura esencialmente subjetiva (mientras que el hombre es más objetivo por naturaleza, como será analizado a continuación).

6. En gran medida, las mujeres están bajo la dominio del tiempo, es decir, que concuerdan con el tiempo en forma innata. Por esta razón están eximidas de los preceptos que dependen del tiempo. En contraste, la vocación ideal del hombre es utilizar el tiempo para canalizar el alma con el propósito de rectificar el espacio.

7. Añadiendo el sentido de abstracción de él a la experiencia de ella, él puede permitirle a ella liberarse de su intrínseca sujeción a las limitaciones del tiempo.

8. Véanse págs. 23 y 24.

9. «Israel sostiene a su Padre en el cielo» (*Zohar* 3:7b). Esto es un ejemplo del principio según el cual «la cáscara se desarrolla antes que el fruto». Cada etapa de la creación puede ser considerada un obstáculo relativo a la etapa subsiguiente. La etapa previa no puede «hacer» lo que la etapa posterior es

capaz de hacer y es por lo tanto un estado de inacción relativa, que en el pensamiento jasídico es sinónimo de negatividad, apatía e impureza; el «no» que precede al «sí». En este contexto, el mundo tal como existe en la esencia abstracta de Dios está «incompleto» en relación a su creación subsecuente y actualizada.

10. La metáfora del marido y la mujer puede también ser usada para describir la relación del *tzadik* con el *beinoni*. Como un sabio rabino, el *tzadik* da al *beinoni* la objetividad que necesita para ayudarlo a través de sus altibajos. Esto puede manifestarse en un consejo acerca de cómo medirse con una situación (denominado *hitlabshut*, «investirse» en el problema) o inspirándolo a trascender su nivel natural (denominado *hashraa*, inspiración). A cambio, el *beinoni* le proporciona al *tzadik* una experiencia vicaria, que permite al *tzadik* convertirse en un *baal teshuvá*, al experimentar las crisis de aquellos a quienes ayuda. Como enseñó el Baal Shem Tov, un *tzadik* sólo puede ayudar a un *rashá* si es capaz de encontrar en sí mismo algo afín al problema del *rashá*, rectificarlo y en base a esto instruir al *rashá* cómo rectificarse.

11. Aunque sin violar su modestia intrínseca en el proceso. Véase nota 3, capítulo VIII.

12. Ezequiel 1:14.

13. Véase *Keter Shem Tov* 34, 37, 90, 121, 188, 356; *Or Torá* 184; *Or HaTorá, Shavuot*, pág. 139, etc.

14. Antes de la prohibición de Rabeinu Guershom (aprox. 960-1040), un hombre tenía permitido tener más de una esposa, mientras que la mujer tenía estrictamente prohibido tener más que un marido. Cuando se practicaba la poligamia era con el fin de «estabilizar» y resguardar la intensidad del «correr» de cada esposa; cada mujer era, efectivamente, una chispa individual de la consorte espiritual verdadera y completa del marido.

Tal como en el paradigma de Dios y alma, el alma asume el papel de la esposa y Dios el del marido, este fenómeno está simplemente relacionado con el hecho de que Dios crea muchas criaturas, pero cada criatura debe reconocer sólo a un Dios; la poliandria es análoga a la idolatría.

Sin embargo, la monogamia ha sido siempre la práctica acostumbrada y recomendada en el Judaísmo. Esto parecería indicar que tácitamente se reconoce que un hombre debe concentrarse idealmente en una relación centrada en una mujer. En el paradigma Dios–alma, esto significa que Dios focaliza Su relación tanto en el pueblo de Israel colectivamente como en cada hombre. Cada uno puede entonces asumir que disfruta de toda la atención Divina, por así decirlo, como si Él no tuviese otra «esposa». En las palabras del Baal Shem Tov, cada hombre es más precioso para Dios que un hijo único nacido a padres ancianos (Likutei Sijot, vol.3, pág. 982; vol. 4, pág. 1280).

(En el paradigma *tzadik-beinoni* anteriormente analizado [nota 10], si el *tzadik* asume el rol de un *rebe*, este principio significaría que el *rebe* puede tener muchos *jasidim*, pero cada *jasid* debería dedicarse sólo a un *rebe*, y pese a esto, es justificado que cada *jasid* cuenta con la total devoción de su *rebe*).

15. *Jaguiga* 14a. Rabí Itzjak Luria (*Shaar Maamarei Razal* sobre *Jaguiga* 14b) enseña que los cuatro que entraron al paraíso corresponden a los cuatro poderes de la mente: *jojmá, biná*, la fuente del amor en *daat* y la fuente del temor en *daat*. Rabí Akiva, «que entró en paz y salió en paz» personifica la fuente del amor en *daat*. Esto claramente es el poder mental esencial para un matrimonio feliz y rectificado, ya que el amor es obviamente la emoción básica del matrimonio, y el conocimiento es el poder unificador de esposo y esposa: «y Adán conoció a su mujer Eva».

16. *Tania*, cap. 36, basado en *Midrash Tanjuma, Naso* 16, ed. Buber 24.

17. La Cábala nos enseña que la frase «correr y volver» equivale numéricamente a «Torá» (611). Siendo que «correr y volver» se

refiere en particular a la dinámica femenina del alma, podemos inferir de esta equivalencia que la Torá a la que se hace referencia aquí es la Torá oral, que se considera el aspecto femenino respecto a la Torá escrita, que se considera el aspecto masculino. «*Maljut* [el principio femenino] es la boca y es llamada la Torá oral» (*Tikunei Zohar*, introducción [17a]). El número medio entre uno y 611 (es decir el «punto medio» de 611) es 306, el valor numérico de la palabra «mujer».

Así como Moisés es el «pilar de la Torá escrita», Rabí Akiva es el «pilar de la Torá oral». Cuán apropiado es entonces aprender la naturaleza de la dinámica de «correr y volver» de Rabí Akiva.

18. Levítico 10:1. Véase *Or HaJaim* sobre Levítico 16:1. Nadav y Avihu ofrecieron «fuego extraño» y fueron consumidos por el fuego. Esto nos recuerda el enunciado de Rabí Akiva respecto al matrimonio: «Si hombre y mujer lo merecen, la Divina Presencia mora entre ellos. En caso contrario el fuego los consume».

19. Véase *Or Torá* 111 (págs. 38b-39a).

20. Salmos 24:3.

21. Véase *Tania*, cap. 4.

22. Citado en *Tikunei Zohar*, introducción (7a).

23. Por eso antes de cumplir un precepto se acostumbra a decir o contemplar la intención de «unirse al Santo, Bendito Sea, y Su *Shejiná*, en nombre de todo Israel».

24. En hebreo: *nogea veeino nogea* (*I. Jaguiga* 2:1; Rashi sobre Deuteronomio 32:11). La traducción aramea de esta expresión y el término cabalístico basado en la misma es *mati velo mati* (Véase *Etz Jaim* 7).

25. Deuteronomio 32:11. *Likutei Amarim (*del Maguid de Mezeritch) 99,137,162, 184, 225; *Or Torá* 57, 83, etc.

26. Este es el mundo de *Atzilut.*

27. En la terminología cabalística, los «recipientes».

28. En las palabras del Maguid de Mezericht: «*Atzilut* también está aquí». Como lo hemos señalado, *Atzilut* significa «proximidad» (de la raíz *etzel*, «cerca»). La conclusión del Maguid es que *Atzilut* no sólo está «cerca» de Dios (es decir profundamente consciente de Él, que es por lo que el jasidismo considera que *Atzilut* hace referencia a su dimensión interior, mientras que la interpretación común de *Atzilut* como «emanación» al parecer hace referencia a su dimensión exterior), sino que también se encuentra «cerca» y presente en los tres mundos inferiores de *Beriá, Ietzirá* y *Asiá*, e incluso en nuestro mundo físico.

De modo que *Atzilut* epitomiza la conciencia de un *tzadik* verdadero, que es descrita en el jasidismo como simultáneamente «en el mundo y fuera del mundo». Está siempre conscientemente ocupado con las necesidades de la realidad inferior, si bien nunca aparta su conciencia de aferrarse a Dios. Se cuenta acerca del Baal Shem Tov que suplicaba al Todopoderoso que le concediese un nivel de conciencia nunca alcanzado: que incluso en las alturas de un «ascenso del alma» (en el que el alma deja temporalmente los confines del cuerpo para aferrarse a Dios) pudiese ser capaz de entablar una conversación aparentemente mundana con otra alma terrenal.

29. *Sotá* 47a, véase también *Rut Raba* 2:16; *Zohar* 3:177b. La lectura literal de este enunciado implica que uno debería usar su mano izquierda (la más débil) para «alejar» mala conducta, y su mano derecha para «acercar» o estimular las manifestaciones de conducta positiva. Aquí lo interpretamos en un sentido casi opuesto: «alejar» para estimular independencia, «acercar« para manifestar presencia y solicitud.

«Alejar» es más característico de la conducta masculina, mientras que «acercar» caracteriza más el comportamiento femenino. En la terminología Cabalística, en *Aba*, las *guevurot* están más manifiestas, mientras que en *Ima*, los *jasadim* están más manifiestos. Las *guevurot* de *Aba* pueden convertirse en los *jasadim* de *Ima* porque el mismo *Aba* está en el lado derecho y por lo tanto es intrínsecamente una manifestación de *jesed* más que la misma *Ima*.

30. Cantar de los Cantares 2:6.

31. Al ser rectificada, su conciencia es elevada a un estado de humildad existencial, como lo explica el jasidismo.

32. Vemos que cuando el profeta Elías salió a conquistar a Eliseo como su discípulo, apenas lo tocó y después partió, lo que inspiró a Eliseo a seguirlo (1 Reyes, 19:16).

33. Debe señalarse que mientras que «correr y volver» se asemeja a una «corriente alternativa» en la que cada estado es experimentado independientemente, «tocar y no tocar» puede ocurrir simultáneamente, como en el ejemplo del águila que se cierne sobre el nido y por lo tanto puede compararse a una «corriente directa» uniforme. Lo mismo puede decirse de la dinámica de la «mano izquierda aleja mientras que la derecha acerca».

34. *Makot* 7b. En el jasidismo esta frase se usa para describir el descenso del alma al cuerpo. Al enfrentarse con éxito con los retos de la vida, el alma adquiere un estado de ser más elevado en el mundo venidero que el que disfrutara antes de su descenso. Por lo tanto el descenso es con el fin de ascender a un nivel más elevado de Divinidad manifiesta.

35. Encontramos esta expresión en los escritos de Rabí Dovber de Lubavitch.

36. Esto es análogo a la relación entre Dios y el pueblo de Israel en el mes de *Elul*, cuando la revelación de los trece atributos de misericordia de Dios sirven para despertar subconscientemente al pueblo para buscar a Dios «por sí mismos» en este mes y en el mes siguiente, *Tishrei*, el mes de las altas y sagradas festividades. Esto contrasta con la dinámica del mes de *Nisán* (y su festividad central, *Pesaj*), en el que Dios inicia abiertamente la relación sacándonos de Egipto por Sí mismo.

37. Si la experiencia común parece indicar que las mujeres son más románticas que los hombres, es sólo porque ellas generalmente conciben lo romántico como un medio para lograr su realización, el «... y fueron felices».

38. Esto concuerda con nuestra descripción anterior de las respectivas experiencias de la pareja acerca de sus relaciones maritales.

39. En la terminología cabalística y del jasidismo, el tocar y no tocar inicial del marido es su «despertar de arriba» inicial y general, que subconscientemente inspira el «despertar de abajo» de la mujer. Este despertar de abajo hace que el marido a su vez responda nuevamente con un «despertar de arriba« esencial y más centrado (véase *Sefer HaMaamarim 5689*, pág. 82, véase también *Bereshit Raba* 68:4, fin).

   Otra imagen que se usa para describir esto es la del sello convexo en contraposición al sello cóncavo. El sello convexo deja una impresión cóncava en la cera, mientras que el sello cóncavo deja una impresión convexa. Cada sello, entonces, produce su inverso. En este contexto, el tocar y no tocar del marido pueden verse respectivamente como un sello convexo y el cóncavo arriba; el correr y volver de la mujer pueden considerarse respectivamente como un sello convexo y cóncavo desde abajo abajo. El mutuo ascenso final es nuevamente un sello cóncavo desde abajo arriba con un sello convexo desde abajo abajo.

Si consideramos que el sello convexo es la dinámica activa, «masculina», y el sello cóncavo es la dinámica pasiva, «femenina», podemos concluir que el no tocar del marido es el aspecto femenino de su dinámica, mientras que la corrida de la esposa es el aspecto masculino de su dinámica.

El ascenso final de la pareja no es una «etapa» por sí misma, sino más bien la elevación continua de la conciencia que resulta de la consumación de la tercera fase.

XII. LOS CICLOS DE INTIMIDAD MARITAL

1. Ya que el ciclo menstrual está relacionado con el ciclo lunar. El calendario del pueblo de Israel es primariamente lunar, aunque está ajustado para concordar con el ciclo solar. Esto indica que la experiencia del tiempo se centra ante todo en la conciencia femenina.

2. En hebreo: *hajnaá*, *havdalá* y *hamtaká*, respectivamente. *Keter Shem Tov* 28. Las tres etapas de sumisión, separación y ducificación reflejan el modelo de *jash-mal-mal* (silencio-circuncisión-habla), porque «silencio» es la sumisión del ego, «circuncisión» es la separación del prepucio impuro del cuerpo y «habla» es el poder de endulzar la realidad.

Mal	Habla	dulzura
Mal	Circuncisión	separación
Jash	Silencio	sumisión

3. En hebreo: *hitkalelut*.

4. El término usado en la Torá para la visión femenina de la sangre es *hargashá*, que significa «sensación», «experiencia», «sentimien-

to». Rajel dijo a su padre, Labán: «No puedo levantarme, porque el camino de las mujeres está en mí» (Génesis 31:35). Aunque el significado literal es que no podía físicamente ponerse en pie, también puede entenderse alegóricamente como la pesadez espiritual y el mal humor que acompaña a la menstruación.

5. Véase pág. 34.

6. La «pesadez» o «depresión» del estado impuro es un contraste al alivio y sensación de elevación que acompaña la pureza.

Como nos enseñan la Cábala y el jasidismo, hay siete emociones del corazón. Estas son «corrompidas» por el egocentrismo de la menstruación y por lo tanto son requeridos siete días para limpiarlos de su corrupción (es decir, olvidar el egocentrismo de los siete días de observación).

7. Así, la imposición de la separación física fomenta el acercamiento emocional, mental y espiritual. El ciclo menstrual, por lo tanto, sirve de catalizador que eleva a la pareja del nivel espacial de relación al nivel temporal de unión. La verdadera prueba de su unidad es la separación física, y si una pareja puede sentirse unida pese a la separación física, es que ambos están verdaderamente juntos.

8. Salmos 34:15. Véase nota 9.

9. La palabra *tahará* (pureza) en esta expresión implica la integración de los días de pureza (y el futuro estado general de dulcificación) dentro del presente nivel de sumisión. Notemos que la palabra *tahará* proviene de la raíz *tahar*, que es uno de los trece sinónimos en hebreo de «luz», como en la frase (Éxodo 24:10) «como en la esencia de los cielos, puramente radiante [es decir «el cielo sin nubes]». Toda la experiencia de luz es de dulcificación, como está escrito en el versículo: «Porque la luz es dulce» (Eclesiastés 11:7). La Cábala nos enseña que la experiencia de *tohar* se relaciona al *partzuf* de *Ima,* cuyo útero es la fuente de las aguas de la *mikve,* el baño ritual. En un nivel aún más pro-

fundo, el mismo vacío creado por la contracción de la luz infinita de Dios, el «útero» de toda la realidad creada, es llamado *tahiru* porque, aunque parezca oscuro en contraste con la luz infinita que desaparece dentro de él, es sin embargo un «cielo reluciente» que comprende toda la realidad subsecuente.

De aquí podemos comprender que *tohar* es en realidad ese nivel de luz que posee grados de intensidad menguantes. Por ejemplo, la Cábala habla (en referencia a la contracción inicial) de «el brillo puro superior» y «el brillo puro inferior». Todos estos grados son experimentados por la psique femenina; son todos grados de «útero». Así, incluso a este bajo nivel general de sumisión, la integración de la dulzura implica un grado de pureza.

10. Véase pág. 138.

11. Estos preparativos se denominan *jafifá*. La palabra *jafifá* en hebreo también significa «superposición» o «intersección». En el meticuloso proceso de limpieza (de modo que ninguna sustancia extraña permanezca en el cuerpo) y el proceso de baño de la *jafifá*, se superponen los dos niveles de separación dentro de separación, y dulcificación dentro de separación.

12. La palabra hebrea *tabal* (inmersión) es una permutación de la palabra *batel* (anulación) como vemos en la Cábala y en el jasidismo (véase *Sidur Im Daj* 159d). El mismo poder inherente al autoanulamiento es la capacidad de permutar letras, los «ladrillos» de la creación, en nuevos mundos, es decir nuevos estados de realidad (*Sefer haSijot 5697*, pág. 197; *Keter Shem Tov*, agregado 3 [la quinta enseñanza del Baal Shem Tov]).

Esto se expresa en el verso: «¿Quién puede extraer puro de impuro sino el Uno?» (Job 14:4). Los sabios (*Bamidbar Raba* 19:1) interpretan ese verso como una referencia a Abraham, el hijo de Teraj, el alma pura nacida de lo impuro. De aquí aprendemos que purificarse mediante la inmersión en la *mikve* es como la absoluta metamorfosis de convertir de la impureza de la idolatría (la práctica de Teraj) en la pureza de la perfecta fe en un Dios (la fe de Abraham).

13. Hasta este punto, las etapas de este proceso de nueve partes ha ocurrido en forma consecutiva. A medida que el ciclo progresa, sin embargo, la intensidad aumenta, las últimas tres etapas ocurren prácticamente en forma simultánea, y el proceso secuencial se preserva sólo en el pensamiento.

Así, la modestia, aunque sólo en la séptima etapa, ocurre al final del proceso (junto con las etapas octava y novena), y puede entonces decirse que concuerda con el principio: «El fin está incluido en el principio». La sumisión dentro de la dulcificación está incluida en la sumisión dentro de la sumisión. «Todos los séptimos son amados» (*Vaikra Raba* 29:11): esta etapa de la modestia es entonces la dimensión más íntima de la etapa novena y final (véase nota 12).

14. Miqueas 6:8. Véase capítulo 15.

15. La palabra hebrea *kedushá*, «santidad», implica separación de toda forma de conciencia y actividad mundana. De modo que la santidad de la unión marital corresponde al nivel de separación dentro de *dulcificación*.

16. Véase adelante, págs. 174-175.

17. El placer es verdadero sólo cuando uno experimenta la unión de lo espiritual y lo físico. Cuando la pareja experimenta este placer verdadero, refleja el mismo fenómeno que ocurre universalmente, porque la experiencia del alma humana corresponde a la fuerza vital Divina de toda la creación. El atributo de «verdad» se refiere en la Cábala y el jasidismo a la *sefirá* de *iesod*, la fuerza unificadora en las relaciones maritales.

18. El efecto de observar los preceptos de Dios y realizar Su voluntad es unificar al Santo, Bendito Sea, con Su *Shejiná*, es decir, la luz infinita y trascendente con Su luz inmanente.

19. Véase págs. 171-172.

20. Esta es la *experiencia* consumada de las primeras dos *intenciones* (así como la última) descritas con respecto al nivel previo (separación dentro de dulcificación).

La pareja concibe «hijos» espirituales incluso cuando no pueden concebir físicamente.

XIII. DEL EXILIO A LA REDENCIÓN

1. La exposición presentada en este capítulo se basa en *Reshimot* 10 (pág. 22) y 98 del Rabí de Lubavitch y *Etz Jaim* 39:9. La dinámica del matrimonio y la dinámica de éxodo a redención se asemejan a su vez al proceso personal de redención espiritual continuo de cada individuo de sus estados relativos de alienación de Dios. Aunque no hemos analizado este paralelismo en forma explícita, está implícito en la exposición y es estudiado extensamente en las fuentes jasídicas.

2. *Taanit* 26b.

3. «Todas las naciones [que subyugan a Israel] son denominadas "Egipto", ya que todos oprimen a Israel» (*Bereshit Raba* 16:4). Las expresiones «Egipto» y «oprimen» tienen la misma raíz idiomática.

4. Véase nota 47.

5. Aunque la opresión física severa del exilio egipcio comenzó sólo 124 años después (86 años antes del éxodo), la opresión espiritual comenzó en el momento en el que el pueblo de Israel dejó su entorno natural y sagrado, la tierra de Israel, y descendió a Egipto, el sitio de la impureza espiritual.

6. Véase *Midrash Tehilim* 114:4; *Vaikra Raba* 32:5; *Shir HaShirim Raba* 4:24, etc. *Pesikta Zotarta*, Éxodo 6:6.

7. La fuerza de la fe en la redención depende de la observancia de las leyes de Pureza Familiar. La raíz psicológica de la anticipación de reunión, anticipación consciente en constante aumento, separación dentro de separación, está en este nivel de separación dentro de sumisión. En el nivel de separación dentro de separación, uno anticipa la alegría de la unión marital misma, que es semejante a la entrega de la Torá en el monte Sinaí. En el nivel de separación dentro de sumisión, uno posee fe (consciente o inconsciente) en la inminente redención de Egipto, el cese de los días de «observar» y el comienzo de los días de limpieza.

8. *Maguen Avot, loc. cit.*

9. Esto puede verse en el hecho que durante su travesía por el desierto el pueblo de Israel perdió el ánimo, lamentándose de haber abandonado Egipto e incluso sugirieron regresar (Éxodo 13:17, 14:10-12, 17:3; Números 11:5, 11:20, 14:3-4, 20:5, 21:5).

10. Este cómputo se transformó después en el precepto de la cuenta del *Omer*.

11. 3:97b. El día de la entrega de la Torá es la festividad de *Shavuot*, cuyo nombre significa «semanas», indicando que la esencia revelada en ese día es consecuencia directa del servicio espiritual que conduce hacia él, la anticipación de contar los días y las semanas.

12. Moisés era aquí el emisario del pueblo, a través de él hablaron con Dios y recibieron Su Torá «cara a cara». Como lo explicaremos en el cap. 15, los lugares más íntimos de las almas de la pareja se aproximan y se unen en virtud de su conducta modesta durante las relaciones maritales. De la misma manera, Moisés, el lugar más íntimo del alma colectiva del pueblo de Israel, ascendió a encontrarse con Dios en la montaña, mientras que el Mismo Dios descendía para darle a Moisés el lugar más íntimo de Su propio Ser, por así decirlo, la Torá.

13. Las relaciones maritales imparten cierto grado de impureza ritual a la pareja (Levítico 15:16-18), que les impide entrar al Templo o comer ciertas categorías de alimento hasta el atardecer, después de sumergirse en la *mikve*.

14. Esto en particular se refiere a la concentración de todas sus energías maritales, su *daat*.

15. Éxodo 20:14; Rashi *ad loc*.

16. *Mejilta, Itro* 19:9.

17. La primera palabra dicha por Dios al pueblo de Israel en Sinaí, la primera palabra de los Diez Mandamientos: *anoji* (Yo), es un acrónimo de «He escrito y transmitido (a vosotros) a Mi propio Yo» (*Pesikta Zotarta, Itro* 20; *Midrash Tanjuma*, ed. Buber, *Itro* 16, etc.) ver también *Likutei Torá* 4:93d.

18. Isaías 51:7.

19. *Tania* cap.41 (58b). El Baal Shem Tov dice que el aspecto principal de la dimensión espiritual al cumplir un precepto es la etapa preparatoria, ya que es ésta la que determina la calidad de la acción siguiente.

La diferencia entre intenciones en la etapa preparatoria y en la etapa de la ejecución, es que la anterior está imbuida de una sensación de anhelo y anticipación, mientras que en la segunda etapa se siente preocupación por observar correctamente el precepto. En el caso de las relaciones maritales esto significa la preocupación porque el precepto de *oná* sea observado correctamente, que simiente no sea vertida inadvertidamente, y que en general el acto tenga éxito.

Podemos identificar tres fases de intención (*kavana*): de conceptos expresados por el acto (*jabad*), de emociones expresadas por el acto (*jagat*) y de los detalles técnicos de la práctica del acto (*nehi*). El precepto de las relaciones maritales puede verse como el arquetipo para todas las otras en este sentido, ya que en ella la manera en que uno progresa a través de estas tres etapas de intención es la más evidente.

20. Salmos 45:14. Todos los hombres del pueblo de Israel son príncipes (y las mujeres princesas).

21. Véase en *Mishne Torá, Nedarim* 12:1 que embellecerse con joyas es considerada exclusivamente una cuestión «entre un hombre y su esposa».

22. Este tema se desarrolla extensamente en el capítulo 15.

23. La interdependencia entre belleza y humildad es vista en la estructura paralela de los dos versículos: «La mujer agraciada obtendrá honor» y «El humilde de espíritu obtendrá honor» (Proverbios 11:16, 29:23). Y también: «Él agraciará al humilde» (ibíd 3:34), lo cual refiere a la belleza que irradia de la modestia.

24. Hemos señalado que durante los tres días de preparativos Dios ordenó al pueblo que no ascendieran al monte Sinaí y que se abstuvieran de relaciones maritales. Allí, sin embargo, la referencia era a la orden de no ascender a la montaña ni llegar a un estado de contaminación ritual *durante la entrega de la Torá.* Aquí analizamos los eventos de los tres días preparatorios como objetivos en sí mismos.

25. Éxodo 19:10.

26. En la Cábala la costumbre de leer el comienzo y el final de los veinticuatro libros de la Biblia en la noche de *Shavuot* es denominada el «adorno» espiritual de la novia Divina con los veinticuatro ornamentos enumerados en Isaías 3:18. Con éstos, Israel entra en la *jupá,* el palio nupcial, en la mañana siguiente (*Zohar* 3:98a).

27. *Iom, 5 Sivan.*

28. En hebreo, la palabra *korvan,* «sacrificio», proviene de la raíz «acercarse» (*karev*).

29. Éxodo 24:7. En particular el sacrificio expresaba nuestra total abnegación y deseo de ser completamente consumidos por la Divinidad («tómame»). Al decir «haremos» expresamos la dedicación de nuestras vidas a la voluntad de Dios, y al decir «oiremos» expresamos nuestra disposición a interiorizar el mensaje de la Torá. La expresión suprema del altruismo implicada en el sacrificio es la dedicación a la voluntad de Dios manifiesta en la declaración «haremos». Esta dedicación a vivir la vida de acuerdo con la Torá constituye la preparación principal para cumplir el rol del pueblo de Israel en este mundo, es decir, aplicar la Torá escrita a la vida bajo la protección de la Torá oral.

30. *Mishne Torá, Maase Ha Korbanot* 3:14-15. El texto de la confesión es: «He pecado, cometido iniquidad y transgredido injustificadamente, hice tal o cual cosa. Ahora me he arrepentido y vuelto a Ti, y este sacrificio es mi expiación». La confesión contiene tanto arrepentimiento por las acciones en el pasado como una decisión y compromiso para el futuro.

31. Una persona que no es sacerdote tiene permitido matar al animal para el sacrificio (*ibid, Biat HaMikdash* 9:69). Incluso si un sacerdote hace el sacrificio, no es, por supuesto, sino el agente de quien hace la ofrenda. El animal debe ser sacrificado inmediatamente después y en el mismo lugar en el que el que realiza la ofrenda hace su confesión o pronuncia las palabras de alabanza (*ibíd. Maase HaKorbanot* 3:12). Esto indica que el sacrificio será considerado la concretización de los sentimientos expresados por la confesión o alabanza precedente.

32. Como lo hemos mencionado, el sacrificio es una expresión del deseo de acercarse a Dios. Al ofrecer un animal el individuo ofrece su propia alma animal, es decir, reorienta sus impulsos animales (que le hacen pecar o trastornan su relación con Dios) hacia la santidad. Estos impulsos, así transformados, en lugar de obstaculizar su relación con Dios, se hacen parte integral de la misma (ver *Likutei*

Torá 2.2b; *Sefer Ha Maamarim 5710*, pág. 112). El sacrificio neutraliza la causa del pecado previo.

Los tres modos de expresión empleados en el proceso de sacrificio corresponden al ascenso progresivo de *maljut* (el principio femenino en general y el poder del habla en particular) de los tres mundos inferiores hasta el mundo Divino de *Atzilut*:

Al santificar un objeto que hasta el momento era mundano, uno rectifica el mundo inferior de *Asiá* (el mundo de la Acción).

Al expresar la profundidad de las emociones trayendo el sacrificio al Templo, uno rectifica el mundo de *Ietzirá* (el mundo de Formación, que corresponde a las emociones del alma).

Al expresar su compromiso incondicional de servir a Dios en el futuro, el reino de lo desconocido, uno rectifica el mundo de *Beriá* (el mundo de la Creación, al que la Cábala se refiere como el estado de la materia informe, energías mentales puras que habrán de realizarse sólo en el futuro).

33. Ella permanece en silencio mientras el novio coloca el anillo en su dedo y dice sus únicas palabras en la ceremonia matrimonial: «Eres prometida a mí con este anillo según las leyes de Moisés e Israel».

34. Es decir que ha entrado a ese estado de *bitul* que caracteriza al mundo de la *Atzilut*.

35. Jeremías 7:34; 16:9; 25:10; 33:11.

36. El nivel de *Adam Kadmon*, más alto que el mundo de *Atzilut*.

37. *Eiruvin* 63a.

38. Véase pág. 86.

39. Véase nota 2 de la edición en inglés (pág. 311)

40. *Shabat* 88 a. Este evento sigue a la declaración «haremos y oiremos» (*Tosefot ad loc.*).

41. Éxodo 19:16; 20:15.

42. Véase *Etz Jaim* 29:9.

43. Los besos antes de las relaciones expresan la voluntad (*ratzón*) de unirse de la pareja; los besos durante las relaciones expresan el placer (*oneg*) en la unión. La experiencia de placer dentro de la de voluntad es llamada «deseo» (*jefetz*, *Likutei Torá* 3:38, etc.).

44. Véase págs. 139-140.

45. Como informa Rabí Itzjak de Homil en nombre de su mentor, Rabí Shneur Zalman de Liadi, las complejas estructuras de intención y meditación detalladas en la Cábala están destinadas a ser estudiadas e integradas en la conciencia, pero después sirven para inspirarlo a uno en el servicio Divino, como ideales comprendidos por las grandes almas del pasado, más que dictar modelos prácticos para el presente. A esto alude el versículo: «Y tal era la práctica en Israel» (Ruth 4:7); «y tal» en hebreo, *vezot*, se refiere en la Cábala al ascenso de la *sefirá* de *maljut*, el alma colectiva de Israel en su servicio Divino.

46. Los quince niveles en el ciclo de intimidad marital se agrupan ahora en cinco grupos de sumisión, separación, y dulzura. Estos cinco pueden asociarse claramente con los cinco Rostros, *partzufim* celestiales, y los cinco niveles correspondientes del alma:

Arij Anpin	*Iejidá*	Relaciones maritales
Aba	*Jaiá*	Caricias y besos
Ima	*Neshamá*	Preparativos para las relaciones maritales
Zeir Anpin	*Ruaj*	Días de limpieza
Maljut	*Nefesh*	Días de observación

Maljut es el nivel de «aceptación del yugo del reino de los cielos». *Zeir Anpin* es el nivel de emociones y anhelos. Las etapas correspondientes a *Ima* son las de preparación, mientras que las que corresponden a *Aba*, son la concentración en el cónyuge. La concentración a nivel de *Ima* es en la contemplación, al nivel de *Aba,* que es experiencia mutua pura («mirar la apariencia del Rey» que es una experiencia de «tocar y no tocar»). Este es realmente el comienzo de las relaciones. El nivel de *Arij Anpin* es el de aferrarse puro o «contacto supremo».

Además debe recordarse que 15, el número de niveles que hemos desarrollado en nuestro análisis, es el valor numérico del Nombre Divino *Ka,* la «Divina Presencia» que mora entre la pareja que se lo merece. Este proceso completo puede ser visto como la forma en la que la Presencia Divina se manifiesta en la vida romántica de la pareja.

Un análisis más profundo revela que los primeros cinco niveles son estados de impureza, mientras que los diez restantes son estados de pureza. El proceso completo refleja la completud trascendente de «todo y medio» anteriormente comentado, y la completud de la pureza es complementada por la impureza imperfecta e incompleta.

Las diez etapas de pureza comienzan con el éxtasis de la esposa en la inmersión y finalizan con el éxtasis de la pareja en las relaciones maritales.

47. La palabra Faraón (*paro*), el título del monarca de Egipto y opresor de Israel, proviene de la raíz que significa «disturbio» o «distracción» (*hafraá*).

Aunque el contacto físico está prohibido, los esposos aún son «amigos fieles» (cap. 8) y pueden, por ejemplo, compartir conversaciones íntimas y estudiar juntos la Torá. De la misma forma la mujer tiene permitido e incluso se recomienda que se vista en forma agradable en presencia de su marido, de modo que éste no se sienta psicológicamente distanciado de ella (*Ketuvot* 65b; *Shuljan Aruj, Iore Dea* 195:10).

48. Como ya mencionamos anteriormente, la palabra «inmersión», es una permutación de la palabra «anulación». Al sumergirse , la conciencia finita, individual del alma, se anula en las «aguas vivas» infinitas de la fuente Divina de las almas de Israel. Así como la revelación de la raíz espiritual que lo comprende todo purifica la conciencia del alma vestida con el cuerpo físico, así lo hace la mujer al sumergirse en la *mikve:* se purifica de (es decir trasciende) su previo estado de conciencia parcial, con el fin de unirse con su marido.

49. Véase nota en la página 312 de la edición en inglés.

50. Se notará que la tabla siguiente incluye todos los niveles de la tabla precedente salvo los dos inferiores. (Los dos niveles superiores, relaciones maritales y caricias y besos, han sido trasladados de su subdivisión en tres cada uno en la iteración original de un nivel cada uno. El éxodo y la amenaza de la persecución de los egipcios han sido combinados en uno, ya que el éxodo no fue completado hasta que esta amenaza no se eliminó con apertura del mar).

51. El término arameo es «despertar desde arriba».

52. «Despertar desde abajo».

53. Como está escrito: «... y tu pasión será dirigida a tu marido» (Génesis 3:16).

54. Véase cap. 5.

55. Véase *Shaarei Ahava Veratzou*, pág. 26.

56. El compromiso indirecto del marido es más sentido en el *hefsek tahará*, que él debe animarla a hacer, ya que «todos los comienzos son difíciles» (*Mejilta* a Éxodo 19:5). En forma similar, el mismo Dios tuvo que sacar al pueblo de Israel de Egipto (*Shemot Raba* 2.5, *Mejilta* a Éxodo 12:12 y 12:29). Después de

su esfuerzo inicial, Su compromiso fue relativamente indirecto hasta la entrega de la Torá en el monte Sinaí. La asistencia inicial del novio en cada caso es el «despertar desde arriba» que precede y precipita al «despertar desde abajo»; el ascenso subsecuente de la novia por sí misma es el «despertar desde abajo».

57. Rabí Itzjak Luria afirma (*Etz Jaim* 39:9) que la esposa inicia el abrazo, mientras que el esposo inicia los besos anteriores a las relaciones, con el propósito de lograr que los esposos equilibren sus expresiones de pasión y entren a la unión física en un nivel similar. Sólo entonces una pareja puede unirse totalmente.

58. *Toldot Iaakov Yosef, Tazria* 2 (pág. 312, citado en *Keter Shem Tov* 121); ver *Nida* 31b, *Imrei Bina* 44d. Este fenómeno psicológico («placer constante no es placer») se refleja en el plano físico en la desaparición gradual de la luna (símbolo del pueblo de Israel en general y del alma femenina en particular), después de haber alcanzado su plenitud en la noche de luna llena.

   El ciclo lunar completo puede ser comparado al ciclo mensual femenino. La desaparición de la luna refleja la caída psicológica de la pareja ante la primera aparición de la sangre impura. Su compromiso espiritual subsecuente de acatar la *halajá*, la ley de la Torá, asegura la «reconstrucción» de su relación íntima, y esto corresponde al «nacimiento» de la luna nueva (el *molad*). El crecimiento de la luna refleja la creciente anticipación de la pareja al aproximarse la noche de la *mikve*, que corresponde a la noche de luna llena.

59. Incluso cuando uno observa un precepto o hace una buena acción que no implique una gratificación física directa, «no hay justo alguno sobre la tierra que hace el bien y no transgrede» (Eclesiastés 7:20). El Baal Shem Tov explica este versículo diciendo que cada acto de bien, y no importa cuán puras son las intenciones al iniciarlo, se mancha un tanto hacia el final con una sensación de satisfacción con uno mismo. En lugar de alegrarse por haber merecido la gracia de Dios de observar un

precepto, uno se enorgullece (ver *Keter Shem Tov* 393). Esto se debe al mordisco de la serpiente primordial en el talón del hombre, porque «talón» (*akev*) en hebreo también significa «fin», es decir, la experiencia de uno mismo, la «caída» de la conciencia Divina, que aparece al finalizar una acción. (Esta es otra manera en la que el *rashá* está incluido en el *tzadik*). Tanto más entonces, en lo que respecta a las relaciones maritales, el epítome del placer físico (por cuya razón las relaciones maritales hacen que una pareja sea impura ritualmente respecto a tocar o comer objetos sagrados).

60. «Todo es nada ante Él» (*Zohar* 1:11b). Rabí Shneur Zalman de Liadi interpreta esta frase diciendo que «cuanto más se acerca uno a Dios, se siente más "nada" (o debería sentirse)» (*Igueret HaKodesh* 2). En el contexto presente, esto implicaría que cuanto mayor es la experiencia de alborozo sagrado y unión Divina en la noche de la *mikve*, mayor es la sensación de abnegación ante la próxima vez que divisen la sangre.

61. Como explicaremos más adelante, esta experiencia en espiral de renovación ocurre también en la relación psicológica mutua de la pareja y confiere frescura constante a su relación espiritual así como a su relación física.

62. Los quince niveles arriba detallados son simplemente una expansión conceptual de los nueve niveles básicos.

63. Como ya mencionamos con anterioridad, el sentido que corresponde a *jojmá* es la vista (o la luz), mientras que el oído (o sonido) corresponde a *biná*. Así, mientras uno asciende de *biná* a *jojmá*, su «velocidad» aumenta de la velocidad del sonido a la velocidad de la luz, de un estado relativo de luz infrarroja a uno de luz ultravioleta.

64. Como vimos anteriormente, esta simultaneidad existe originalmente sólo en el nivel de dulzura.

65. Rabí Israel Hofstein (1736-1814).

66. Génesis 1:28. Llenar la tierra y conquistarla es la imagen ampliada de la mujer que queda preñada (llena). Tener hijos incrementa la manifestación de la imagen de Dios sobre la tierra.

La palabra «conquista» es afín a «descender», aludiendo al
uso en ese sentido en el versículo «He oído que hay comida
en Egipto, descended allí y compradnos alguna...» (Génesis
42:2). Nuestros sabios dicen que la palabra *redu* en este versículo alude a los 210 años (valor numérico de *redu*) de ser-
vidumbre que el pueblo de Israel sufrió en Egipto (*Bereshit
Raba* 91:2).

En este sentido, podemos decir que si la pareja no logra
cumplir las instrucciones de «conquistar», deberán «descender»
al exilio, simbolizado por Egipto. Una vez en Egipto, pueden
aprender como cumplir las instrucciones en forma adecuada,
como está escrito: «Y los hijos de Israel fueron *fructíferos* y cre-
cieron abundantemente y se *multiplicaron* y se hicieron muy
poderosos...» (Éxodo 1:7).

De la misma manera, nuestros sabios afirman que «toda
mujer que tiene sangre abundante, tendrá abundantes hijos»
(*Ketubot* 10b).

67. Como ya hemos mencionado, en el versículo «Por tanto dejará
el hombre a su padre y a su madre y se unirá a su mujer y serán
una sola carne», la expresión «una carne» se refiere a su hijo
común.

68. Respecto a la menopausia, véase más adelante.

69. Observando de esta forma el precepto expresado por el rey
David en Salmos 16:8: «Siempre he puesto a Dios antes mí».
Según el Baal Shem Tov la palabra «he puesto» *sihuiti* significa
«me relacioné igualmente». Todas las experiencias son igualmente inspiradas por Dios cuando se pone siempre a Dios ante
uno mismo.

70. Zacarías 13:4.

71. *Shabat* 30b.

72. Véase nota 4 en la pág. 313 de la edición en inglés.

73. La sumisión del futuro es sumisión al bien intrínseco, mientras que los tres niveles de sumisión, separación y dulcificación del presente son meramente el proceso dialéctico mediante el cual se separa el bien del mal. La sumisión del presente es la primera etapa del abandono del exilio (la última etapa, la dulzura, es la experiencia de la revelación, la consumación de la redención del exilio); la sumisión del futuro es la experiencia de entrada a la Tierra Prometida. Por lo tanto la sumisión del futuro es más elevada que la dulcificación del presente (ver *Keter Shem Tov* 28).

Esta sumisión futura sirve de inspiración a todo el proceso actual de sumisión, separación, dulzura, pero en particular la promesa que comprende eleva a la sumisión en cada nuevo ciclo más alto que la dulcificación del ciclo anterior.

XIV. LA UNIÓN MARITAL: El misterio del shabat

1. Véase págs. 106-107.

2. Uno de los significados de la palabra Shabat es «regresar». Además, Shabat puede permutarse en «provocas el retorno», como en el versículo «Provocas el retorno del hombre, hasta que se quiebra y dice "retorna, Oh humanidad"» (Salmos 90:3). De aquí aprendemos que el comienzo de la *teshuvá* es «regresar» a la experiencia de ser quebrado, es decir, al estado de humildad existencial en el que el egocentrismo innato se disuelve.

Se ha señalado que la palabra «roto», en este versículo, es un acrónimo de las tres cosas que según nuestros sabios amplían la mente del hombre y realzan su conciencia: un bello hogar, bellos utensilios y una bella esposa (*Berajot* 57b). Esto nos enseña que si una persona lo merece, Dios la hace comprender las profundidades de sus deseos depravados e inconscientes, *proveyéndole* estas tres bellas entidades. En agradecimiento a Dios, esta persona vuelve a Él por su propia cuenta. Esta es la verdadera *teshuvá* del Shabat, el día de placer Divino.

3. Éxodo 31.16. Este versículo y el que le sigue (que estudiaremos a continuación) constituyen el tema central de la liturgia matutina del Shabat, y también se recitan antes del *kidush* del Shabat.

4. *Sidur Beit Yaakov, hanhagot Leil Shabat* 1:2.

5. Estas tres expresiones serán analizadas a continuación.

6. *Bereshit Raba* 11:9. Esto nos permite entender la prohibición talmúdica respecto a que personas que no pertenecen al pueblo de Israel observen el Shabat, so pena de muerte (*Sanhedrín* 58b), porque esto constituiría un acto de adulterio espiritual (siendo el adulterio una ofensa capital para cualquier hombre).

7. La primera palabra del versículo, «y guardarán» (*veshamrú*), se refiere a la luz trascendente que «rodea» y «protege» la santa unión del Shabat. Espiritualmente esto se manifiesta en nuestra anticipación de esta unión, ya que el verbo «guardar» significa también «cuidar o esperar con anticipación» (ver Rashi sobre Génesis 37:11; *Keter Shem Tov*, comienzo, en la interpretación al versículo «Aquel que guarda un precepto no conocerá el mal» [Eclesiastés 8:5]).

8. De la misma forma el pueblo de Israel es visto como el novio de la tierra de Israel.

9. *Ketubot* 62b. Como señalamos en nuestro comentario acerca de hablar y besarse. Besar refleja el principio de integración.

Integración es el sello de la santidad, por lo tanto el Shabat, día de santidad y unión, es también el día de integración. Como dicen nuestros sabios: «Todas las cosas del Shabat son dobles» (*Midrash Tehilim* 92:1). Podemos entender que la relación del Shabat a los días de semana es paralela a la relación de besar a hablar. El mundo fue creado en seis días por la palabra de Dios. En Shabat Él descansó del habla, pero «besó» Su creación, por así decirlo, con la bendición y santidad del Shabat, como está escrito: «Y Dios bendijo al séptimo día y lo santificó» (Génesis 2:3). Nuestros sabios han dicho incluso que «es apenas permitido decir palabras de Torá durante el Shabat» (*Y. Shabat* 15:3). Las palabras de Torá que hablamos reflejan el nivel de Torá que será revelado por el Mesías, que es la experiencia suprema del «besar», como ya lo mencionamos.

10. Véase nota 2 en pág. 359 de la edición en inglés.

11. Esta costumbre está basada al parecer en el saludo registrado en el Talmud (*Shabat* 12b): «Disfruta en paz del descanso del Shabat».

12. Véase *Likutei Moharan* 1.11:5.

13. El cuarto de los Diez mandamientos, que comienza: «Recuerda el día de Shabat para santificarlo...» implica que uno debería prepararse conscientemente durante toda la semana para el Shabat. En el *Zohar* (2:63b; ver *Sefer HaMaamarim Kuntresim*, vol.1, pág. 20a) se enuncia que «desde el Shabat, todos los días de la semana son benditos». La santidad del Shabat se extiende al resto de la semana mediante plegarias semanales (ver *Torá Or* 88a). Antes de recitar la «canción del día» en la liturgia matutina, recalcamos que «Hoy es el primer [segundo, etc.] día del Shabat». Esto concuerda con la práctica de nuestros sabios, para quienes el término Shabat, puede también significar «toda una semana».

14. Esto se refleja en la bendición central de la plegaria *Amida,* que es diferente para cada uno de los tres servicios principales de plegaria

de Shabat, lo que no es el caso con los otros días de la semana. (La plegaria *Musaf* puede contemplarse en este contexto como extra categórica, ya que el texto de su bendición central no expresa la espiritualidad única de su marco temporal sino el día como un todo).

15. Según nuestros sabios, en Shabat uno debe actuar como si toda su labor ha sido completada (*Mejilta, BeJodesh, Yitro* 7).

16. En la terminología cabalística y del jasidismo, nuestro papel durante la semana es separar el bien del mal, mientras que en Shabat debemos unificar la conciencia del mundo con su santidad inherente. El proceso primero implica involucrarse directamente («vestimenta») en una realidad no rectificada, mientras que la última es simplemente la asunción de una perspectiva más elevada y profunda de la naturaleza de la realidad.

17. En la terminología cabalística el ascenso del Rostro, el *partzuf* de *Zeir Anpin*, a su raíz en *Atika Kadisha*.

18. Paradójicamente, en el servicio Divino de «separación» en la unión marital la pareja siente su raíz espiritual común y única, anterior a la separación de sus almas para descender a la tierra.

19. En la terminología cabalística este tiempo es llamado «la voluntad de voluntades». La palabra aramea «voluntad» es afín a la palabra *rea*, «compañero». En este momento la pareja alcanza el nivel espiritual más alto: «los dos compañeros que nunca se separan» (*Zohar* 3:4a).

20. La suma de los valores numéricos de las tres expresiones que denotan relaciones maritales *biá* (18), *zivug* (22) y *jibur* (216), es 256=162=44=28. 256 es el valor del nombre Aarón, el Sumo Sacerdote, cuyo cargo era hacer la paz entre marido y mujer (*Pirkei deRabi Eliezer* 17).

La unión marital es el secreto de los «poderes de dos». El «poder de dos» supremo es hacerse totalmente uno. A esto alude la relación anterior 256=44, porque la Cábala nos enseña que el secreto de la gran *dalet* (4) de la palabra ejad (en el versículo: «Oye Israel, El Eterno es nuestro Dios, El Eterno es Uno» es «cuatro *dalets*», o «cuatro a la cuarta potencia».

21. *Pesajim* 112a; *Vaikra Raba* 21:8. El versículo del Cantar de los Cantares 5:2: «La voz de mi amado golpea...». Según ciertas opiniones, la raíz primaria de *bait*, es *bo*, «venir», «entrar». (De acuerdo a otras opiniones, su raíz es «construir», *bana*).

22. *Shabat* 119a. Esto ha sido incorporado al poema litúrgico *Lejá Dodi*, recitado en las plegarias para ofrecer la bienvenida al Shabat.

23. La liturgia de víspera del Shabat es en el hogar, basado en *Shabat* 119b.

24. Génesis 2:24. Este versículo se refiere al estado ideal de Adán y Eva antes del pecado original.

25. Véase pág. 40.

26. Como está escrito: «Me he desnudado de mi ropa ¿cómo volveré a vestirme?» (Cantar de los Cantares 5:3). Esto es afín al concepto de «desprenderse de lo físico»). Sobre esta experiencia, ver los comentarios de los Rabinos David Kimji y Levi ben Guershon sobre Samuel 1, 19:24; del Rabino David Kimji sobre reyes 2, 9:11; *Zohar* 2:116b; Maimónides, *Comentario de la Mishná*, introducción al cap.10 de *Sanhedrín*, 7° principio, introducción a *Avot*, cap.7; *Mishne Torá, Iesodei HaTorá* 7:6; *Moré Nevujim* 2:41. Acerca del término, ver *Arba Turim y Shuljan Aruj, Oraj Jaim* 98; *Keter Shem Tov* 199, 284; *Shuljan Aruj HaRav, Oraj Jaim* 98 e *Hiljot Talmud Torá* 4:5; *Kuntres Ajaron* 4; *Sefer HaMaamarim 5710*, pag.118. Acerca de la conexión entre este concepto y el Shabat, ver *Pri Etz Jaim, Shaar HaShabat* 3.

27. Véase nota 3 en la página 362 de la edición en inglés.

28. A estos se refiere el Rabí Abraham Abulafia como «los tres momentos».

29. El momento de la concepción puede suceder durante los tres días posteriores a las relaciones maritales, siendo ésta la duración del espermatozoide en el útero, el tiempo en el que es capaz de fertilizar al óvulo.

30. Cuarenta días desde la concepción, cuando tiene lugar la clara diferenciación de los miembros y el sexo del feto (*Nida* 30a).

31. El tiempo óptimo desde la concepción hasta el parto es 271 días (el valor numérico de *heraión* –«embarazo»). Dado que la concepción puede suceder el mismo día de las relaciones maritales o dos días después, este tiempo óptimo, calculado desde el mismo día en el que la pareja tuvo relaciones maritales, puede ser 271, 272 o 273 días.

32. En la terminología del jasidismo, estos «momentos» son estados de «nada» (*ain*), entre los estados futuros y pasados de «ser» (*iesh*). Cuando el alma atraviesa este estado de nada, podría, Dios lo prohíba, quedarse allí, o emerger mal. Por lo tanto es necesario que su *mazal*, el propósito oculto de su existencia, sea revelado, ya que esto encamina al alma hacia la realización de su misión sobre la tierra.

En forma similar, Rabí Itzjak Luria determina que si uno ha completado cierto aspecto de su misión en la tierra, es juzgado cuando su alma asciende por las noches, cuando duerme, y se decide si debe permanecer en el cielo (es decir morir) o descender a la tierra con el fin de continuar a la próxima fase de su misión (o comenzar una nueva misión).

33. El feto físico, por supuesto, no es consciente de todo esto hasta que nace.

34. Y, como ya explicamos, «hablar» es un tipo de eufemismo por relaciones maritales.

35. Estos tres momentos corresponden a los tres mundos inferiores: *Beriá*, *Ietzirá* y *Asiá*.

   El momento de concepción es cuando el punto inicial de la nueva existencia (el feto viviente) es «creado» de la nada y por lo tanto corresponde al mundo de *Beriá* (creación).

   El momento de la formación, cuando la forma del feto se hace aparente, se denomina «la formación del niño» y corresponde al mundo de *Ietzirá* (formación).

   El momento del nacimiento, que ocurre cuando se completa el desarrollo fetal, corresponde al mundo de *Asiá* (acción), así como la palabra «hacer» significa también «completar» (ver Rashi en *Bereshit Raba* 11:6). En ese momento nace el yo individual e independiente del bebé y, por lo tanto, es cuando su *mazal* brilla con mayor intensidad.

36. Es decir, la conciencia del mundo de *Atzilut* (emanación). En resumen:

El mundo de *Atzilut*	Momento de la unión marital
El mundo de *Beriá*	Momento de la concepción
El mundo de *Ietzirá*	Momento de la formación
El mundo de *Asiá*	Momento del nacimiento

37. Véase pág. 26.

38. Y la conciencia del mundo Divino de *Atzilut*. Rabí Shneur Zalman de Liadi solía referirse al mundo de *Atzilut* como «arriba» y a los tres mundos inferiores como «abajo» (*Beshaa Shehikdimu*, pag.11).

   Ésta es la verdadera experiencia del «placer del Shabat» (*oneg shabat*). La Cábala nos enseña que la palabra *oneg* (placer) es un acrónimo de «Edén, río, jardín» (*gan, nahar, eden*) en alusión al versículo: «Y salía de Edén un río para regar el jardín» (Génesis 2:10). Esto alude a las relaciones maritales entre el padre (Eden, el reino de *jojmá*) y la madre (jardín, el reino de *biná*) al experimentar la raíz espiritual de su futuro hijo como el poder que los une (el río, reino de *daat*).

39. El Maguid de Mezerich dijo que Dios creó al mundo «Algo de la nada» (ver *HaIom Iom, 29 Adar* 2).

40. Véase nota 4 en la pág. 363 del original.

41. Véase *Tania*, cap. 39 (53a), donde los *tzadikim* son descritos como sirviendo a Dios «incluso por encima del amor y el temor que derivan de la comprensión y el conocimiento de la grandeza de Dios» y que «no podemos comprender las cosas escondidas», como (el nivel de esos) grandes *tzadikim*.

42. *Keter Shem Tov* 9. Véase *Sod Hashem Lireiav*, cap.28.

43. Proverbios 10:8.

44. Ya señalamos cómo los días de la semana representan las tres «vestimentas» del alma, pensamiento, habla y acción, mientras que el Shabat representa la unión intrínseca del alma con Dios. En relación a la unión esencial experimentada en Shabat, las tres vestimentas son actividades (acciones) del alma, en oposición a su experiencia propia, esencial e intrínseca.

45. *Beitzá* 16a.

46. En la terminología cabalística, en Shabat recibimos *mojin de Aba*.

47. Como lo hemos mencionado, en Shabat, cada aspecto de la realidad asciende a unirse con su correlato más elevado. Por lo tanto, en Shabat, la pasión de la «*mitzvá* inferior» es elevarse y unirse

con la «*mitzvá* superior», así como la santa pasión de la esposa es unirse con su marido en el verdadero amor y paz del Shabat.

48. Véase *Baalei HaNefesh; Igueret HaKodesh; Menorat HaMaor (Abuhav); Reishit Jojma; Shaar HaKedusha,* cap.16; *Sidur Beit Yaakov, Hanhagot Leil Shabat,* etc.

49. Que pueden ser asociadas con los cuatro mundos o niveles de conciencia descritos en la Cábala, como explicaremos.

50. Deuteronomio 23:10.

51. En el versículo siguiente al arriba mencionado (ibíd. 11): «Por si llegase a haber entre vosotros alguien que no esté puro debido a una polución nocturna»

52. El hecho que la Torá considere pecado la emisión de simiente fuera del contexto de la relación marital, hace que cada hombre educado de acuerdo a las enseñanzas de la Torá de alguna forma se sienta obsesionado por el temor de «verter simiente». La mujer, por supuesto, está libre de esta obsesión. Esto aclara aún más lo que se explicará a continuación, es decir, que el cuerpo de la mujer está más a tono con la «madre naturaleza» y que su pasión natural debe ser menos controlada o reprimida que la del hombre.

53. *Suká* 52b.

54. *Ibid, Kidushin* 30a.

55. Este pensamiento es el motivo subyacente en todo el libro de Proverbios. Ver, en particular, Proverbios 5:19 y *Mishné Torá, Isurei Bia* 21:19, 22:21.

56. Él no puede entablar relaciones maritales sin el consentimiento de ella (*Eiruvin* 100b).

57. Véase nota 5 en la página 364 de la edición en inglés.

58. Véase *Kidushin* 81a.

59. *Comentario de la Mishna, Berajot* 9.

60. Sobre todo, este nivel de *kavaná,* de intención, corresponde a la conciencia del más bajo mundo espiritual, *Asiá* (acción). Este mundo se ha hendido y separado de los mundos superiores. (A los tres mundo inferiores alude el versículo: «Todos aquellos que han sido llamados con Mi Nombre, a quienes Yo he creado, formado, e incluso hecho...» [Isaías 43:7]. El verbo «Yo he hecho», que alude al mundo de *Asiá,* está separado de los verbos anteriores por el adverbio «incluso»). Su estado de conciencia es entonces predominantemente malo. El pequeño bien que posee es la *kavaná,* la intención, del precepto de la Torá de «guardarse de toda cosa mala», como se explicó antes.

61. O *post facto.* Véase *Eiruvin* 100b.

62. Ya señalamos que el jardín del Edén también está asociado a la tierra de Israel.

63. La mujer, *maljut,* es el secreto del séptimo día, la «novia» y la «reina» del Shabat.

Al ver a Eva por vez primera Adán exclamó: «¡Esta vez, hueso de mis huesos, carne de mi carne...!» (Génesis 2:23). Las dos palabras aquí usadas para describir el origen de Eva en el ser de Adán, «hueso» (*etzem*=200) y «carne» (*basar*=502) equivalen sumadas a «Shabat» (702).

Así como el cuerpo mismo de la mujer está más «a tono» con el secreto del Shabat que el del hombre, así debemos inferir que con respecto a toda *kavaná* dada en las relaciones maritales, la conciencia de la esposa está en un plano más elevado que la del marido. Esto significa que con el fin de «igualarse», el hombre debe asumir un nivel aún más elevado de conciencia y *kavaná* que su mujer.

64. Génesis 3:16.

65. Rashi, *ad loc.; Eiruvin* 100b. Verbalizar su deseo, en el orden presente, representa una violación de la modestia en su conducta y degradaría la pureza innata del deseo en sí.

Pese a esto, se permite y alienta a la esposa articular oblicuamente sus deseos. Nos enseñan que cuando el pueblo de Israel era esclavo en Egipto «cuando los maridos estaban cansados del duro trabajo, sus esposas les llevaban comida y bebida y los inducían a comer. Entonces sacaban sus espejos y cada una se miraba junto con su marido, diciéndole en forma seductora "¡Mira, soy más bella que tú!. Así despertaban el afecto del marido y de esta manera eran madres de muchos hijos. Y así está escrito: "Desperté tu amor bajo los manzanos (Cantar de los Cantares 8:5)» (*Midrash Tanjuma, Pekudei*, Rashi sobre éxodo 38:8). El espejo, el reflejo de la pareja en un marco común, representa la imagen de su raíz espiritual común.

66. Como Rabí Menajem Mendel de Kotzk reprochó una vez a uno de sus *jasidim*.

67. El marido se deleita cuando siente que su esposa es físicamente atraída por él. Esto lo hace «bajar» hacia ella. Para la mujer, por otra parte, su deseo más profundo se realiza cuando ella siente que su marido está enamorado de ella no sólo físicamente sino, y ante todo, espiritualmente. Como dicen nuestros sabios (*Ievamot* 63a), la palabra *jatan* «novio», deriva de la palabra «descender» *najat* y también nos enseñan (*Likutei Torá* 5:1a) que la palabra *kala* «novia» alude al «anhelo (*kalot*) del alma» de elevarse y unirse con su novio en un plano espiritual.

En la terminología del jasidismo, cada *sefirá* está compuesta de luz y recipiente. El recipiente anhela unirse con la luz. La luz, reconociendo que el origen del recipiente en la esencia Divina es más elevado que el propio, se deleita y excita al sentir la pasión del recipiente por él.

Cuando la esposa siente que su marido se apasiona por ella ante todo en el plano físico, ella pasa a ser, por así decirlo, el dirigente espiritual de la pareja, invirtiendo de esta forma el orden natural.

Esto explica con mayor profundidad por qué la pasión física es más permisible en la mujer que en su marido.

68. La mujer es menos capaz de oponerse a la tentación que el hombre (dada la naturaleza de su *daat* [*Shabat 33b*]).

69. *Sotá* 3a. De ella los sabios aprenden que en general «Nadie peca a menos que el espíritu de la locura se apodere de él». Véase *Tania*, cap. 24.

70. Aunque se considera asimismo el nivel más bajo de *kavaná* para ella, la diferencia es que en el caso de ella es considerado permisible *a priori* como el punto base, por así decirlo, para niveles más altos de *kavaná*, mientras que para él es sólo permisible *a posteriori*.

71. Deuteronomio 24:5.

72. En hebreo «alegrar» es la forma verbal de la palabra común *simjá*, que significa «alegría», «felicidad».

73. Siendo esta la situación del mundo venidero.

74. Este nivel de *kavaná,* de intencion*,* está asociado al segundo mundo desde abajo, *Ietzirá* (formación), el dominio de las emociones. Su estado de realidad se denomina «mitad de bien y mitad de mal». La «mitad mal» se refiere a la conciencia de sí mismos de los seres de este mundo. (Incluso al intentar complacer a otro, la naturaleza humana es tal, especialmente en el contexto de las relaciones maritales, que para dar placer también uno mismo debe recibir placer). La «mitad bien» se refiere a la sensibilidad emocional de uno al otro tal como se expresa en el deseo sincero de «complacer a la esposa».

75. Éxodo 21:10. La Torá obliga al marido a tener relaciones maritales con su esposa a lo largo de su vida matrimonial (*Mishne Torá, Ishut* 14; *Shuljan Aruj, Even HaEzer* 76).

76. Las tres categorías de alimentación, vestimenta y derechos conyugales enumerados en la Torá en este orden, corresponden en su origen a los tres poderes mentales de *jojmá* (sabiduría), *biná* (entendimiento) y *daat* (conocimiento). De modo que el marido está obligado a proporcionarle las tres categorías de fuerza mental vital a su esposa.

Tal como lo explica el jasidismo, «alimento» se refiere al sustento espiritual de la Torá, que fue dado por la *sefirá* de *jojmá*, el principio «padre» (la imagen correspondiente es un padre que le enseña a su hijo).

«Vestimenta» se refiere a la observación de los preceptos, que «visten» el alma y la protegen del mal. En forma similar, la *sefirá* de *biná*, el principio «madre», se cierne sobre sus hijos, los atributos emocionales, protegiéndolos y vistiéndolos (la imagen correspondiente es una madre que viste, protege y educa a sus hijos para que sean buenos y rectos y cumplan la voluntad de Dios en todos los caminos de sus vidas).

«Derechos conyugales» se refiere a la experiencia directa de la Divinidad en la creación, o *daat*. *Daat* se usa también como relaciones maritales, el conocimiento y experiencia directos de marido y mujer. Respecto a la revelación del futuro, con la venida del Mesías (paralela a la venida del marido a su esposa), se dice: «Porque la tierra se llenará del conocimiento de Dios como el agua cubre el fondo del mar» (Isaías 11:9; *Mishne Torá, Melajim* 12:5). En la observación del precepto de *oná*, el *daat* o conocimiento que el marido da a su esposa es conocimiento de su amor y solicitud por ella.

Alimento	*Jojmá*	Torá
Vestimenta	*Biná*	Preceptos
Derechos conyugales	*Daat*	Experiencia directa de la Divinidad

Es significativo que la suma de estas tres categorías, alimento (501), vestimenta (486) y derechos conyugales (131) es 1118= «Oye, oh Israel, El Eterno es nuestro Dios, El Eterno es Uno». Esto nos enseña que al cumplir con las responsabilidades en el matrimonio uno se merecerá unirse y ser uno con su cónyuge («Y se unirá a su esposa y serán una sola carne» [Génesis 2:24]) siempre consciente (con los tres poderes mentales de *jojmá*, *biná* y *daat*) de la unidad absoluta de Dios (de la que la unidad de esposo y esposa es un reflejo).

77. La Cábala y el jasidismo nos enseñan (*Likutei Torá* 4:10d) que las tres necesidades vitales, alimento, vestimenta y refugio (hogar), corresponden a la «conciencia interna», «conciencia del entorno próximo» y «conciencia del entorno lejano» respectivamente.

Como las primeras dos responsabilidades del marido hacia la mujer, proveerle alimento y vestimenta son iguales a las primeras dos necesidades básicas, inferimos que la tercera, sus derechos conyugales, corresponde a la tercera necesidad vital básica, refugio.

Necesidad básica	Responsabilidad de esposo a esposa	Nivel de conciencia
Refugio	Derechos conyugales	conciencia del entorno alejado
Vestimenta	Vestimenta	conciencia del entorno próximo
Alimento	Alimento	conciencia interna

Así como desde el comienzo del matrimonio «el hogar es la esposa», el marido provee a su esposa refugio espiritual a lo largo del matrimonio y la inspira a manifestar el hecho que ella es su hogar, uniéndose con él en santidad, de acuerdo a la *Ley*.

Al observar el precepto de los derechos conyugales, uno atrae hacia abajo la infinita conciencia del entorno lejano de la Divina Presencia que mora en la pareja de mérito.

Tal como mencionamos en la nota 76, las tres responsabilidades del esposo a la esposa, alimento, vestimenta y derechos conyugales, suman 1118: «Oye, oh Israel, El Eterno es nuestro Dios, El Eterno es Uno». En nuestra proclamación de la absoluta unidad de Dios, unimos los tres niveles de conciencia (interna, entorno próximo, entorno lejano) para que sean uno. Y así, al medirnos con las responsabilidades y desafíos del matrimonio, unimos esos tres niveles de conciencia y manifestamos la unidad de Dios sobre la tierra.

78. Como lo explicamos en el capítulo 11, el estado de conciencia necesario para un matrimonio feliz es «vivir con los tiempos».

79. El ciclo menstrual de la mujer y su consecuente impureza ritual son originarias del tiempo del pecado original. «Vivir con los tiempos» (de la mujer) puede ser considerado un elemento primordial en la rectificación del pecado original.

Además del ciclo menstrual femenino, hay días específicos durante el año en los que las relaciones maritales están prohibidas (*Shuljan Aruj, Oraj Jaim* 210:12, 554:1, 615:1; *Iore Dea* 383:1) o no recomendables (*Taharat Israel* 240:11).

80. La prueba de esto es que si la noche de la inmersión de la esposa cae en uno de los días en los que relaciones maritales están generalmente prohibidas (ver llamada anterior), la ley considera que las relaciones maritales en ese caso no están sólo permitidas sino obligatorias.

81. Ya que Shabat y Iom Tov son considerados tiempos propicios para relaciones maritales.

82. *Shuljan Aruj, Even HaEzer* 76:4.

83. *Ketubot* 61b; *Shuljan Aruj, Even HaEzer* 76; *Igrot Moshe, Even HaEzer* 3:28, fin.

84. *Pesajim* 72b, *Rashi ad loc; Shuljan Aruj, Oraj Jaim* 240:1. En general la Providencia Divina, en el sentido del [excepcional]

llamado de la hora ó instrucción del momento, especialmente en lo que respecta a las relaciones maritales, se manifiesta a través de la esposa, quien, en la Cábala, representa la *sefirá* de *maljut*, que suele denominarse «la vida de la hora». (El marido representa el Rostro de *Zeir Anpin*, llamado «vida eterna», significando el compromiso de cumplir las leyes eternas de la Torá). Así el marido debe estar atento a lo que Dios considera «el llamado de la hora» por parte de su esposa. (Véase *Teshuvat haShana*, donde la mujer, como figura «madre» se relaciona a «pecar en aras del cielo», que de acuerdo a nuestros sabios [*Nazir* 23b] es superior a observar un «precepto en aras del cielo»).

85. Véase *Berajot* 22a: «... porque personas eruditas no deben acostumbrarse a tener relaciones con sus mujeres con la regularidad de los gallos». Gallo en hebreo, *tarnegol*, está etimológicamente relacionada a la palabra *hitraglut* – «hábito».

86. *Mishne Torá, Deiot* 4:19.

87. *Shabat* 86a; *Shulján Aruj, Oraj Jaim* 240:11, *Even HaEzer* 25:5.

88. Véase págs. 27 y 117.

89. *Ioma* 20b. El sentido de la vista tiende a eclipsar y obstruir la experiencia de los otros sentidos y la sensibilidad a la espiritualidad. Al tener relaciones en un cuarto oscurecido, uno puede estar más abierto a la sensualidad del tacto y el oído y a la dimensión espiritual de las relaciones maritales. Véase *Sefer HaMaamarim 5720-22*, pág. 29.

90. Rabí Akiva dijo a sus estudiantes alabando a su esposa, Rajel, que lo envió a estudiar Torá por varias décadas: «Todo lo mío y lo vuestro es de ella» (*Ketubot* 63a). (En el plano espiritual él había estado dándose a ella continuamente, sabiendo que «lo mío es de ella» durante todo el tiempo que estuvo ausente).

91. La ley para los integrantes del pueblo de Israel insiste solamente en que la pareja entable relaciones maritales en una habitación oscurecida, tanto durante el día como durante la noche (*Pesajim* 112b; *Shuljan Aruj, Oraj Jaim* 240:11), por razones de modestia. Por la noche, el tiempo preferido es la mitad de la noche (*ibid* 240:7; *Even HaEzer* 25:3) por las mismas razones.

De acuerdo a la Cábala, sin embargo, las relaciones maritales deben ser entabladas sólo después de la medianoche (*Zohar* 3:81a; *Shaar haMitzvot, Bereshit, Inian Hazivug; Taamei haMitzvot, Bereshit, BeInyan HaZivug; Shaar HaKAvanot, Inyan HaShuljan, Inyan HaZivug* [73a en la edición de 5662, pág. 88 en la edición Branwein]; *Pri Etz Jaim* 16:11, *Sod HaZivug be Jatzot Ha Laila* [pag. 339 sólo en la edición Brandwein], *Mishne Torá, Isurei Bia* 21:10, *Deiot* 5:4).

92. El nivel de sensibilidad de cada consorte respecto al otro refleja su nivel de humildad. La palabra *oná* es afín a la palabra *anavá* (humildad) y numéricamente equivale a *matzá* (halló). Como cada cónyuge representa una *ona*, un estado de humildad, ambos juntos serán dos humildes. El Midrash (*Yalkut Shimoni*, Isaías 499), sentencia que en el año del advenimiento del Mesías, éste dirá a Israel desde el tejado del Santo Templo: «Oh humildes, el tiempo de vuestra redención ha llegado». El Mesías se dirige a Israel llamándolos «humildes» de acuerdo con el versículo (Isaías 61:1): «Ya que [*iaan* afín a *anava*] Dios me ha ungido [*mashaj*, la raíz de *mashiaj* –«Mesías»] para traer las nuevas a los humildes», y de aquí nuestros sabios aprenden que humildad es el atributo superior: «humildad es el mayor de todos» (*Avoda Zara* 20b). El valor numérico de la declaración «Oh humildes, el tiempo de vuestra redención ha llegado» (861) es equivalente a la expresión *beit hamikdash* (El Santo Templo).

Cuando cada uno de los dos consortes manifiesta su nivel de tiempo (*oná*), juntos construyen un Santo Templo para Dios y la Divina Presencia reside entre ellos. El Mesías, erguido en el tejado del Templo, alude al alma de su futuro hijo. Él se dirige a ellos desde el tejado de su Templo (la corona de su raíz espiri-

tual común) y dice: «Oh humildes, el tiempo de vuestra redención ha llegado», el tiempo de vuestra redención alude a la hora
de la unión marital, a la que se refiere la Torá como la hora de
pkida, como sinónimo de «redención».

Como se explicará a continuación, otra razón para entablar
relaciones maritales después de medianoche es porque es un tiempo propicio para el descenso de un alma santa al niño concebido.

93. La asociación entre relaciones maritales y ungir a los reyes se
explica más adelante.

94. *Mishne Torá, Melajim* 1:11; Reyes 1, 1:45 (el Guijón es sinónimo del Shiloaj, ver Targum a Reyes 1, 33:38).

95. Isaías 8:6; el Targum *ad loc.* Dice que las «aguas del Shiloaj»
hace referencia a los reyes de la casa de David. Véase también
Sanhedrín 94b.

96. Génesis 1:28, 9:2.

97. *Mishne Torá, Ishut* 15:2; *Shuljan Aruj, Even HaEzer* 1:13.

98. Véase *Likutei Sijot*, vol.20.

99. *Mishne Torá, Ishut* 15:16; *Ievamot* 62ab, basado en Eclesiastés
11:6.

100. *Ievamot* 63b.

101. *Mishne Torá, Ishut* 9:4; *Shuljan Aruj, Even HaEzer* 1:5.

102. *Sidur Beit Yaakov, Hanhagot Leil Shabat* 2:2, etc.

103. Rabí Itzjak Luria enseña que hijos excepcionalmente santos
pueden nacer de padres ordinarios (e incluso menos que ordinarios).

104. *Tania*, cap. 2, citando al *Zohar* 1:90b, 1:112a,, 3:80a, *Zohar Jadash* 11a, y *Taamei HaMitzvot, Bereshit, Peria uRevia.*

105. Los «medios mentales» constituyen el «alma intelectual» (*nefesh hasijlit*); los «medios emocionales» constituyen el «alma natural» (*nefesh hativit*); los «medios físicos» constituyen el cuerpo físico (*Kitzurim Vehearot leSefer Likutei Amarim*, pag.75; *Biurei haZohar – Admor Emtzai* 117b). La Divinidad innata del alma es el «alma Divina» (*nefesh elokit*) de cada judío.

Nótese que aquí la palabra «vestimenta» (*levush*) es usada en un sentido totalmente diferente que el uso más corriente del término «vestimentas» (*levushim*), que se refiere a los tres «sirvientes» de los poderes del alma: pensamiento, habla y acción.

106. Este nivel de *kavaná* o intención suele asociarse con el más elevado de los tres mundos inferiores, *Beriá* (creación), el dominio del intelecto. Ese estado de realidad se denomina «mayormente bueno». Aquí, la conciencia de uno mismo, aunque presente, es mínima. El deseo y la intención que predominan en *Beriá* es asociarse a Dios en la creación. El mismo hecho que la esposa intente asociarse a su marido en la observación del precepto de procreación inspira a ambos esposos a considerarse copartícipes de su Creador en Su proceso creativo.

Beriá, la creación continua, es la conciencia de «algo de la nada». Cuanto mayor sea la conciencia de la «nada» Divina, y el origen del «algo», más merece la pareja el descenso de un alma Divina y sagrada.

La raíz espiritual (*mazal*) de cada integrante del pueblo de Israel es la nada Divina, tal como lo enseña el Baal Shem Tov en su lectura de «no hay [*ein*] *mazal* para Israel» (*Shabat* 156a): «La nada [*ein*] Divina es el *mazal* de Israel». (*Meor Einaim, Likutim, KesheRatza Avraham* [Jerusalén, 1976 pág. 277a]; *Likutei Amarim* [el *Maguid*] 137, 172, *Or Torá* 147, 191).

107. Véase nota 91 y fin de la nota 92.

108. La espiritualidad de un día de semana después de medianoche es comparable a la de la noche del Shabat antes de medianoche; Shabat después de medianoche está a un nivel aún más alto (fuentes citadas en la nota 91).

109. En la práctica se ungía solamente cuando el nuevo rey no heredaba el título de su padre o surgía alguna controversia acerca de quién de los candidatos heredaría el trono (*Mishne Torá, Melajim* 1:12).

110. *Sefer Ha Maamarim* 5710, pág. 95 en adelante.

111. *Zohar* 2:26b; *Tikunei Zohar*, introducción (1b). En el Talmud (*Shabat* 67a) se dice que todos los integrantes del pueblo de Israel son príncipes. Son reyes por virtud de su misión de conquistar y subyugar la tierra al servicio de Dios. Esta misión aparece al comienzo como la culminación de la bendición de Dios y Su mandato a Adán y Eva: «fructificad y multiplicaos, llenad la tierra conquistadla y señoread...» (Génesis 1:28). Después de su caída, esta misión fue reservada únicamente al pueblo de Israel (*Ievamot* 61a), a quien fue confiada la Divina misión de realizar el reino de Dios sobre la tierra. La palabra *shlijut* —«misión» está relacionada al nombre del manantial del Shiloaj.

112. Siendo que el pecado de David y Batsheva fue esencialmente apresurarse, podemos suponer que los reyes davídicos fueron ungidos en el tranquilo manantial del Shiloaj para rectificar este defecto.

113. En esta analogía, el óleo de unción es la simiente del marido (la palabra *shemen*, «aceite», el extracto esencial del olivo, es afín a la palabra en castellano *semen*, el extracto esencial del hombre). La mujer es la personificación de la *sefirá* de *maljut*, «reino».

114. *Shaar HaMitzvot, Bereshit; Or HaJama* sobre *Zohar* 3:90a; *Jesed Levraham* 2:66.

115. Deuteronomio 28:9.

116. *Shabat* 133b, ver *Mishne Torá, Hiljot Deiot* 1:6. Como habrá de explicarse, ésta es la conciencia de *Atzilut*, es decir, no sólo actuar como copartícipe (finito) de Dios (el infinito) sino también emularlo a Él y a Sus Divinos atributos en esencia.

117. Porque «la recompensa por las buenas acciones es mayor que por la maldad» (*Sotá* 11a).

118. Este nivel, la conciencia del mundo de *Atzilut*, es «todo bien» y «todo divinidad».

   Hay dos facetas complementarias de esta conciencia, denominadas en el jasidismo «Dios es todo» y «todo es Dios» (*Likutei Diburim* 36 [pag. 1322]). «Dios es todo» significa que nada existe salvo Dios. «Todo es Dios» significa que todo lo que existe es en esencia Dios. Estos dos lados de la misma moneda son el origen de la conciencia del esposo y la esposa respectivamente.

   En la unión marital propia, aprendemos de la Cábala y el jasidismo que cada uno de los cónyuges manifiesta la conciencia del otro (ver *Likutei Torá* 2:19c). Específicamente, es la parte femenina del hombre la que se une con la parte masculina de la mujer.

   Al nivel de conciencia de *Atzilut*, la dimensión masculina de la unión Divina («Dios es todo») se conscientiza de «todo es Dios», mientras que la dimensión femenina («todo es Dios») se conscientiza de «Dios es todo». Y así la Divina pareja es atraída a unirse.

   La moneda que Abraham acuñó tenía la imagen de él y Sara en una cara y la de Isaac y Rebeca en la otra (*Bava Kama* 97b y Rashi *ad loc.; Bereshit Raba* 39). En la terminología de la Cábala, «Abraham y Sara» alude a la conciencia superior de los mismos *Aba* e *Ima* (la de «Dios es todo»), mientras que «Isaac y Rebeca» alude a la conciencia inferior de *jojmá* y *biná*, respectivamente. De modo que las imágenes en cada cara de la moneda aluden a la integración de los niveles femenino y masculino de conciencia.

			Aba	«Dios es todo»	Abraham
Masculino	*Jojmá*	«Dios es todo»			
			Ima	«Todo es Dios»	Sara
			Israel Saba	«Dios es todo»	Isaac
Femenino	*Biná*	«Todo es Dios»			
			Tevuna	«Todo es Dios»	Rebeca

119. A esto alude el hecho que el término antes mencionado (*biá*) que suele usarse como eufemismo por relaciones maritales, también es usado en referencia a la «llegada» del Mesías (*biat hamashiaj*).

120. Génesis 1:28.

121. Isaías 11:9.

122. Y así nos enseñan: «El hijo de David no vendrá hasta que todas las almas sean vaciadas del cuerpo» (*Ievamot* 62a). El término «cuerpo» aquí se refiere al celestial depósito de almas pertenecientes el pueblo de Israel. En la Cábala esto se identifica con la *sefirá* de *maljut*.

123. *Berajot* 57b.

124. Rabí Itzjak Luria enseña que el nombre Adán, es un acrónimo de Adán, David, Mesías (*Sefer HaGuilgulim* 62; *Torá Or* 46d). Si Adán y Eva no hubiesen transgredido, Adán habría retenido su verdadera identidad como Adán, Eva habría manifestado el nivel del rey David y su hijo habría sido el Mesías.

125. Véase nota 8 en la pág. 369 de la edición en inglés.

126. Véase pág. 152-153.

127. En la Cábala, los dos mundos de *Atzilut* y *Beriá* (los estados de conciencia asociados a los momentos de unión marital y con-

cepción respectivamente) corresponden a las dos *sefirot* de *jojmá* y *biná*, o *Aba* e *Ima*, denominados «los dos compañeros inseparables» (*Zohar* 3:4a).

128. En la Cábala esto corresponde a la conciencia del mundo de *Beriá*, la experiencia constante de recreación del universo.

129. Esto corresponde a la conciencia del mundo de *Ietzirá*, el reino de las emociones.

130. De modo que:

Atzilut	Unión marital/Divina	Relaciones a concepción
Beriá	Copartícipes en la creación divina	Concepción a formación
Ietzirá	Satisfacer al cónyuge	Formación a nacimiento
Asiá	Conciencia del recién nacido	Después del nacimiento

XV. RECATO Y MISTERIO

1. *Derej Eretz Zuta* 5.

2. 6:8.

3. *Makot* 24a.

4. *Likutei Torá* 2:45c; *Likutei Sijot*, vol. 7, pag.30 y fuentes citadas en la nota 7.

5. El valor numérico de las frases que definen estas dos categorías de *preceptos* equivale a $676=26^2$. El 26 es el valor de *Havaiá*, el

Nombre esencial de Dios. De modo que la revelación consumada de Dios (el significado de elevar al cuadrado el valor de Su Nombre) depende de ambos niveles de conexión. Todas los preceptos son considerados preceptos de *Havaiá* (ver *Sod HaShem Lireiav*, cap. 28).

Las cuatro letras de la palabra *mitzvá* (precepto) corresponden a las cuatro letras del Nombre *Havaiá*: las primeras dos letras de *Havaiá* (*iud* y *hei*) se transforman en el sistema de transformación *atbash* en *mem* y *tzadik*, las primeras dos letras de la palabra mitzvá. Las segundas dos letras tanto de *Havaiá* como de *mitzvá* son idénticas: *vav* y *hei*. De modo que las dos primeras letras de *mitzvá* esconden las letras correspondientes del Nombre *Havaiá*, mientras que las segundas dos letras revelan sus correspondencias. A este principio alude el versículo: «Las cosas escondidas son de Dios y las reveladas son nuestras y de nuestros hijos...» (*Deuteronomio* 29:28). El término «cosas escondidas» se refiere a las *kavanot* de los preceptos y «las reveladas» hace referencia a la observación de los preceptos.

El principio de integración se aplica a las categorías «entre el hombre y Dios» y «entre el hombre y su prójimo». Cumplimos preceptos entre el hombre y Dios «en nombre de todo Israel» y preceptos entre el hombre y su prójimo con la intención de complacer a Dios, nuestro Padre celestial, mostrándole a Él que Sus hijos se comportan con amor entre sí. Esta es una forma adicional de comprender el versículo «el sabio de corazón recibirá los preceptos».

6. Vestimentas físicas y espirituales están estrechamente relacionadas: la manera en la que uno se viste afecta la manera en que uno se mueve, habla e incluso piensa.

7. La palabra *hatznea* («modestia», de Miqueas 6:8) puede ser leída como acrónimo de «[la forma] en la que se mueve el *tzadik*».

8. En los nueve círculos ascendientes de los niveles de esplendor, se alcanza la humildad (*anavá*) en el segundo ascenso: «el

esplendor de la sabiduría es la humildad»; mientras que la modestia culmina los cinco niveles: «el esplendor de un precepto es [su] modestia».

9. Véase este tema ampliado en *Lev LaDaat*. Los cuatro niveles de humildad corresponden a las cuatro letras del Nombre de Dios, *Havaiá*, y a los cuatro mundos, de la siguiente manera:

Iud	*Atzilut*	*bitul*	Ser altruista
Hei	*Beriá*	*anavá*	No ser pretencioso
Vav	*Ietzirá*	*hajnaa*	Someterse
Hei	*Asiá*	*shiflut*	Rebajarse

10. Hay un nivel más alto de *bitul*, en el que uno está «existencialmente anulado» y está tan consumido por la Divinidad que no tiene conciencia de sí mismo como una entidad distinta de su fuente Divina. En esta etapa, ya no es necesario anular en forma activa el yo, esto ya ha sido logrado. Este nivel es el lugar de los *tzadikim*, que esencialmente han dejado atrás el proceso de refinamiento propio y han alcanzado una forma estable de servicio Divino. De esta manera, en el *Tania* (cap.15), se dice del *beinoni* que «está activamente involucrado en el servicio a Dios», en contraste al *tzadik* de quien se dice que es «el sirviente de Dios». Aquí estamos tratando el servicio del *beinoni*, y por lo tanto el *bitul* al que nos referimos es del tipo que debe ser activamente impuesto.

Aunque el *beinoni* no es capaz de lograr por sí mismo la anulación existencial, puede llegar a estar tan centrado en la Divinidad que parecerá haberlo logrado. Este es el nivel de la modestia. En la terminología Cabalística, un *tzadik* posee la conciencia de *Atzilut*, o *bitul* absoluto, mientras que el *beinoni* posee la conciencia de *Beriá* o existencia posible. El *beinoni* podría «estar allí» pero no está, porque está centrado en lo que está por encima de él, mientras que el *tzadik* no «está allí» de antemano. Un *tzadik* experimenta el aspecto de *reisha delo itia-*

da que refleja la esencia del *bitul*, mientras que el *beinoni* experimenta el aspecto de *reisha delo itiada* que refleja un estado de *bitul* «existente».

Por lo tanto debemos especificar que nuestras afirmaciones anteriores, según las cuales la modestia es la cúspide del servicio Divino, hacen referencia a la cúspide del servicio Divino del *beinoni*. De la misma manera, la razón por la que la modestia y no el *bitul* es el «esplendor del precepto» es porque el precepto se refiere a la conexión entre el hombre y Dios, como lo mencionamos, y toda conexión implica dos partes diferenciadas, no una que ha sido absorbida dentro de la otra.

11. Esta sinceridad es denominada *temimut*. En este contexto, *temimut* debe ser considerado un poder espiritual comprehensivo. Como tal, posee ambas características de la modestia: trasciende (circunda) y cubre (rodea) aquello que está debajo y dentro de ella. *Hod*, que, como lo mencionamos (nota 57), está asociado con *temimut*, está asimismo asociado a la dimensión interna de *keter*.

12. Como lo explicaremos a continuación, todos los niveles de la modestia son niveles de «vestimenta» (es decir niveles de rectificación, véase nota 1). Podemos identificar cuatro niveles de «vestimenta» modesta que «viste»/rectifica los cuatro niveles de humildad arriba enumerada, de la siguiente manera:

Mundo	Nivel de humildad		Nivel de modestia
Atzilut	*Bitul*	Altruismo	No pensar en uno mismo
Beriá	*Anavá*	No presunción	Pensar modestamente
Ietzirá	*Hajnaá*	Sumisión	Hablar modestamente
Asiá	*Shiflut*	Rebajamiento	Moverse modestamente

Aquí vemos que la relación entre humildad y recato es de «cuerpo» y «vestimenta», o en términos más abstractos de la Cábala, de «luces» y «recipientes». Es axiomático en la Cábala que el origen de los recipientes es más elevado que el origen de las luces. Podemos por lo tanto entender por qué el recato (y no la humildad) es considerada parte integral de la cabeza que no se puede conocer de *keter*.

13. *Zohar* 3:288a. Siendo que el hombre fue creado en la «imagen» Divina, estos tres niveles de conciencia son un reflejo de los mundos espirituales. Las tres «cabezas« (voluntad, placer y fe) son parte del nivel más alto del alma, la *iejidá*.

14. Cuando se rectifica apropiadamente, este instinto de conservación se convierte en el deseo de vivir una vida significativa, en la que cada día tenga valor (ver *Likutei Sijot*, vol. 3, pág. 772, véase a continuación, nota 16). Después se expande hasta convertirse en el deseo de vida eterna y es el motivo de la *teshuvá*, mediante la cual uno merece su parte en el mundo venidero.

15. En hebreo: *reisha dearij*. Este nivel es sinónimo al Rostro de *Arij Anpin*, la dimensión externa de *keter*.

16. «Larga» también porque es la fuente de la voluntad de sobrevivir, el deseo de longevidad (véase nota 14).

17. Comparad el enunciado del Maguid de Mezerich arriba citado, que Dios crea el mundo «de la nada» y la inversión del proceso de los justos, al transformarse ellos y su parte en el mundo de «algo a nada» (véase *Halom Iom*, 29 *Adar* 2).

18. En hebreo *reisha deain*. Este nivel es sinónimo del Rostro de *Atik Iomin*, la dimensión interna de *keter*.

19. Muchas disciplinas del mundo en general, consideran esta negación del yo (o experiencia de «nirvana»), como el más alto nivel de consciencia alcanzable, y por lo tanto asumen que el objetivo del servicio Divino es simplemente sobreponerse a la volun-

tad independiente (*reisha dearij*) y alcanzar este nivel. Esto implica que falta el nivel supremo de *keter, reisha delo itiada*, que inspira a quien lo experimenta con anulación y deleite (*reisha deain*) a descender a *reisha dearij* con el fin de concebir una voluntad nueva y superior. Permanecer en este penúltimo nivel de bienestar abstracto es sucumbir a la ilusión, que se compara a «una mujer ajena... cuya casa se inclina hacia la muerte y sus senderos a los muertos. Ninguno de los que llegan a ella regresan, ni recobran los caminos de la vida» (Proverbios 2:16-19). Cuando uno se eleva a este nivel de anulación del ego, la nada alcanzada deriva del *reshimu*, la impresión de la luz Divina que permanece en el vacío creado por el *tzimtzum*.

20. Para ser más preciso, la experiencia abstracta del placer aquí descrita, es la conciencia del intelecto de *Atik Iomin*. Esta conciencia es denominada «deleites esenciales». El placer encontrado en algo específico, que resulta en voluntad, es la conciencia de las *midot* de *Atik Iomin*. Como se explicará, la fe que reside en *reisha delo itiada* (en el nivel de *keter* de *Atik Iomin*) dirige el placer esencial y abstracto a un placer compuesto, que será investido en *reisha darij* como voluntad.

21. Aquí yace la diferencia entre la experiencia auténtica del pueblo de Israel de ser «uno con Dios» y el «nirvana». La anterior es una experiencia de alcanzar más allá del *tzimtzum* la ignota luz Divina (ya que nada que está más allá del *tzimtzum* puede conocerse). La posterior, como lo mencionamos, es la experiencia de fundirse en el *reshimu*, el «fondo» de la luz Divina que permea el vacío en el que ocurre la creación.

22. En la nota 12 de este capítulo señalamos que la modestia es el origen de los recipientes. «Recipiente» en arameo es afín a «fe» en hebreo *emuná*.

23. *Bejinat Olam* 13:45. En las palabras del *Zohar* «ningún pensamiento puede comprenderte» (*Tikunei Zohar*, introducción

[17a]. El jasidismo explica que esto incluye el pensamiento primordial de *Adam kadmon*, que en el hombre corresponde al origen del alma después del *tzimtzum*. Y sin embargo, agrega el jasidismo, Dios puede ser comprendido por »la voluntad del corazón» y observando la Torá y sus preceptos. (Tania, cap. 4; Tora Or 3:81d, Or HaTorá, Bereshit, pág. 256. Estos dos son el «correr» y el «volver» de la anulación del alma en aras de Dios, respectivamente).

24. Véase *Keter Shem Tov* 3 y la nota que cita la explicación de Rabí Hilel de Paritch.

25. El versículo «Dios apareció ante mí desde la distancia» (Jeremías 31:2) puede interpretarse como: «Justamente por mi sensación de lejanía de Dios es que Él puede aparecer ante mí». El valor numérico de este versículo es 262, que significa la revelación completa de Dios, como ya lo mencionamos. El rey Salomón dijo «Dije "seré sabio , pero estaba lejos de mí» (Eclesiastés 7:23).

26. Isaías 45:15.

27. En hebreo *reisha delo iada velo itiada* generalmente abreviado a *reisha delo itiada*. Cuando se considera correspondiente a la simple fe del alma Divina (que trasciende incluso al «deleite esencial»), es sinónimo de *keter* de *Atik Iomin*, como lo mencionamos en la nota 20 de este capítulo.

Rabí Itzjak Luria se refiere a *reisha delo itiada* como «el escondite del poder de la esencia de Dios». Esta frase también puede traducirse como «el poder escondido de la esencia de Dios». Estas dos interpretaciones expresan los dos lados de la paradoja inherente en *reisha delo itiada*, que analizaremos a continuación.

(La expresión «el escondite del poder» proviene de Habacuc 3:4. En *Sefer Ialkutim* se dice que esta expresión alude a «la trascendencia escondida de saber y *zivug*».

En este nivel, el *Zohar* (3:288b) aplica el versículo (Números 24:11) «escapa ahora a tu lugar». «Tú» aquí es el alma Divina, la «parte de Dios»; su «lugar» es su origen, es *reisha delo itiada*, donde se manifiesta. (Véase también *Zohar* 2:177a [en *Sifra de Tzniuta*] y el comentario de R. Eliahu de Vilna [pág. 35a de Jerusalén, 1986 ed.]).

La distinción ontológica entre las tres cabezas de *keter* puede resumirse de la siguiente manera:

Reisha delo itiada	Oculta e inexistente dentro del supraconsciente
Reisha deain	Oculta y existente dentro del supraconsciente
Reisha dearij	Existente dentro del supraconsciente

28. Y como lo enseñó el Baal Shem Tov «una persona está donde se centra su voluntad». De modo que al centrarse completamente fuera de uno mismo, se vacía de su propio yo.

29. Uno pensaría que si no puede conocer el objeto de su conciencia, nadie más puede. Pero nos cuentan que el Baal Shem Tov solía enviar a sus discípulos a observar la fe simple de integrantes del pueblo de Israel no ilustrados, que eran inconscientes de la extraordinaria comunión con Dios que habían alcanzado. Eso era posible sólo porque esos discípulos tenían sensibilidad y afinidad existencial a ese nivel.

30. El alma del integrante del pueblo de Israel es una «parte real de Dios en las alturas» (Job 31:2; *Tania*, cap.2: la palabra «real» es un agregado del *Tania*).

31. Respecto a la *iejidá*, este aspecto del alma es el *iajid*, o una «chispa del Creador que después deviene en una criatura» (*Etz Jaim*, 42:1; *Nahar Shalom*, comienzo; *Sefer HaMaamarim 5679*, pág. 308; *Sefer Hamaamarim 5719*, pág. 630). La *iejidá* es un nombre del alma, y por ende sólo un nivel de su manifestación, no su esencia. Es una «vestimenta» que el alma viste con el fin de manifestarse. Pero sien-

do que la *reisha delo itiada* es la disolución de la dicotomía sujeto-objeto entre el alma y Dios, se compara a «el caracol, cuya vestimenta emerge de y es parte de sí mismo» (*Bereshit Raba* 21:5; *Tania*, cap.21 [27a]; *Shaar HaYijud VeHaEmuna* cap. 7 [84b]. «Caraco» en arameo (*kamtza*) está relacionado al nombre de la vocal (*kamatz*) asociada en la Cábala con *keter*, que a su vez es un acrónimo de los términos usados en el *Zohar* (*Tikunei Zohar* 69 [115b], 70 [128a, 135b]) en referencia a los tres niveles de luz en *keter* que son el origen con las tres cabezas de *keter*.

En particular podemos identificar tres grados en los que la esencia espiritual está vestida con sus manifestaciones, correspondiendo a cómo está físicamente vestida:

Reisha delo itiada	Esencia del alma presente en su manifestación esencial	Sangre	El alma viable tan presente en la sangre que se identifica con ella
Poderes espirituales: deleite y debajo	Esencia del alma investida con sus poderes	Cuerpo	El alma viable vestida con el cuerpo
Vestimentas: pensamiento, habla, acción	Poderes vestidos a su vez con los medios de expresión	Vestimenta	El cuerpo vestido a su vez con vestimentas que expresan el alma

32. Esto resulta de la doctrina jasídica según la cual el *tzimtzum* descrito en la Cábala debe ser comprendido en forma no literal, es decir, que se retira del mundo creado la conciencia de la existencia de Dios, pero no Su esencia.

33. Los tres pilares del servicio Divino en los que Miqueas encapsula los seiscientos trece preceptos, «haz justicia, benevolencia y camina humildemente con tu Dios» corresponden a las tres «cabezas» supernaturales de *keter* en orden ascendente:

Nivel de servicio Divino	Tres cabezas de *keter*	Fuerza vital interna
«camina humildemente con tu Dios»	*Reisha delo itiada*	Fe simple, auto sacrificio, instinto de hacer *teshuvá*
«ser misericordioso»	*Gulgalta*	*Jesed* de *Atik Iomin*
«hacer justicia»	*Moja stimaa*	*Guevura* de *Atik Iomin*

Aquí las tres cabezas están identificadas más de acuerdo a la nomenclatura de *Etz Jaim*, que a la que generalmente empleamos, que es la del *Emek HaMelej*.

34. Habacuc 2:4. Véase nota 10 de este capítulo, donde señalamos que *tzeniut* es el nivel más alto que puede alcanzar un *beinoni*, mientras que un *tzadik* puede alcanzar *bitul hametziut*.

35. El pecado de «deshonrar el pacto» (es decir aberración sexual) daña la integridad de la persona implicada (*Torat Shalom*, pags. 172-3).

36. De modo que la esencia idealizada del hombre es su esposa y la esencia idealizada de la mujer es su marido. De la misma manera que la semana puede ser concebida como «soñar» el Shabat. Durante la semana debemos «recordar el día del Shabat y santificarlo» (Éxodo 20:8); «santificar» (*lekadesh*) significa también «enoviarse».

Si el yo le impide a uno alcanzar la *reisha delo itiada*, carece de esa visión de que su propia perfección depende de la unión con un consorte espiritual del sexo opuesto. Centrado en sí mismo, buscará perfección mediante la expansión de falta de integridad unilateral, tratando en efecto de proyectarse y copiarse a sí mismo. Esta es la raíz espiritual de la homosexualidad. El hecho que este pecado está arraigado en un defecto de carácter tan radical es respaldado por la cantidad desproporcionada de remedios para el mismo encontrados entre las prescripciones de Rabí Itzjak Luria (*tikunim*) para rectificar varios tipos de pecado. Más aún, como lo mencionamos, el egocentrismo lleva a los hombres a considerar a las mujeres «más amargas que la muerte», lo que también les causa considerar al sexo opuesto como el enemigo más que como el camino a la perfección.

Ya hemos mencionado que es natural no querer dilapidarse a sí mismo. Si el hombre contempla a la mujer en forma negativa, puede considerar que invertir en ella su simiente es una forma de autodestrucción. De modo que el miedo legítimo de verter simiente en vano se distorsiona en el miedo de tener relaciones con una mujer, resultando nuevamente en la homosexualidad y la verdadera dilapidación de uno mismo.

37. En lenguaje popular, la relación cambia de «yo-eso» a «yo-tú».

38. Esta es la razón mística por la que aunque tanto hombres y mujeres deben ser recatados, el recato suele asociarse con las mujeres. En la Torá oral, el recato es considerado el atributo más apreciado de las mujeres justas. Mientras que de un hombre apreciado suele decirse que es un «hombre justo», de una mujer apreciada se dice que es una «mujer recatada».

(La relación entre la Torá oral y la escrita suele compararse a la relación de la esposa con su marido. En la Cábala, la Torá oral es asociada con la *sefirá* de *maljut* [la manifestación femenina de la Divinidad], mientras que la Torá escrita es asociada a la *sefirá* de *tiferet* [la manifestación masculina de la Divinidad]).

Esto es así porque el origen supremo del alma femenina, la *sefirá* de *maljut*, es *reisha delo itiada*. El alma masculina, por lo contrario, que corresponde a la *sefirá* de *tiferet* (el centro de los atributos emotivos del corazón) está arraigado en la *reisha deain* (que se manifiesta como la gran benevolencia esencial de la *gulgalta*).

El hecho que el origen de *maljut* es *reisha delo itiada* concuerda con el principio general en la Cábala según el cual «el fin está incluido en el principio». Aquí «el fin» es *maljut*, la última de las diez *sefirot*, que corresponde al alma femenina; el principio es *reisha delo itiada*, el «principio» absoluto del mismo *keter*.

Por supuesto que también los hombres deben ser modestos y las mujeres justas. Pero al serlo, manifiestan sus aspectos femeninos y masculinos respectivamente.

39. En el contexto de procreación. (*Tosafot* en *Shabat* 4a).

40. Significativamente, la palabra en hebreo para matrimonio, *nisuin*, tiene la misma raíz que la palabra «paradoja» (literalmente «transporte de contrarios»). Por esta razón se hace referencia al matrimonio, *nisuin*, como a un «pacto» (*brit*), que también implica la unión de los contrarios. Véase *Pelaj HaRimon, Shemot* 296a.

41. Génesis 27:28-29. Isaac bendijo nuevamente a Jacob más tarde (ibíd. 28:1-4).

42. Véase *Pirkei de Rabí Eliezer* 32; *Pelaj haRimon, Bereshit* 10c. Los Diez mandamientos corresponden a las diez sub sefirot de *maljut* de *Atzilut*. *Jojmá y maljut de Atzilut* son denominadas «Edén» y el «jardín de Edén» respectivamente (comparar con la nota 38). «Y salía de Edén un río para regar el jardín» (Génesis 2:10). Las diez bendiciones de Isaac corresponden al río que une a Edén con el jardín.

(Cuando Isaac cavó su último pozo, lo llamó *Rejovot* [literalmente «amplios espacios»], «y dijo: "Porque ahora Dios ha hecho lugar para nosotros y fructificaremos en la tierra» [ibíd. 26:22]. «Fructificar» es la traducción literal de «Eufrates» [*prat*], el nombre del cuarto río que se ramifica del río original que regaba el jardín de Edén [ibíd. 2:14]. Nuestros sabios determinan que este afluente es en realidad la reaparición del mismo río original [*Berajot* 55b; *Bereshit raba* 16:3]. En adición a esto, el nombre *Rejovot* esta asociado en otra parte con el Eufrates [ibíd 36:37, ver targum *ad loc.*]).

La séptima de estas diez bendiciones es «Sé señor de tus hermanos». Jacob y Esaú personifican la tendencia al bien y la tendencia al mal respectivamente. La capacidad que recibe la tendencia al bien de subyugar a la tendencia al mal innata, es la base del libre albedrío y de la observancia de la Torá. Una vez subyugada, la tendencia al mal eventualmente se orienta hacia la santidad y se fusiona con la tendencia al bien. Por esta razón estas bendiciones son intermedias entre las diez locuciones de la creación y la revelación de los Diez Mandamientos.

Las dos tablas de los Diez Mandamientos pueden ser concebidas como referencias a los dos mellizos Jacob y Esaú, la tendencia al bien y la tendencia al mal. El precepto de honrar a los padres aparece en la primera tabla, ya que Esaú aparentemente honró a sus padres más que Jacob (*Bereshit Raba* 65:16): «Y amó Jacob a Esaú porque comía de su caza» (Génesis 25:28); «José fue separado de su padre Jacob por veintidós años, como castigo por los veintidós años que Jacob estuvo separado de su padre Isaac sin poder cumplir con su deber de honrar a su padre» (Rashi acerca de ibíd. 28:9). El precepto de honrar a los padres (Éxodo 20:12; Deuteronomio 5:16) comienza con las letras *kaf* y *bet* que equivalen a 22; la segunda vez que aparece este mandamiento (ibíd.) contiene 22 palabras.

Los Diez Mandamientos fueron entregados en Shabat y el Domingo de cada semana comienza una nueva representación de las diez locuciones de la creación. Se acostumbra, por lo tanto, recitar las diez bendiciones de Isaac en *Motzei Shabat*, como enlace entre los Diez Mandamientos del Shabat y las diez locuciones de la semana.

43. Véase *Keter baal Shem Tov*1; *The Hebrew Letters*, introducción.

44. El alma, como lo dijimos anteriormente, es una «parte real de Dios en las alturas», mientras que «Divinidad» hace referencia sólo a las manifestaciones de Dios en la tierra y no a Dios Mismo. En el plano revelado, el alma está en un nivel más bajo que la Divinidad, pero cuando sirve como intermediaria se manifiesta su origen interno que es más elevado que la revelación de la Divinidad en el mundo.

En las palabras de los sabios «el poder del hijo excede al del padre» (*Shvuot* 48a). La lectura literal de esta frase es: «el poder del hijo es mejor desde dentro del poder del padre», lo que significa que el poder del hijo es mayor porque manifiesta el poder *interno* del padre, que el mismo padre no puede manifestar. Véase *Sod HaShem Lireiav*, pág. 181.

45. Génesis 27:23.

46. Sara era de «bella apariencia» (Génesis 12:11). Rebeca era de «muy buena apariencia» (ibíd. 24:16). Rajel era de «bella forma y bella apariencia» (ibíd. 29:17). La palabra «bella» usada en referencia a Sara y Rajel (*iafá*) se refiere a belleza externa, mientras que la usada en referencia a Rebeca (*tov*) hace referencia a una belleza recatada y escondida. En este sentido Rebeca era la más recatada de las matriarcas y por lo tanto la más sensible al poder intrínseco del recato de atraer bendiciones trascendentes.

El recato es una forma de restricción y es por lo tanto una función de *guevurá*, el lado izquierdo del árbol de las sefirot, asociado a Isaac y Rebeca.

Como lo veremos más adelante, en el mundo venidero el recato revelará además de ocultar. Nos enseñan que en el mundo venidero Isaac será visto como el más esencial de los antepasados (*Shabat* 89b). Su mismo nombre es el tiempo futuro de la forma básica del verbo «reír». La expresión completa de la risa ocurrirá en el mundo venidero, como está escrito: «Cuando Dios haga volver a los cautivos a Sión... entonces nuestra boca se llenará de risa» (Salmos 126:1-2). Cuando Isaac y Rebeca estaban en la tierra de los filisteos «Sucedió que después de haber estado allí por mucho tiempo, Abimelej, rey de los filisteos miró a través de su ventana y vio a Isaac entreteniendo a Rebeca su esposa» (Génesis 26:8). La palabra hebrea *metzajek* (entretener) es el tiempo presente de la forma del verbo «reír» que aquí se refiere a que Isaac entabló relaciones maritales con Rebeca. De modo que la aliteración «Isaac divertía» significa que él trajo la risa del futuro al presente. El mundo aún no rectificado (personificado por Abimelej), sin embargo, lo contempla desde fuera de su estado edénico, de alguna forma profanando su naturaleza sublime.

47. Además de cubrir sus brazos y cuello con pieles de cabra.

48. Esta idea es la base de la costumbre de disfrazarse en Purim. En Purim se insta a beber «hasta no saber la diferencia entre "maldito sea Hamán" y "bendito sea Mordejai"» (*Meguilá* 7b). La frase «hasta no saber», puede ser una alusión a la «cabeza que no conoce ni es conocida». En Purim se supone que ascendemos a un nivel donde todas las dicotomías pierden su realidad. Esto trae consigo la mayor bendición, la revelación de la unidad esencial de Dios y el pueblo de Israel, que a su vez trae consigo «luz, regocijo, alegría y honor» (Esther 8:16).

Pero incluso en Purim los hombres no deben vestirse como mujeres ni mujeres como hombres (Deuteronomio 22:5; *Shuljan Aruj, Yore Dea* 182:5). Los aspectos más profundos de la vida son marginales y si se llevan aunque más no fuera un tanto más lejos, se convierten en pecado.

49. Génesis 27:19.

50. Aunque tanto Adán como Eva fueron culpables, la rectificación de la realidad cuidando que no transgreda sus límites es primariamente una función femenina. (*Zohar* 1:48b, 2:92a: «Está escrito "*Recordad* el Shabat" [Éxodo 20:8] y "*Guardad* el Shabat" [Deuteronomio 5:12]. "Recordad" es para el varón; "guardad" es para la mujer». La palabra «recordar» en hebreo *zajor*, es afín a la palabra «varón» (*zajar*).

51. De modo que el pecado de Adán y Eva fue que quisieron pasar directamente de la sumisión (reconocer la dependencia de la creación de Dios) a la *dulcificación* (consumar la unidad de toda la creación juntos) sin pasar por la etapa intermedia de separación (distinguir entre la conducta propia de la impropia). Como veremos, ésta es la mala interpretación fundamental de la espiritualidad de las teorías del mundo en general.

52. Cohabitar desnudos, una expresión de la verdadera unión de la pareja, no sólo que no es censurada, sino que en realidad es requerida por la ley (*Shuljan Aruj, Even HaEzer* 76:13; ver *Tikunei Zohar*

58). Sin embargo la pareja debe cubrirse con una sábana o manta (fuentes citadas en *Taharat Israel* 240:8:66) y por supuesto no pueden cohabitar en público. Esta conducta dual de irrecato (estar desnudos) y recato (estar cubiertos y en privado) expresa la paradoja de la unión al nivel de «lo que no conoce ni puede ser conocido».

53. Véase *Nida* 17a.

54. Como está escrito: »y cuando el hombre cayere no quedará postrado, porque Dios sostiene su mano» (Salmos 37:24).

55. Génesis 3:7.

56. Ibíd. 3:21. Ya señalamos que la palabra aramea «recipiente» tiene otra acepción: «vestimenta» y que esta raíz está relacionada a la palabra «fe».

Después de su pecado, Adán y Eva tomaron de alguna forma conciencia que su falta de modestia fue la causa de su caída, como lo indica el que se hayan cubierto parcialmente. Pero fue Dios quien les enseñó el verdadero significado de modestia, como lo indica el vestirse totalmente.

57. Éxodo 3:6. Notad la yuxtaposición de «aparecer» y «ocultar».

58. Moisés era la reencarnación y rectificación de Abel. (Las principales reencarnaciones de Moisés están implicadas en su nombre *Moshe*: Moshe, Set, Hevel). Abel recibió la pena de muerte por contemplar la *Shjiná* cuando Dios aceptó su ofrenda (*Tikunei Zohar* 69 [102a]).

59. *Berajot* 7a.

60. Éxodo 33:18.

61. Para respaldar la opinión acerca de la corrección de la conducta de Moisés al ocultar su rostro ante la zarza ardiente, se dice

que es por este mérito que su rostro relucía más tarde (Éxodo 34:28-35). «¡Contemplad cuán grande es el poder del pecado! Porque antes de pecar "la apariencia de la gloria de Dios era como un fuego abrasador en la cumbre de la montaña ante los ojos de los hijos de Israel [ibíd. 24:17] y sin embargo no tuvieron miedo y no temblaron. Pero después de hacer el becerro de oro retrocedieron y temblaron incluso ante la aparición de los rayos de gloria que irradiaban del rostro de Moisés». (*Sifrei* sobre Números 5:3). Así como Moisés se avergonzó de contemplar el rostro de Dios, se avergonzó el pueblo de contemplar el rostro de Moisés.

«Y Moisés no sabía que su rostro relucía... y lo cubrió con un velo». Moisés estaba a un nivel de *reisha delo itiada,* el origen esencial del recato; no era consciente del nivel que había alcanzado. Al ponerse el velo (después de ver a la gente retroceder ante él y así notar que su cara relucía) fue un acto de recato.

62. Ibíd. 33.19.

63. *Berajot, loc. cit.*

64. Isaías 30:20. Antes de la creación del mundo, el poder infinito de Dios no fue revelado, y estaba escondido dentro de Su poder infinito. Al crear el mundo Dios escondió Su poder infinito dentro de Su poder finito. En el futuro, se revelará lo infinito dentro de lo finito. El *tzimtzum* permanecerá, pero se revelará en lugar de esconderse. Esto es análogo a la idea, arriba mencionada, según la cual en el futuro la voz de la novia se escuchará junto con la voz del novio.

65. Rut 2:10.

66. El jasidismo explica que el «reconocimiento», *hakará*, es la dimensión interna del «conocimiento», *daat*. De la misma manera que el conocimiento alude a las relaciones maritales, nuestros sabios interpretan la palabra *hakará* en la frase de Rut

como una premonición acerca de que Boaz se casaría con ella (*Rut Raba* 5:2).

67. Como sucede con numerosas raíces hebreas, un concepto y su antítesis a menudo comparten la misma raíz. (De la misma forma que una palabra y su antítesis comparten a menudo la misma *guematria*).

En este caso la sub-raíz de dos letras de *nejer* (extranjero) y *hakará* (reconocimiento), es *kar*, la misma que en *keter* (corona). El nivel inicial supraconsciente, «irreconocible« («extraño») de *keter* deviene en conocido y «reconocido» en el nivel de *daat*. Esto concuerda con el principio general que dice que «cuando uno "cuenta [se concentra en] *keter*, no cuenta *daat*, cuando uno cuenta *daat*, uno no cuenta *keter*». *Keter* y *daat* son dos lados de una sola realidad existencial y en general no pueden ser vistas simultáneamente.

68. El recato de Rut está descrito en *Rut Raba* 4:8; *Rut Zuta* (Buber) 2:3.

69. Y el hecho que ella era una «madre de realeza» potencial (*Bava Batra* 91b; Reyes 1, 2:19), la progenitora de la línea davídica. A esto alude la suma de los valores numéricos de Rut (606) y David (14) que es el valor numérico de *keter*, «corona» (620), la «corona del reino» (Esther 1:11, 2:17, 6:8).

70. Rut 4:10, 21-22.

71. El alma del Mesías, más que otras almas de Israel, refleja el nivel de *reisha delo itiada*. A esto alude el último verso de la canción que canta Jana en honor a Dios por darle un hijo, Samuel: «Dios juzgará los confines de la tierra, dará fuerza a Su rey y poder a Su ungido» (Samuel 1, 2:10). «Su rey» se refiere al rey Saúl y Su ungido al rey David, los dos reyes que Samuel ungió (comentario de Rabí Levi ben Guershon, *ad loc.*). Samuel fue testigo del reinado de Saúl en su vida, pero murió antes de que

David fuera rey. Por lo tanto, el «ungido» (el significado literal de *meshiaj*) en este poema es un rey que ha sido ungido pero aún no ha sido coronado. Tiene que esperar pacientemente, como lo hizo David, antes de reinar. Si comprendemos el ritual de «ungir» como reflejo de la «unción» del rey por Dios, Su elección del alma del rey para gobernar, es posible que un rey sea «ungido» sin saberlo conscientemente. El no sabe que es un rey hasta ser coronado. Este es el caso respecto al Mesías: él no sabe que es el Mesías hasta que comienza realmente a redimir a Israel. Sin conocer su verdadera identidad, él es el reflejo de la quintaesencia de *reisha delo itiada.*

La culminación de la elección del rey llega cuando comienza verdaderamente a gobernar. Hay entonces tres etapas en el proceso de la elección del rey: unción, coronación y comienzo del gobierno. Estas son manifestaciones de los tres niveles del supraconsciente y en adición corresponden a los tres significados de la palabra *keter* («esperar» o «anticipar», «corona» y «rodear», ver *Pardes Rimonim, Shaar Erkei Hakinuim, Beshaa Shehikdimu*, págs. 1-127):

Etapa en la elección del rey	Nivel de supraconciencia	Significado correspondiente de *keter*
Unción	*reisha delo itiada.*	«esperar», «anticipar»
Coronación	*reisha deain.*	«corona»
Gobierno	*reisha dearij*	«rodear»

72. *Likutei Sijot*, vol.16.

73. Como lo hemos explicado, la luna es un símbolo del pueblo de Israel. Señalamos la renovación mensual de la luna con plegarias y celebraciones especiales. En *Rosh HaShaná*, sin embargo, las plegarias y celebraciones del año nuevo eclipsan las de la luna nueva, que virtualmente no es mencionada en la liturgia. Nuestros sabios consideran que este «ocultamiento» de la luna

en *Rosh HaShaná* alude a la manera en la que Dios cubre todos nuestros pecados en ese día, borrándolos para siempre (ver *Midrash Tehilim* 81:5; comienzo de *Sefer HaMaamarim 5670*).

74. Véase *Mivjar HaPeninim, Shaar HaTzaniut.*

75. Véase nota 30.

76. Véase *Shabat* 53b.

77. En forma similar, presumir de conocer a Dios sería disminuirlo y reducirlo a lo mundano.

   Cuando «Adán *conoció* a su esposa Eva», él se relacionaba a ella en todos los niveles salvo el de *reisha delo itiada*, ya que carecía del sentido de recato adecuado. En otras palabras la *conoció*, pero no logró alcanzar la paradoja de *no conocerla* simultáneamente.

78. El ejemplo clásico es Amnón y Tamar (Samuel 2, 13:1-15; *Avot* 5:16).

79. *Ani LeDodi VeDodi Li*, pag. 21.De acuerdo al Baal Shem Tov, a esta experiencia en espiral de virginidad mutua alude el versículo: «Y la virgen se regocijará en su danza» (Jeremías 31:12, ver *Keter Shem Tov*, agregado 40).

80. Génesis 18:9.

81. Rashi dice al respecto que es bueno ser consciente del recato de la esposa.

   Abraham no era inicialmente muy consciente de eso, ya que un ángel debió señalarle el recato de Sara. Para ser padre de Isaac, el recato encarnado, Abraham debió antes conseguir su propio recato (ver nota siguiente).

82. En este sentido el comportamiento recatado puede compararse a la expresión de una idea extremadamente compleja o sublime median-

te una parábola. Mientras que aquellos familiarizados con los recónditos conceptos discutidos en la parábola comprenderán sus alusiones, todos los demás simplemente apreciarán la parábola en forma literal. Esta es la esencia de la vestimenta espiritual conocida como *jashmal*, que al mismo tiempo esconde y revela (ver *Maamarei Admor HaZaken*, citado en *Keter Shem Tov*, agregado 35).

83. Específicamente, no conocer es la experiencia de *reisha delo itiada per se*, mientras que conocer es la experiencia dentro de *reisha delo itiada* del origen de todos los niveles inferiores a él. Por supuesto que esta sensación de misterio no debe servir nunca como excusa o razón para interrumpir la comunicación.

84. Véase pág. 23.

85. Otro ejemplo de la aversión a la vida matrimonial que resulta cuando uno se detiene antes de alcanzar la *reisha delo itiada* es la descripción de la cumbre de la espiritualidad no perteneciente al pueblo de Israel. Si es visto como un fin, más que como un medio, el placer de la anulación del yo deviene irónicamente en un epítome de egocentrismo. Uno se deleita hasta tal punto en la experiencia de ser nada que odia dejarlo a un lado para realizar el propósito de Dios en la tierra. Por eso es que fuera de la sabiduría del pueblo de Israel, el celibato es considerado casi universalmente un corolario de la vida espiritual (ver llamada 65, en referencia al versículo: «Así eran las [ovejas] más desapasionadas para Laban»). Quien brega por ser «copartícipe de Dios en la labor de la creación», debe tener esposa. Esta es la razón interna por la que el Nombre de Dios es en plural (En el principio creó Dios») y Él Mismo habla en plural en el contexto de la creación del hombre («Hagamos al hombre»). (Notad que sólo en el contexto de la creación del hombre el verbo está en plural, indicando que sólo el hombre puede manifestar la verdadera idea de la asociación).

86. *Todo Mei HaShiloaj,* por ejemplo pág.15. Este es el significado interno del enunciado de nuestros sabios arriba citado: «El

poder del hijo excede al del padre», es decir que el hijo es más el padre que el padre.

87. La primera referencia al *tzeniut* matrimonial en la Torá es respecto a Abraham y Sara. Cuando bajan a Egipto, Abraham se vuelve a Sara y le dice: «Ahora sé que tú eres una mujer hermosa» (Génesis 12:11). De acuerdo al Midrash (*Midrash Tanjuma, Lej Leja* 5; *Midrash HaGadol, Lej Leja* 11), su recato no le había permitido notar su belleza física anteriormente. Sólo entonces, al cruzar un río, accidentalmente vio su reflejo en el agua y se dio cuenta cuán bella era.

88. *Shaar HaMitzvot, Itro, Mitzvat Kibud Av vEm.*

89. Salmos 45:14; *Vaikra Raba* 20:11. *Ioma* 47a.

90. Esto es aplicable en particular al estudio de la Cábala; el jasidismo, por lo contrario, fue revelado en un lenguaje adecuado para todos. Como tal, el jasidismo revela algo del recato supremo que caracterizará las revelaciones Divinas de la era mesiánica y el mundo venidero. La piedad será entonces *totalmente* revelada (es decir completamente y para todas las criaturas como conocimiento público) y *totalmente* escondida (es decir que no abrumará a la realidad, permitiéndole existir).

91. Según *Avot* 5:22: «... a los dieciocho uno debe casarse, a los veinte ganarse el sustento...». La madurez completa llega sólo a la edad de veinte años, la edad de conscripción (la conexión entre ganarse el sustento y servir en el ejército es indicada por la raíz común de las palabras «pan» (*lejem*) y «guerra» *(miljamá)*. La Ley considera que una persona es lo suficientemente responsable para vender la herencia de su padre sólo a los veinte años. En la Cábala esto sucede porque sólo a los veinte años uno adquiere *mojin de Aba*. A la edad de trece uno adquiere *mojin de Ima*. Sólo a los veinte uno alcanza el estado del que dice el jasidismo «dentro y fuera del mundo simultáneamente».

92. *Tania*, cap. 36, basado en *Midrash Tanjuma, Naso* 16, ed. Buber 24.

TABLA DE EQUIVALENCIA
DE LIBROS BÍBLICOS

Génesis	*Bereshit*	Miqueas	*Mijá*
Éxodo	*Shemot*	Nahúm	*Najúm*
Levítico	*Vaikrá*	Habacuc	*Jabakuk*
Números	*Bamidbar*	Sofonías	*Tzfaniá*
Deuteronomio	*Devarim*	Hageo	*Jagai*
		Zacarías	*Zejariá*
Josué	*Ieoshúa*	Malaquías	*Malají*
Jueces	*Shoftim*		
Samuel	*Shmuel*	Salmos	*Tehilim*
Reyes	*Melajim*	Proverbios	*Mishlei*
		Job	*Iov*
Isaías	*Ishaiahu*	Cantar de los Cantares	*Shir Hashirim*
Jeremías	*Irmiahu*	Rut	*Rut*
Ezequiel	*Iejezquel*	Lamentaciones	*Eijá*
		Eclesiastés	*Kohelet*
Oseas	*Hoshea*	Ester	*Ester*
Joel	*Ioel*	Daniel	*Daniel*
Amós	*Amós*	Esdras	*Ezrá*
Abdías	*Ovadiá*	Nehemías	*Nejemiá*
Jonás	*Ioná*	Crónicas	*Divrei Haiamim*

ÍNDICE

PARÁBOLAS DE SABIDURÍA (I)
Rabí Israel Meir Hakohen
Jafetz Jaim

El Jafetz Jaim (1838-1933), uno de los sabios más grandes de la Europa Oriental, conocía y dominaba la sabiduría de la Torá –la revelada y también la oculta– como muy pocos hombres lo lograron a lo largo de la historia sabia de Israel. Su inmensa claridad lo llevó a escribir obras monumentales de leyes que sirven de guía en los hogares judíos religiosos del mundo. En ellas se analizan y discuten complicadas normas y sus diversas aplicaciones según los distintos casos y circunstancias. No obstante, cabe dudar que el Jafetz jaim haya querido pasar a la posteridad gracias a esta complicada y maravillosa obra: la *Mishná Brurá*. Y si llegó a convertirse en guía espiritual de millones de personas durante varias generaciones fue por su inquebrantable apego a la forma más humilde y sencilla de vida, su negación a asumir cualquier puesto honorífico y por su inmensa capacidad de explicar las insondables profundidades de la Torá con una simplicidad y a la vez claridad inigualables.

PARÁBOLAS DE SABIDURÍA (II)
Rabí Israel Meir Hakohen
Jafetz Jaim

El libro *Parábolas de Sabiduría* es una muestra cabal de cómo los secretos y los misterios más profundos de la Torá pueden exponerse del modo más simple y sencillo a través de parábolas, relatos y alegorías. Un mundo de personajes comunes y de reyes, viajeros y comerciantes, tesoros y ministros que aparentan conformar un paisaje como cualquier otro, pero que, gracias a la maestría del autor, casi sin notarlo, dejan al lector boquiabierto, sorprendido y emocionado. Y lo más importante aún: un poco más sabio.

EL CUMPLIMIENTO DE LAS PROFECÍAS DE LA TORÁ
Rabí Meir Simja Sokolovsky

Los egipcios, los babilonios y los persas ascendieron, llenaron el planeta con ruido y esplendor, y luego se desvanecieron a una substancia de sueño y se disiparon. Los griegos y los romanos vinieron después, y ocasionaron un inmenso estruendo y se han ido. Otros pueblos han crecido y han mantenido alta su antorcha y ahora reposan en el crepúsculo o han desaparecido. el Pueblo de Israel les vio a todos, venció a todos y es ahora lo que fue siempre. Todas las cosas son mortales, menos el judío; todas las otras fuerzas pasan, pero él persiste. ¿Cuál es el secreto de su inmortalidad?

MARK TWAIN

El cumplimiento de las profecías de la Torá es un libro único en su género, en el que su autor, el Rabí Simja Sokolovsky, basado en una sabiduría milenaria, responde con absoluta claridad al gran secreto de la historia: la eternidad del Pueblo Elegido.

LA SABIDURÍA DEL ALMA
Rabí Israel Meir Hakohen
Jafetz Jaim

El libro *Parábolas de Sabiduría* es una muestra cabal de cómo los secretos y los misterios más profundos de la Torá pueden exponerse del modo más simple y sencillo a través de parábolas, relatos y alegorías. Un mundo de personajes comunes y de reyes, viajeros y comerciantes, tesoros y ministros que aparentan conformar un paisaje como cualquier otro, pero que, gracias a la maestría del autor, casi sin notarlo, dejan al lector boquiabierto, sorprendido y emocionado. Y lo más importante aún: un poco más sabio.

LA ÉTICA DEL SINAÍ
Rabí Israel Meir Hakohen
Jafetz Jaim

Agobiado por la cultura y aturdido por los avances científicos y tecnológicos, el hombre moderno experimenta cada día más su falta de Sabiduría. Y cuando al fin puede tomar contacto con aquello que tanto busca y desea, entonces normalmente le proponen teorías y especulaciones que en la mayoría de los casos son productos de personas inteligentes, aunque carecen de la base que las una y las vincule a un sistema de Sabiduría que extienda sus rayos y abarque todos los campos de la vida.

La ética del Sinaí, basado en el tratado de la Mishná denominado Pirkei Avot, reúne las enseñanzas éticas de los sabios de Israel, instrucciones que buscan revelar al hombre el camino de la perfección. El Talmud enseña que "el que quiera ser piadoso, que cumpla entonces las enseñanzas del tratado de Avot". No obstante, el tratado comienza aclarando, antes que nada, que las enseñanzas de excelencia que presenta no reflejan opiniones personales, sino que "fueron entregadas a Moisés en el Monte de Sinaí."

Además, *La ética del Sinaí* no sólo presenta un resumen de esta Sabiduría eterna sino que la acerca al lector gracias a las alegorías y parábolas del Jafetz Jaim, uno de los sabios más colosales de todos los tiempos.

- Abandono del egocentrismo
- cultivar un autentico autodesinteres ⟵ Dios
                                             los demas
                                             uno mismo

- Aferrarse y volverse uno
     - como relacionarse adecuadamente entre si
                     Lo proyectarse 2 como 1 solo